究極のサバイバルテクニック

ベア・グリルス
伏見威蕃＋田辺千幸＝訳

BORN SURVIVOR

Survival Techniques from the Most Dangerous Places on Earth

朝日新聞出版

はじめに

体温を氷点下に下げられる哺乳動物は、ホッキョクジリスしかいない。オナガガモのあざやかな羽色は強い警告で、襲われそうになったときには、悪臭がするべとべとの黄色い血を足から分泌して捕食者を追い払う。

◉

現代人は自然界を「荒野」と呼ぶ。荒れ放題で、人の手が入らず、抑制がきかず、混乱しているという考え方だ。それはまちがっている。それどころか、自然界のことを学ぶにつれて、自然は秩序立った生命現象の一部なのだと私は気づいた。植物や動物王国の裏側や、虫をよく見ると、そこには沈黙の世界がある。たえず動き続け、成長し、変化し、それらすべてが同時に進行している。

皮肉なことに、私たち人間のこしらえた人工の世界のほうこそ、ほんとうに乱雑な「荒野」なのだ。本物の調和といえるものは、自然界だけにある。人間が住んでいるところはどこも調和がとれておらず、目的が欠けている。大きなレベルでは、国、民族、宗教のあいだの争いがある。小さなレベルでは、企業が川を汚染し、個人が道端にゴミを捨てている。こんなふうに、私たちの生活は調和がない真の「荒野」だといえる。荒野は私たちがこしらえ、それで周囲を汚している。しかし、自然界にはそんなものはない。貪欲も無駄もねたみもない。それに、ほんとうに奇跡的な生命現象は、自然界で起きる。

マツユキソウが生き延びるのは、雪が断熱して霜から守ってくれるからだ。裸の人間は、そんな雪のなかでは死んでしまう。ツノメドリが氷山のあいだで、たどたどしくはばたいているのを見たことがある。南極の海は風力九の大強風で荒れ狂っていたのに、さも楽しげだった。陸地からは八〇〇キロメートルも離れていた。チームの面々と私は、小さな複合艇（訳注　膨張式の部分と硬いグラスファイバーの部分を組み合わせたボート）に乗り、最新鋭の装備を備え、ドライスーツを着込んでいたが、ツノメドリたちとはちがって、寒さと恐怖のために死にそうだった。自然界はあらゆる面で、私たちよりも大きく、優れていて、賢く、強い。

「野生環境」といわれる自然界に戻ると、自分のなかで自然な生命の息吹が蘇《よみがえ》るのがわかる。体内のリズムが感じられ、五感が周囲と調子を合わせる。闇でも物が見えるようになり、森のにおいが嗅ぎ分けられるようになり、東風か西風かがわかるようになる。要するに、本来のヒトに戻る。自然が創りあげたままのヒトになる。この「荒野」は、社会が私たちみんなに着せている偽りの衣をはぎ取るのを手伝ってくれる。巷《ちまた》では鬱憤《うっぷん》を晴らすための暴力が横行し、夢や希望を失った人々が茫然自《ぼうぜんじ》失《しつ》している――それはヒトの本来の姿ではなく、偽りの衣なのだ。

現代人は、目を伏せて道路を見ながら歩いている。サバイバルとは、上司にクビにされず、面接に通って、その日を生き延びることだ。それも大切だが、自分たちの目の前の道路だけが人生だというのでは、あまりにも淋《さび》しすぎる。

たまには視線をあげてみよう。昼休みに公園のベンチに座っているときでもいい。そうすると、どういうわけか気分が明るくなるはずだ。想像力が活発になり、希望や夢が見えてくる。自然には、私たちをそんなふうにする力がある。道路を見つめるなんて、私たちの本領とはほど遠い。人生は一度きりだし、このすばらしい世界は、私たちが楽しむために創られているのだ。

人間は自然破壊にいそしんでいるが、自然界にはいまも比類ない先進的な生態現象があり、その取り合わせはじつにすばらしい。私たちの最高のテクノロジーも、芋虫が蝶《ちょう》になる単純な作用には及ばない。子どもの頃に感じたそんな驚きを、大人は忘れている。

冒険旅行を通じて私たちの世界を見れば見るほど、私はさらに大きな驚異に打たれる。世界は小さいと人はしばしばいう。でも、世界が広大で、多様性に満ち、力強いことに、私はいまもって驚く。一つ秘密を教えよう。自然ほど贅沢《ぜいたく》なものはない。ジャングルのなかにひっそりと隠れて、一輪の花が咲いている。これまで人の目に触れたことは一度もない。清らかで爽やかで美しい花――その秘められた自然の驚異は、まるで神のための贅沢で、神が楽しむために創られたもののようだ。

世界にはそういう繊細な美が満ちあふれている。それに対して、私たちは大きな責任を二つ担っている。一つはそれらを理解し、守ることだ。もう一つは、それを楽しむことだ。くどいようだが、人生は一度きりなのだ。魔法の世界が、発見されるのを待っている。それに、自然のことを知れば知るほど、知らないことがもっとあると気づく。

この本が、いつかみなさんの命を救う役に立てばいいと思っている。でも、冒険をはじめて自然が私たちにあたえてくれる贅沢を理解し、楽しんでもらえればいいとも考えている。自然を恐れる必要はないが、正しい認識を持ったほうがいい。人類はあらゆる動植物を支配する立場をあたえられた。しわくちゃの小柄な遊牧民が、爪先を這《は》っている世界でもっとも恐ろしい毒ヘビ一匹を操るのを見たことがある。知識とはすばらしいものだ。

私たちの祖先は何世紀もかけて、厳しい生息環境でも人間が生き、食べ、水を飲めるように、数多くのすばらしい「秘伝」を編み出してきた。そういったスキル（勉学や訓練で身につける知識や技術）を滅びさせてはならない。友だち何人かと無人島に置き去りにされ、食べ物もなにもないときに、若木から飲み水を得て、マッチなしで焚《た》き火をこしらえ、ヘビを捕らえて皮をはぐことができたら、さぞかし自慢できるだろう。もちろん、それは何千年もかけて進化してきたある部分――ヒトの生存本能――を引き出すことでもある。

現代の驚異的なモノのおかげで、私たちの暮らしはよくなっただろうか？　楽になり、速くはなったかもしれないが、果たしてよくなったのか？　よくなったといいながら、どうして落ち込みが激しくなるのだろう？　私たちは自分たちの内面と大きく離れてしまったのではないか？

私にもよくわからない。わかっているのは、自然が本来の私を引き出してくれるということだけだ。悲しんでいるとき、苦しんでいるときには、スペースや時間が必要になる。そういったとき、どこへ行けばいいのか？　私は山に走っていく。静けさと安らぎがそこにある。我が家のように思える。叫び、泣き、息をつく時間が持てる。それが自然だ。

大冒険に乗り出したときに危難に出会ったら、この本で紹介するツールを使って切り抜けるといい。でも、なによりも役に立つのは、神にあたえられた自然な生命の息吹だ。しばらくそれとご無沙汰していたら、埃《ほこり》を払ってやらないといけないかもしれないが、だれにでもちゃんとある。第一、ときどき生命の息吹を道連れに旅をすると、人生がものすごく豊かになる。

だから、溌剌《はつらつ》と生きるのを怖がらないことだ……そう、道路なんて、そんなにしげしげと眺めるものではないんだ。

第2章◉夏山

第3章◉氷点下環境

第4章◉ジャングル

第5章◉砂漠

第6章◉海

究極のサバイバルテクニック

BORN SURVIVOR

Survival Techniques from the Most Dangerous Places on Earth

息子二人、ジェシとマーマデュークに捧げる。切羽詰った状況では、おまえたちのママがいつもトンネルの向こうの明かりになってくれて、我が家に導いてくれた。
おまえたちをとても愛している。

——ベア・グリルス

知恵はすばらしいかもしれない。しかし、人類にいい意味での刺激をあたえ、胸を高鳴らせ、精神を高揚してきたのは、知恵とはまったく逆のもの——無謀ともいえる雄大な衝動だった。
考えてみるがいい。知恵ではビクトリア十字勲章は勝ち取れない。それは勝機がほとんどないようなときに、がむしゃらに突進して得るものだ。モナリザを描いたり、英雄交響曲を作曲するのは、知恵ではない。そもそも賢明な人々は芸術などやらない。常軌を逸した夢を実現するために、耐久力の限界まで自分を追い込むのは、知恵ではない。それはたましいの奥底にある、賛美すべき強情さの賜物だ。それに、実りそうにない恋を追い求めてすべてを擲《なげう》つ危険を冒すのも、知恵のなせるわざではない。それは抑えられない情熱と、死ぬ前に危険を味わいたいという、人間本来の強い衝動によるものなのだ。

——リチャード・モリソン《タイムズ》

Photo:Tim Hunter/Newspix/Getty Images（jacket）
Photoshot/Hulton Archive/Getty Images（p.251）
Jasin Boland/NBCU Photo Bank via Getty Images（the others）

Illustration:Patrick Mulrey
山口正児（pp.64-72, pp.205-208）

Book Design:遠藤陽一（design workshop jin）

サバイバルでもっとも大切な事柄

――なにが一番かを忘れないこと――

「まとめ」は私も大好きだ！　時間がなかったり、記憶力に自信がないときには、この二ページだけを頭に入れておくといい。命が懸かっているようなときに、なにが一番かに気づかないで失敗する例は多い。だから、サバイバルの核心に迫る前に、ここから読みはじめてほしい。命を救うために大切な事柄をしっかりとつかむために。

身を守る

大切な事柄その一：サバイバル状況で身を守ること。極端な環境（たとえば氷点下前後で濡《ぬ》れた服を着ていると、数時間で死ぬ。日陰がなく猛烈な暑さにさらされても同じ）、危険な動物、爆発しそうな飛行機。どの場合も、まず身を守る――いくら水を飲んでも、低体温症にかかってはなんにもならない！

救助

大切な事柄その二：救助される用意をすること。品物、石、なんでもいいから地面に並べて、シェルターの近くに大きなSOSをこしらえる。だれかが危難に陥ったとわかると、救助隊は捜索を開始する。救助される最初のチャンスを逃さないように、準備しておく。じっとしていても安全なら、そこを動かないほうがいい。じっと待つ。乗り物があるときには、そこから離れないようにする。近くにいる。オーストラリア奥地で車が故障し、すさまじい暑さのなかで助けを求めてさまよい、車から何キロメートルも離れたところで脱水のために死んでいるのが数日後に見つかった、という話を何度も聞いている。知恵を絞って安全を確保し、見つけられやすいようにして、救助を待つ（だれにも見つけられない雪洞にこもっているのはだめだ！）。

救助隊が来ないか、数日たっても捜索されている様子がないときには、自力で助かることを考えなければならない。二本の足でそこから脱け出す。これは最後の手段だが、助かるのがサバイバルの最終目的だし、そのためにあらゆる手を尽くさなければならない。石でもなんでも見つけられるもので地上に合図を残し、出かけていった方角がわかるようにしてから、準備をして出発する。

水

風雨や寒さや暑さから身を守る手段を講じて、救助されるように手を打ったら、救助隊が来るまで、できるだけ長く生き延びなければならない。そこで水がもっとも大切なものになる。三つの三を考える。極端な暑さか寒さのなかでも、三時間は死なない。水なしでも三日は生きられる。食べ物がなくても、三週間生き延びられる。これでなにが大事かわかるはずだ。なんとしても水を見つけなければならない。

食べ物

自力で助かることを考えているときは、エネルギーが必要になる。だが、水があれば食べ物がなくてもしばらくは生き延びられるし、体には筋肉と脂肪の蓄えが豊富にあるから、それが体を動かすエネルギーになる。水が乏しいときには、食べ物を減らす。ことに、消化に水分を多く必要とするタンパク質は控える。昔の人類のように、採食を覚える。ベリー類、ウジ、甲虫の幼虫をまず探してから、大きな獲物を探す！　それでほんとうに生き延びられる。

だから、「まとめ」はＰＲＷＦ……身を守る（Protection）、救助される（Rescue）、水（Water）、食べ物（Food）の順序になる。忘れないでほしい。なにが一番かを！

第１章　FUNDAMENTALS OF SURVIVAL
サバイバルの基本

「強い人々は敵によって形作られる
（風で凧があがるように）」
——ネルソン・マンデラ

大惨事は起こり得るし、実際起きている。個人もコミュニティーも、社会そのものも、運命の急転にどうしても影響されるからだ。

◉

ヒトは発展を続け、いまだかつてないくらいテクノロジーの恩恵に浴するようになった。その反面、皮肉なことに、祖先がサバイバルのために利用したスキルの数々を忘れてしまった。

いまは地球の反対側にいても、すぐに話をしたり、お互いの姿を見たりできるのが、あたりまえになっている。深い海の底は別として、人間が行けない場所は地球上にはほとんど存在しない。自分の位置を、テクノロジーによって数メートルの誤差で知ることができる。救助隊に出動してもらうのに、遠距離に届くSOSを発信できる。テクノロジーは、生命力が消えかけている仮死状態の人間を救うこともできる。ボタン一つ押すだけで、明かり、火、暖かさ、お湯、食料が得られる。

しかし、突然、予想もしていなかったときに、そういうものを奪われてしまったら？

停電したとたんに、私たちは暗闇と静けさに放り込まれる。コンピューターとテレビの画面が消えて、世界のほかの場所との連絡が絶たれる。暖房が使えなくなり、体を洗ったり料理したりできなくなる。

ほんの数時間のことなら、ただのめったにない経験ですむ。近所の人間をあらためて見直し、知らない人間と話をして、お互いに助け合う。普段の生活ではめったにやらないことをやる。するとまた電気がついて、正常に戻り、些《さ》細《さい》な出来事だったし、そんなことはほとんど起きないから心配しなくてもいいと考える。

現在のヒトは、あらゆる面でテクノロジーに依存しているが、それは両刃《もろは》の剣でもある。うわべはかなり過保護な状態で、便利なテクノロジーに頼っている。それが徒《あだ》になり、ヒトそのものは逆にどんどん脆《もろ》くなっている。**システム**が故障したとき、長い時間それに対処することができない。

だから、たとえ基本的なテクノロジーでも、故障すると手も足も出なくなる。この本には、そういうバランスの悪さを直すという目的もある。祖先があたりまえに利用していたスキルを学ぼうというわけだ。私たちがそういうスキルをあっという間に失ったことを知ったら、祖先はさぞかし愕然《がくぜん》とするだろう。この本は、明かりが消え、ずっと消えたままになったときに、どうやって生き抜くかを学ぶための「自己啓発書」なのだ。

私たちが完全に頼りにしているテクノロジーが失われたときに、なにが起きるかを、この本で伝えたいと思う。通信手段が突然失われたときや、砂漠、ジャングル、氷河など、未知の世界にひとり取り残されたときのために。

どうしてそういうことになったのか？　は、この際、深く考えなくてもいい。人里離れたロッジへ行く途中で、軽飛行機が山越えに失敗して墜落するかもしれない。荒涼とした原野でトレッキング・パーティとはぐれるかもしれない。登山道でホワイトアウトに巻き込まれ、自分の着ている服しか見えなくなるかもしれない。道に迷い、ひとりぼっちになり、死んだと思われて、だれも探しにこないかもしれない。

携帯電話やＧＰＳ（全地球測位システム）の助けは借りられない。そういうものは、文明と呼ばれる遠く離れた惑星に置いてきてしまった。雨露をしのぐ場所もなく、水も火もなく、どこにいるのかもわからない――やがて夜になる。未知の生き物や危険に囲まれ、かなり寒くなってきた。ライター、水筒、暖をとれる寝袋など、ありきたりのローテクなものがあれば、どんなにいいだろう。クリスマスのクラッカーにはいっているような、ちゃちなコンパス（方位磁石）でもありがたい。だが、どれもこれも、自分がテクノロジーに依存してきた遠い国の品物で、いまは手にはいらない。

これからは、テクノロジーの国を出て、ひとりでサバイバルしなければ……死ぬ。

そんな状況に置かれたとき、この本から得る情報で困難を乗り越えてほしい。これからありとあらゆる地形を想定して、私が知っているスキルを伝授したいと思う。それに伴い、ＳＡＳ（英国陸軍特殊部隊）隊員だったときに学んだサバイバルのスキルを教え、世界の最高峰や危険な山にのぼったときのエピソードも語るつもりだ。それから、非常な困難をものともせずにきわめて過酷な環境を生き延び、その物語を伝えた男女の有益な実話も取りあげる。

これから私が説明するスキルやテクニックは、地形によって異なる。たとえば、冬の山地のシェルターは、湿気が多い高温のジャングルのシェルターとは、まったくちがうものになる。ただし、この第１章では、地形や状況がちがっても共通する、一般的なスキルを紹介したい。

サバイバルの心理学

惨事に見舞われて未知の過酷な環境に置かれたとき、生き延びる人間と死んでしまう人間がいるのは、どういうわけだろう？　ダーウィンの進化論がその答えだ、というのが常識的な解釈だ。適応力が強い――つまり強くて賢い――者が、サバイバル状況を無事に切り抜けるというのだ。

ヒト対野生環境の勝負では、確かにそういう資質が大きな役割を果たすだろう。宇宙飛行士、冒険家、山岳救助隊員、水難救助隊員はすべて、貴重な知識を蓄え、自分たちが相手にまわす環境の荒々しさに対応できるように体を鍛えている。

しかし、それだけがすべてではない。驚異的なサバイバル物語には、ほとんどといっていいくらい、分析できない成分Xが含まれている。そしてそれは、「人間の気力」という謎の実在から生み出されている。

> 「驚異的なサバイバル物語には、ほとんどといっていいくらい、分析できない成分Xが含まれている」

語り継がれてきた驚異的なサバイバル物語を、ここでいくつか紹介しよう。なかにはよく知られている失敗した雄大な探検もあれば、個人が生き延びるのが難しい自然との戦いに突然投げ込まれた例もある。

一九一四年から一七年にかけての、アーネスト・シャクルトンの南極探検は、前のジャンルに属する。シャクルトンと乗組員を乗せた帆船エンデュアランス号は、氷塊の海に閉じ込められた。少人数が地球上でもっとも危険な水域を覆いのない小舟で渡り、助けを求めて、全員が生還するという、サバイバルの偉業が成し遂げられた。状況はまったく異なるが、アポロ13号の搭乗員たちが、酸素タンク三つのうち二つが爆発を起こした後、傷ついた宇宙船で地球に戻ったのも、このジャンルの物語だといえる。

ヘレン・クラーベンとラルフ・フローレスというアメリカ人二人の物語は、あとのジャンルに属するだろう。一九六三年二月、カナダのブリティッシュ・コロンビア州とユーコン準州の境で、二人が乗った軽飛行機は吹雪のために墜落した。ひどい怪我《けが》を負い、未開の地で暮らす技術も野生環境での経験もなく、食料もほとんどなかったのに、零下四五度に達することも多い場所で、七週間生き延びた。

いずれもきわめて大きな困難にもかかわらず、サバイバルが成し遂げられたわけだが、二つのジャンルの前提条件は、まったく異なっている。最初のジャンルは、かなり特殊な人々によって成り立っている。どちらの冒険も、乗組員や搭乗員は、ジャーナリストのトム・ウルフが「適切な《ライト・》資質《スタッフ》」（七人の宇宙飛行士を描くウルフのノンフィクションの題名）と表現したものを備えていなかったら、そもそもそんな危険な状況に置かれることはなかった。

彼らはそもそも冒険のために選ばれた人々で、体力や適応力を実際に示していた。精神的にも強く、極端な環境でもサバイバルできる可能性が高かった。それに、アポロ13号の場合はとくに、豊富な訓練と経験を頼りにできた。

もう一つのジャンルは、一つにくくるのが難しい。この人々は特殊なスキルを持っていないが、生き続けるという意志は秘められたX要素の特徴だ。クラーベンとフローレスは、悪天候が予想されていたのに飛行するというまずい判断からもわかるように、平凡な人間だった。知識がないために、この本に描かれているようなサバイバルのテクニックをほとんど利用できなかった。それでも生き延びた。なぜだろうか？　その答えに、サバイバルの核心がある。知識と気力のどちらかを選べといわれたら、私はいつでも気力を取る。私が冒険の仲間を選ぶときも、その尺度で選ぶ。ＳＡＳの隊員の選抜も、おなじ尺度で行われる。スキルはだれにでも教え込むことができるが、内なる炎はだれにでもあるわけではない。

だが、サバイバル物語の核となっているこの捉えがたい要素、この「炎」の源を探ろうとする前に、大惨事を生き延びた人々が折々示す重要な心理的特性を洗い出してみよう。野生との戦いを切る抜けるとき、こうした「規範」は、「生き延びる意志」ともいえるほど重要な要素になる。

つぎに、ひとりぼっちになったことを認め、起きてしまったことと折り合いをつける際にもっとも重要なのは、パニックを起こさず、ひどい状況をさらに悪化させないことだ。あらゆる物事――とりわけ体力――には限りがあるものだから、残量が少ない電池とおなじように、よくよく注意して、節約しなければならない。

そして、自分の置かれた状況を、できるだけ客観的に捉える。極端なストレスにさらされたとき、自分が窮地に陥っているのを否定するのは、ありがちな反応だが、それではサバイバルの可能性が低くなるだけで、なんの役にも立たない。逆に、すぐにも救出されると信じてしまうと、失望してしまい、弱気になっている自分を鞭《むち》打つことになりかねない。

サバイバル状況に置かれたとき、「なあ、現実を見据えるんだ。いったいどんな方法がある?」という人間は多い。大惨事を生き延びた大勢とおなじように、私はちがうことをいう。「明るい希望を持て」と。私の経験では、「現実的」という言葉はたいがい悲観しているときの下手ないい訳なのだ!　サバイバルする人間は、なにが難しいかではなく、どういうチャンスがあるかを考えなければならない。希望はかなえられる、必ず見込みがある、と思わなければならない。

生と死を分けるのは、煎じ詰めれば一つの選択だということを、忘れてはならない。いま自分が置かれている状況は、自分が「現実」だと信じたとおりになる。困難はあまりにも大きく、サバイバルできる見込みはないと判断したら、その時点で戦いに負けたことになる。

その逆を考えてみよう。野生環境で頼りにするスキルもないのに生き延びた人々の物語には、有益なヒントがあるはずだ。それを知れば、不可能に思えることでも見込みはあるとわかる。つまり、サバイバルできると確信することが、サバイバルの最大の強みなのだ。

自分は運が悪かったとくよくよ悩まずに、自分が現に一〇〇万分の一の確率で生き延びたことを考えるといい。さらにいえば、自分の人生は魔法で守られてきたし、生きているのは途方もなく幸運なのだと思うことだ。統計によれば、たいがいの場合、五日以内にサバイバル状況から救出される――それを頭に入れておくといい。明るい考え方をしていれば、希望を持ち続けられる。サバイバルした人々はすべて、希望を手放さなかった。希望は神があたえてくれた大事な贈物なのだ。

また、サバイバル状況では、自分の強みや弱みをはっきりと直視することになる。ただし、内面から崩れないように気をつけなければならない。だれにでも欠点はある。わけもなく暗闇を怖がる人間もいる。クモやヘビに極度の恐怖を抱いている人間もいる。生まれつき臆病だと思い込んでいる人間がいるいっぽうで、自分の能力を過信している人間もいる（あとのタイプはサバイバーとしては最悪だ）。

勇気と恐怖が一枚の硬貨の裏表だというのを、忘れてはならない。そもそも恐怖を感じるからこそ、勇気が湧いてくるのだ。それとおなじように、弱みを直視してそれを克服してこそ、強い人間だといえる。野生環境では、まさにそれをやらなければならない。シェルターを作る、食べ物を手に入れる、川を渡るといった障害にぶつかって、それを克服するたびに、しだいに自信を深め、決意を強めるのだ。

急に気分が変わって、思考が乱れることもある。愛する人々に二度と会えないかもしれないと思うと、耐えられなくなる。だが、ネガティブな感情を押し込めようとするのはまちがいだから、やってはいけない。かえってそういう感情に押しつぶされそうになるのが関の山だ。それよりも、そういう感情の力を受け入れて、うまく利用したほうがいい。サバイバルするという決意を強めるのに役立てるのだ。自分が生還できなくても愛する人たちは生きていくのだから、悲観することはない。彼らのためにがんばろう。あきらめてはいけない。彼らの顔を道しるべにし、彼らの思い出を力に変えよう。

水ぶくれ、痛み、疲労は、一時的なものだ。サバイバルには一週間、一カ月、あるいは一年かかるかもしれないが、再会のよろこびや生き延びたことへの誇りは、永遠に残る。

生還して、いかにサバイバルしたかを語る人々の多くが、精神的な修錬のおかげで成就できたと述べている。いっぽうでは、物事を的確に判断して、目の前の仕事に集中し、達成できる小さな目標を一つずつ果たしていくというやり方をしている。もういっぽうでは、もっと高尚なことを考えている。信念や家族への思いを梃子《てこ》に、一見乗り越えられそうにない問題を克服している。

精神はもっともパワフルなツールだ。拷問や独房での生活に耐え抜いてサバイバルした人々の話に耳を傾けるといい。精神の痛みからの逃げ道、力の源、麻酔薬で、そこによろこびを見出《みいだ》すことができたという話が聞けるはずだ。

もっとも極端なものは、数日のうちに一〇人が死んだ一九九六年のエベレスト登山隊に参加していたニュージーランド人、ベック・ウェザーズの一件だろう。頂上近くですさまじい嵐に見舞われたあと、ベックは身動きせずに横たわっていた。ひどい凍傷と脱水状態で、二日二晩仮死状態だったあと、どうにか立ちあがり、安全なところへ下山した。

カムラー博士の名著『Surviving the Extremes』には、死の間際の激しいストレスに肉体がどう反応するかが、詳しく述べられている。もっとも過酷な環境では、帯状回と呼ばれる脳梁幹《のうりょう》の一部が、脳が受け取るあらゆる知覚、感情、理性のインプットを遮断し、別の「現実」を創ってしまうという。一部の「臨死状態」からの奇跡的生還は、この帯状回によるものらしい。

だが、カムラー博士が書いているように、科学には帯状回から発せられる脳波を突き止める力があっても、「私たち自身を理解するのを阻む、浸透できない謎の障壁がつねにある。突き詰めれば、極限状態でのサバイバル成就を説明するには、科学ではなく信仰が必要になるかもしれない」。

それはだれにでもあるのか、それとも、たぐいまれなものなのか？　私たちすべてに絶対にあると思う。だが、それは心の奥底に隠れているかもしれない。一生ずっと自分に合わない物事を追い求めるうちに、軟弱な見かけに隠れてしまったかもしれない。金、所有物、身分といった浅はかなものに牛耳られて、ほんとうの自分が引き出されていないかもしれない。

悪夢のようなサバイバル状況に置かれてはじめて、軟弱な見かけがはぎ取られるということがままある。そして、心の底で燃えていた炎は表に現われて燃え続ける。そうなったら、その炎を抑えることはできない。いくらくすぶっていた期間が長くても、人間の炎と気力は完全に消すことはできない。誕生日のろうそくが吹き消されても、心のなかで永遠に燃え続けているのとおなじことだ。第二次世界大戦中にレジスタンス闘士多数の気力を打ちひしごうとしたナチスドイツ親衛隊員に聞くがいい。叩《たた》きのめし、抑えつけることはできても、相手に意志と気力があるかぎり、打ち負かすことはできなかった。

だから、自分の命が意志と気力に左右されたことがある人間は、信仰のことを口にする。そういう話を聞きだすのが難しい場合もあるが、それがサバイバルの拠《よ》り所であることは多い。自分たちが気づいている以上に、私たちには希望が必要なのだ。その希望には拠り所がなければならず、それが私の場合はキリスト教の信仰だ。なにを信じるかは人それぞれだが、私の場合、サバイバルの炎の源はイエス・キリストだ。それに、ひとりぼっちで、怯《おび》え、寒く、家から遠くはなれていたときには、だれかにそばにいてもらいたいと思う。なにもいらないといえるのは、よっぽど自負心の強い人間だ。

要するに、私たちはだれでも困難に直面してもサバイバルする能力がある。いや、サバイバルこそが人間の核心で、それがなかったら、私たちはここまで生きてこられなかったはずだ。だが、現代世界ではテクノロジーのせいで過保護になり、死にまでも保険をかけられるようになっている。そういったことが進めば進むほど、人間性のある部分が欠け落ちてしまう。

現代くらい安全が強く意識されている時代はないが、それでいて私たちはリスクを負うことも強く望んでいる。それを反映するように、「ほんとうに生きている」と実感する唯一の方法は、極度の危険にさらされることだと、数多くの冒険家たちが書き記している。死と直面したときこそ生に触れられるというパラドックス（逆説）がそこにある。

結局、人間と野生環境は実際は強く絡み合っていて、すばらしい創造物の一部だということを、認識しなければならない。この創造物の源は、やはり科学ではなく信仰にかかわりがあるだろう。どういう信仰でもいいが、信仰がないと足がかりを失うことになる。人類がこれまでの航海に用いてきた海図を失う恐れがある。その手の「紛失」はぜったいに味わいたくない。

火：神の恵み

好きなときに火をおこす方法を見つけたのは、太古の人間の最大の発見だった。いわゆる車輪の発明もすばらしいが、しいて選べといわれたら、困ったときに自分がどちらを選ぶかははっきりしている。それどころか、世界には車輪なしで暮らしている僻地《へきち》がいくらでもある。いっぽう、火のない暮らしはない。

これまで縁のなかった、ヒトを寄せつけない野生環境に、ひとり投げ込まれ、そこが暗く寒かったら、火だけが友だちだ。思い出せないくらい遠い昔から、火は神の恵みだった。神々しい輝きがこの世に現われたと見なされたのも、当然だろう。

しかし、この神々しい友だちとは、愛情と尊敬をこめてつきあうべきだ。火の恩恵は数多い――明かりや暖かさをあたえてくれ、料理や乾かすのに使え、野生動物を追い払い、疫病を抑える――でも、現代的な手段や道具がないと、火をおこすのはかなり難しい。

安全マッチ、ライター、ガソリンや焚《た》き付けなどの燃えやすい燃料は、どこにでもあると思われて軽んじられる。しかし、簡単に火をおこす材料が手にはいるようになったのは、ごく近年のことだ。たとえば、いま私たちが使っているマッチは、サミュエル・ジョーンズが**ルシファー**として一九世紀初頭に特許をとったときからのもので、その前は古代とほとんどおなじように、火花から火をおこしていた。

いまは簡単に火をおこせるので、火おこしに一番重要な「忍耐」が忘れ去られている。地球ができて間もないころから、火の化学的性質は変わっていない――空気と熱と燃料が適切に組み合わされればいいだけだ――だが、その場に使える道具や化学物質がないときに、火をおこす準備をするには、それなりの心の準備が必要なのに、それがどこかへ消えてしまった。

野生環境では、「忍耐」はあってもなくてもいい余分なものではなく、基本中の基本なのだ。それどころか、「忍耐」なしでは状況はどんどん悪化する。現代人の日常生活では、時間という有益なものがあまりにも不足している。しかし、野生環境では、それが突然ふんだんにあるようになる。だから、何事も性急にやろうとしてはいけない。あせるのはことに火の敵だ。

火をおこすには、環境がプラス・マイナスどちらかの要因になるし、ことに雨や湿気は厄介だが、決意さえあればほとんどの極限状態で火をおこすことができる。その秘訣《ひけつ》は準備だ。それにも忍耐が非常に大きな意味を持つ。二時間かけてしっかりと燃やしつけた火は、一時間後に消えてしまう勢いのない火よりもずっと価値がある。

資源が乏しいことは、つねに頭に入れておかなければならない。エネルギー、士気、燃料、火花は、どれも不足している。時間だけはふんだんにあるとはいえ、無駄遣いは許されない。時間も几帳面《きちょうめん》に管理する必要がある。日没までかなり時間の余裕をもって、火をおこすようにしなければならない。暗くなると、使える材料を探すのが難しくなる。

「思い出せないくらい遠い昔から、火は神の恵みだった」

火をおこすには、順序よく考えて行動しなければならない。都合のいい場所を見つけ、火口《ほくち》、焚き付け、燃料に使える材料を探して用意し、火種をこしらえる。おこした火を大切に育て、焚き火にする。いずれも計画をたて、細かい部分にきちんと注意しなければならない。基本的なやり方を、地形に応じて変えなければならないこともあるが、この原則はおなじだ。

場所を選ぶ

火をおこす場所は、慎重に選ばなければならない。風がどうであるかと自分のシェルターに近いことを、まず考慮しなければならない。キャンプファイアを囲んだことがあれば、風向きが変わりやすいのは知っているだろうが、少々の煙は耐えられるし、虫よけにもなる。

しかし、風が強いときには、岩山、斜面、木の幹などの風よけの風下で火をおこさなければならない。あるいは倒木二本のあいだのV字形の隙間でもいい。風の影響を弱められるように、溝を掘るという手もある。地面が平らで、雨が降ってもシェルターに雨が流れ込まないようなら、それもいいだろう。木や氷壁など、溶けた雪が落ちてきそうな場所は避ける。

周囲の気温が低く、夜に暖をとることが先決問題のときは、シェルターから手が届く範囲で焚き火をする。そうすれば、熱をフルに利用できるし、夜のあいだ火の世話をするのも楽だ。簡単な作りの熱反射器も、暖かさをかなり増してくれる。焚き火の向こう側に倒木の幹を置いたり、小石を積んだりするだけで、熱が自分のほうへ反射される。もっと有効なのは、斜めに打

ち込んだ杭《くい》二本のあいだに小枝を詰め込んだ反射器だ。この傾斜した反射器が焚き火の向こうにあると、かなりの暖房効果がある。

暖かいシェルターにこもったまま、夜中に手をのばし、積んである薪《まき》から一本取ってくべるというのは、ものぐさで楽しいものだ。だから薪はそばに置いておいたほうがいいが、あまり近いとほかの装備に火が移る恐れもある。

場所が決まったら、その周囲（二メートル四方）を片付けて、地面か岩盤が出るようにする。地面は季節や天気に関係なく火をおこすのを妨げるので、いつでも小ぶりな丸太か石を台にする。どこもかしこもぬかるんでいるときには、丸太を立てたり組んだりして、高い台をこしらえ、丸太の根元に土をかぶせて補強する。あまり早く燃え尽きないように、できれば乾き切っていない木を選ぶ。

不可欠な材料

火が消えずにちゃんと燃えあがるには、火口、焚き付け、燃料という三種類の材料がいる。三つの材料のちがいはごく単純だ。火がつきやすければ、燃焼速度が速い。逆に、ゆっくりと燃えるものは、火がつきにくい。一つがあっても、あとの二つがなければだめだし、火には熱と酸素を適度にあたえる必要がある。

火口

火口は、火をおこす道具のうちで、現代社会ではあり余っているものだ。安全マッチが発明される前は、だれでもポケットに「火口箱」を入れていた。なかには火打ち石、火打ち金（鉄片）、火口がはいっていた。火口には、火花で点火できる焦げた綿などが使われた。これらと似たものを、自然界で緊急に見つけなければならない。

自然はこのことでも人間に親切だ。経験則からして、燃料を探すには、できることならまず地面よりもずっと上を見る。地面は湿気を含んでいるが、藪《やぶ》にひっかかっている枝や倒木の枝は、たいがい乾燥している。火口はほんのすこしの刺激で点火できるようなものでなければならない。鳥やネズミの巣のなかにあるような、ふわふわの繊維質のものか、乾いた苔《こけ》、枯れ草、松葉、ガマ、枯れたヤシやワラビなどが使える。酸素が十分に行き渡って、低い温度でも燃えあがるように、それをむしり、裂き、細かくちぎる。小枝や乾いた木の場合は、マッチ棒よりも細くする。

その場で工夫しなければならない。なにがぐあいのいい火口かということさえ知っていれば、見つけるのには苦労しないはずだ。種の先っぽが綿毛みたいな植物は火がつきやすいし、それを乾いた枯れ草と混ぜてふわふわの玉にすれば、火花だけで点火できる。草を火口に使うなら、ふんわりとさせて、グレープフルーツよりも大きい玉をこしらえなければならない。

森林に多いサルノコシカケのたぐいのキノコには、暖皮と呼ばれる海綿状の物質があって、火口にはうってつけだ。乾いたやわらかな朽木は、まさに「つけ木」と呼ばれていて、砕いて小さな山にして火をつけるのに使う。

「燃料を探すには、できることならまず地面よりもずっと上を見る」

雨が降っていて、寒いときには、火をおこすのはたいがい難しいが、機転をきかせれば、ぜったいに無理ではない。あたりまえのことだが、自分と火をおこす材料が雨に濡《ぬ》れないようにすることと、火口が乾いたままであることが重要だ。それには、ぐあいのいい材料を見つけたときに、ポケットに入れるか肌に触れるようにしておく。そうすれば、そのうちに乾いて、使えるようになる。樹脂を含んだ樹皮なども火口に役立つ。カバ、ビャクシン、ヒマラヤスギ、トウヒは、たいがいの樹木よりもずっと湿気を寄せつけない。小枝をナイフで削り、「火きり棒」（次ページイラスト参照）にすると、乾いた内側が露出するとともに、火花を受ける表面積がひろがる。マッチ代わりに焚き付けを点火することもできる。

いろいろな人工物を使うという手もある。脱脂綿、タンポン、カメラのフィルムを細かく切り裂く。やはり下ごしらえが肝心だ。タンポンは毛羽立たせて、隙間をこしらえ、

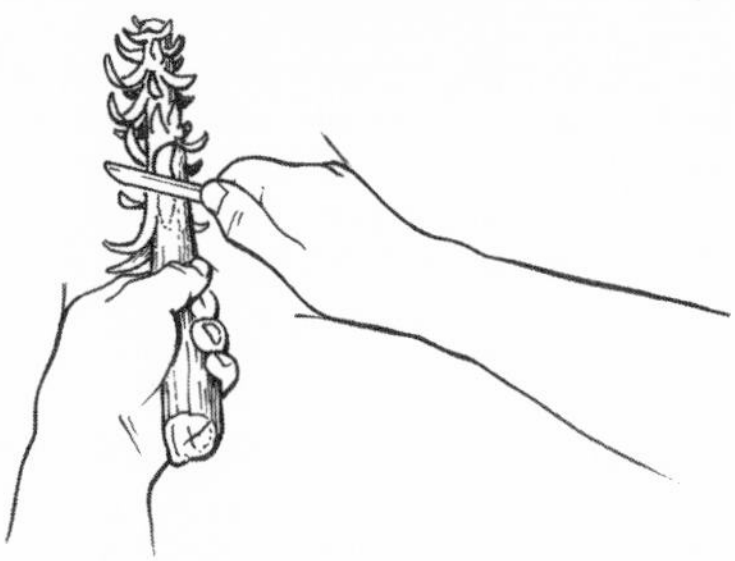

空気が流れるようにする。

最後に、翌朝にもう一度火をおこさなければならなくなったときに備えて、火口は必要な量の倍、集めておくこと。

焚き付け

炊き付けは、火口と焚き火の主な燃料のつなぎ役だから、その役目が果たせるくらい長く燃え続ける必要がある。火口の炎はあっという間に消えてしまうし、温度も低いので、炊き付けは火を移しやすいものでなければならない。だから、松のような柔らかな木を鉛筆くらいの太さに割るのが理想的だ。

また、燃料に火がつくまで、焚き付けは徐々に太くするといい。常緑樹の倒木の枝は樹脂を含んでいるので、焚き付けにうってつけだが、燃える速度が速い。

燃料

燃料の木は、焚き火が役目を果たせるような、燃焼速度の遅い木でなければならない。集めた薪が節約できるように、ゆっくりと燃え、しっかりと熱を発生し、火持ちのいい「炭」ができれば、それにこしたことはない。

使う燃料の種類によって、燃え方や、料理と暖房のどちらに向いているかが異なる。軟木（ヒマラヤスギ、トウヒ、松など、常緑の針葉樹のたぐい）は、硬木（ヒッコリー、ブナ、ナラなど落葉する広葉樹）よりも激しく速く燃え、煙が多く、発生する熱は少ない。硬木は最初は火がつきにくいが、消えないで炭火になり、灰や土をかけておくと、朝にまた焚き火をおこすのに使える。燃料を探す場合も、地面より上で乾いた木を探さなければならない。枯れ木がうってつけだ。それも、できればまっすぐに立っているものがいい。雨が降ったときに、濡れる面積が小さいからだ。動物の糞《ふん》もすばらしい燃料だというのも、忘れてはいけない。地域によっては、いまも象やそのほかの動物の糞を拾い、それを生活に利用している人々がいる。野生環境で私も象の糞を燃料に使ったことがある――臭いが、じつに役に立つ！

不可欠な火種

火をおこす材料を入念に用意したなら、こんどは火種をこしらえる熱源が必要になる。この不可欠な要素がなかったら、それまでの苦労が無駄になる。運良くポケットにマッチを入れていたかもしれない。もしそうなら、じつに結構なことだ。命を懸けてでも濡れないようにして、できるだけ一本ずつしか使わないようにする。

しかし、マッチがあるからといって、すぐに火をおこせると思ったら大間違いだ。現代の火をおこす道具はたいがい、厄介な環境で使われるようにはできていない。それに湿りやすい。遅かれ早かれ、祖先のやり方に戻るしかなくなる。

摩擦で火をおこす

火をおこすもっとも原始的なやり方は、摩擦熱を利用するものだ。木をこすり合わせて細かい木くずをくすぶらせ、その火種で火口に点火し、だんだん火を大きくして燃えあがらせるというのが、基本的な手順になる。

錐と弓

摩擦熱で火をおこすのに一番効果的なのは、太古からある錐《きり》と弓を使う方法だ。地域によっては、いまなお使われている。

それには、錐のように尖《とが》らせた軸（火きり棒）の先端を台木（火きり板）に当てて回転させ、火がくすぶりはじめるような熱を発生させる。火きり棒を回転させるには、弓

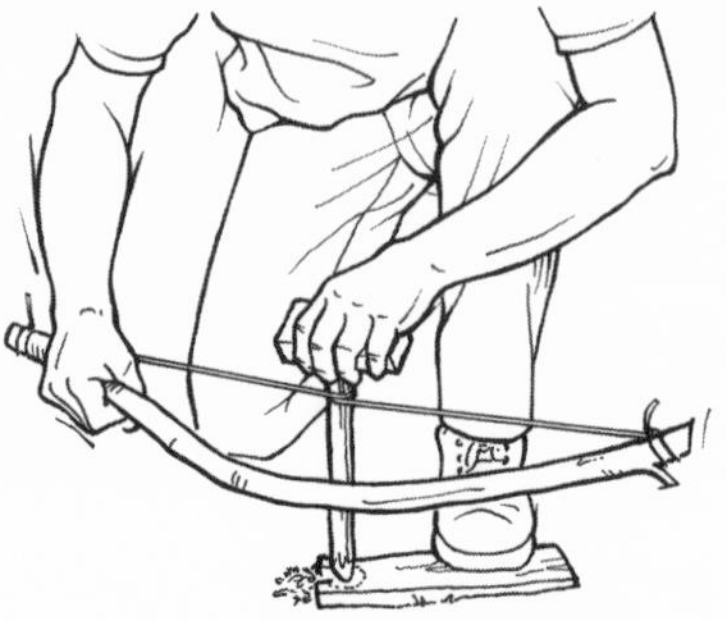

を力ずくで動かさなければならない。摩擦熱を作るためには、弓で火きり棒を回転させるのが、もっとも効率がいい。火きり棒を火きり板に押し付けるには、上から押さえ板を当てる。できれば硬木でこしらえるといい（イラスト参照）。

主な部品は火きり棒、弓、火きり板だ。三つとも頑丈で、大きさと木の種類が適切でなければならない。火きり棒と火きり板は、できるだけおなじ木のほうがいい。カバ、ハンノキ、スズカケノキ、柳などが望ましい。

◉火きり板

火きり板はできれば厚さ二センチ、幅一〇センチ、長さ二〇～二五センチのよく枯れた板がいい。火きり棒を弓で回転させるときには、足で押さえて固定しなければならないから、ブーツでしっかりと踏める大きさがいい。つぎに、端から一センチのところを削り、くぼみをこしらえる（そこに火きり棒の先端を当てて回転させる）。つぎに、火きり板の端からくぼみに向けて、小さな溝を切る。火種ができたら、この溝を通って火受け皿の火口に火が移る仕組みになっている。

◉火きり棒と押さえ板

火きり棒の上端は細くして丸く削り、押さえ板との摩擦をすくなくする。先端は逆に、火きり板のくぼみに収まり、摩擦が大きくなるように、太く粗いままにする。押さえ板はなめらかな石か硬木の切れ端でいい。火きり棒にぴたりと合うようにすこしくぼんでいるものを、手のひらに握る。摩擦を減らすために、くぼみに草を押し込んでもいい。

◉弓

弓は、たわんでも折れないしなやかな生木でこしらえる。直径一・五センチメートル、長さは一メートル以内。できれば紐《ひも》を巻きやすいように、両端に自然の刻み目やギザギザがあるようなところで切る。両端に紐を結び、弓なりにする。

⦿火受け皿と火口

火受け皿は、火きり板の下に入れることができ、くすぶりはじめた火を受け止められる薄いものなら、なんでもいい。乾いた薄い樹皮などが使える。ふんわりとした「鳥の巣」火口を、丸めた手のひらに置いて、火きり棒を差し込み、火種を落とし込む筒状の穴をこしらえる。

⦿火をおこす

さて、ここからがお楽しみだ！　まず、弓の弦を火きり棒にひと巻きする。火きり棒の先端を火きり板のくぼみに収め、押さえ板を上に載せて、火受け皿を溝の下に入れる。錐を回転させるのに邪魔にならないように、火きり板のくぼみのそばを片足で押さえて、ひざまずく。それから、たえず錐を押さえつけながら、鋸《のこぎり》をひくようななめらかな動きで弓を往復させ、錐を回転させる。安定したなめらかな動きが続けられるようになると、煙が出はじめる。煙が出たら、押さえる力を強め、弓をさらに速く動かす。くぼみのまわりに濃い煙がわだかまるようになったら、いったん手をとめて、火種を溝から火受け皿に落とす。火種をゆっくりとあおぎながら、さきほど用意した鳥の巣火口の穴にそっと移し、燃えあがるまで、やさしく、ある程度の勢いで吹く。

手と錐

基本は「錐と弓」とおなじで、火きり板と錐の摩擦によって火種をこしらえる。ちがいは、錐を弓ではなく両手で回転させることだ。摩擦し続けるのが簡単ではないので、雨天では当てにならない。手のひらに水ぶくれができないように、錐はなめらかでまっすぐでなければならない。滑りにくいように、手のひらに唾をつける。最初はあまり力を入れないで手を前後に動かし、着実に速度を増すようにする。錐を上から下へこすりおろすようにしてまわすといい。

火紐と火鋸

いずれも熱帯の民がよく用いる。「火紐」は割った棒のあいだで細い籐《とう》の茎を強くこする。「火鋸《のこ》」は竹二本をこすり合わせる。

もっと現代的なやり方

火口に点火するための炎、火花、熱は、火打ち石と火打ち金、マグネシウムの塊、虫眼鏡、双眼鏡、カメラのレンズでおこすことができる。自動車のバッテリーや懐中電灯の電池も、接点をショートさせれば火花が出る。

マッチは日に当てれば乾くが、簡単に防水にするには、脂をこすりつけたり、溶かした蝋《ろう》にひたせばいい。火打ち石と鉄を打ち合わせれば、天気にかかわりなく火花が散る。マグネシウムの塊を削って火口と混ぜると、格段に火をおこしやすくなる。火打ち石にマグネシウムを混ぜて、火花を強くしてあるものもある。

過マンガン酸カリウムなどの化学物質に、グリコールを主成分とする不凍液か砂糖を混ぜても、火を起こすことができる。

火の種類

焚き火をおこして薪をくべる方法は数限りなくあるから、燃料を節約できるように、火をおこす前に主な利用法を決めておいたほうがいい。料理用に一つ、暖と明かりのために一つ――二つの小さな焚き火をおこすのがいい。大きな焚き火一つでは、どちらにも使いづらい。料理用は、調理器具が置けるように、ある程度平らでなければならない。ふつうは薪を交互に組むのがいい。

どういう焚き火でも、丸太を敷くと、地面の湿気を防げる。厳寒のときは地面の雪を完全にどけるか、太い幹を組んで土台にする。

「小さな焚き火を二つこしらえるといい。一つは料理用、もう一つは暖と明かり。大きな焚き火では、どちらにも使いづらい」

◉井桁焚き火

細い薪を直角に組むと、強い熱を発するし、炭が厚く重なるので、料理にうってつけだ。こういう焚き火はとても使いやすい。

◉十字焚き火

太い薪を焚き火の中心にゆっくりと押し込んでゆく。このやり方なら、形の不ぞろいな薪が急に崩れることもなく、調理器具も安定する。

◉円錐焚き火

アメリカ先住民のテントに似た形。通気のいい煙突みた

井桁焚き火

十字焚き火

円錐焚き火

いに、炎がまんなかをのぼってゆく。明かりとしてはいいが、燃えるのが速く、安定しないのが欠点。

⊙丸太焚き火

長い丸太を平行に並べる焚き火は、前面があいているシェルターで冬に暖をとるのに適している。調理器具を置く場所も広くて、安定している。

丸太焚き火

⊙塹壕焚き火

風が強いときに火をおこすのに適している。その名の通り、深さと幅が三〇センチ、長さが一メートルの溝を掘り、石を敷き詰めなければならない。あとで埋めれば、ひと晩中暖かい地面に寝られる。つねに湿気に気をつけ、破裂する恐れがある砂岩のような多孔質の石に注意しなければならない。氷河の川で肺炎になりかけたとき、この暖炉ベッドのおかげで命拾いしたことがある！

塹壕焚き火

⊙ヘビの巣焚き火

斜面の風下側に穴を掘り、天井の部分に棒などを突き刺して煙突の穴をこしらえる。地中で火をおこすと、料理できて燃料を節約できるように、熱源をまとめやすい。空気の流れができて煙も減るし、風が強くてもおこしやすい。

ヘビの巣焚き火

どういう焚き火であれ、効率よく燃え続けるようにするには、空気の流れを念入りに調整し、熱が無駄に逃げないように薪を密集させる。燃焼温度がもっとも高いのは炎そのものではなく、火が勢いよく燃えはじめるとできる赤熱した炭だ。炭はあぶったり焼いたりする料理にもうってつけだ。まわりの石から反射する熱もそれに役立つ。

火を運ぶ

やっと火をおこすと、これだけ苦労したのだから、炎を勢いよく燃えあがらせるのに使った火種をとっておきたいと思うはずだ。乾いた火口を見つけるのが一番厄介だから、余分な衣服の一部を焦がしておくか、焚き火でできた消し炭——薪載せ台——を持っていくといい。どちらも、何カ月かたっても燃えやすい。

また、灰や無機物の乾いた土をかけて、炭を夜通し消えないようにすることもできる。まだくすぶっている炭は、樹皮の筒に入れて運べる。

「灰や無機物の乾いた土をかけて、炭を夜通し消えないようにすることもできる。まだくすぶっている炭は、樹皮の筒に入れて運べる」

調理

いうまでもないことだが、いくら切羽詰まっていても衛生面には気をつけなければならない。ことに、料理をするときにはそれが大事だ。その基本を忘れると——たとえば、汚れた手で食べ物に触ると——必ず報いを受けることになるし、生き延びる能力を損ねかねない。些細な下痢でも脱水を起こし、体力を消耗しかねない。

だから、きちんと決めた習慣を守る。一日に二度、顔と手と足を洗い、歯を磨く。調理の前には、必ず手を洗う。流れる水がないときには、手にはいるものでやる。露に濡れた茂みで手をこするか、乾燥した土でこするというやり方でも、やらないよりはずっとましだ。

獲物

ひとりで大きな獲物を狩ると、たいへんな時間とエネルギーがかかるし、危険な場合が多い。それに、肉はすこしか運べないので、大部分が無駄になる。ウサギ、ヘビ、トカゲ、鳥など、小さな獲物を狩るほうがいい。

⊙ウサギ

まず内臓を抜き、皮をはぎ、頭と足を切り落とす。尖った枝に刺して、炭火の上でまわしながら串焼きにする。

⊙ヘビ

首を切り落とし、皮をはぎ、内臓を抜いてから、肉を薄切りにする。炭火で焼くのが一番うまい。丸ごと枝に巻きつけて、両端を蔓《つる》で縛ってもいい。これでも焼けるし、時間がかからない。

⊙トカゲ

頭と内臓だけは取らなければならない。皮はそのままで、炭火で焼く。

⊙鳥

頭と羽と内臓を取らないほうが、手っ取り早い。できるだけ早く血抜きをしたほうがいい。血は栄養が豊富なので、捨てないで飲む。暖かいうちのほうがうまい。木の葉か薄い樹皮にくるみ、炭火にじかに載せて焼く。

⊙魚

内臓を抜き、ウロコはそのままで、木の葉か樹皮にくるんで焼く。焼けるとウロコは皮ごとはがれて、ちゃんと加熱された身が出る。目玉が抜け落ちるのが、できあがりのしるし。

「ウサギ、ヘビ、トカゲ、鳥など、小さな獲物を狩るといい」

肉の保存

鹿のような大きな獲物を殺すことができ、なおかつ食料が不足するとわかっているときには、肉を干すか、いぶす――それも新鮮なうちにやらなければならない。処理を終えるのに、おなじ場所に二、三日いなければならないので、毎日移動しているときにはやらないほうがいい。

動物は（人間もだが）体重の七〇％が水分だから、水分がなくなった肉は運ぶのも楽になる。脂肪は肉と別にして火を通し、食べたほうがいい。脂肪は乾燥しないし、黴菌《ばいきん》が増えやすい。処理した動物は細長く切り裂くと、表面積が増えて、乾燥しやすくなる。

四五度に傾けて杭を何本も地面に刺し、どの肉も日光と空気にまんべんなくさらされるように、生肉をぶらさげる。ハエが多いときは、じわじわと燃える火の煙でいぶしたほうがいい。それには樹皮を燃料に使うのがいいが、モミやマツは煤《すす》が出るので避ける。

食料の保存

食料を虫や捕食動物が嗅ぎ付けない工夫ができるときには、必ずそうする。柔らかい果物やベリー類は、木の葉か苔にくるむ。海岸にいるときには、魚介類を海藻でくるんで乾かないようにする。それから、シェルターやキャンプしている場所には、絶対に食料を置いてはいけない。そういう食料も人間も餌だと見なすような、ありがたくない客がやってくるかもしれない。恐ろしいハイイログマやヒグマがいるロッキー山脈にいるとき、私は食べ残しをすべて缶に入れて、キャンプから一〇〇メートル以上離れた木の枝に吊《つ》るしておく。

「シェルターやキャンプしている場所には、絶対に食料を置いてはいけない」

ナビゲーションと気象

その場所にいれば必ず救出されることが明らかでない限り、いずれ移動しなければならなくなる。心構えをしっかりして、状況を把握し、地理的な位置関係をつかむことが、もっとも重要になる。

私がこれまで取り組んださまざまな地形では、それぞれに異なる知識と技倆《ぎりょう》が求められた。自然界のしるしを見れば、方角についてかなり確かな情報が得られるが、それも地形（砂漠、ジャングル、極地など）によってちがう。それについては、そういった地形ごとに章を立ててあるので、そこで説明する。

しかし、ここではまず、サバイバル・ナビゲーションの基本をモノにしてもらいたい。世界のどこにいようと、不運にもGPSや地図やコンパスなどのナビゲーション・エイドがないときに、役立つはずだ。

最初にいた場所を捨てる前に、はっきりした方向と目的を考えておかなければならない。現在位置では救出される見込みがまったくないと確信したなら、使えるような装備と補給品を探し、どれを持っていくかを決める。どういう気象に直面するかも、ある程度知っておく必要がある。

高地にいるか、周囲の地形がわかるような見晴らしのいい場所が見つかれば、おおざっぱな地図を描くか、頭のなかで思い描くことができる。移動中にあらためて位置を把握する目印になる地物も覚えておく。尾根や川には、地形の「木目模様」のような特徴があるから、それもよく見て記憶する。

間に合わせのナビゲーション・エイド

コンパスの四つの基本方位「北・南・東・西」がおおまかにわかれば、移動するときの重要な目安になる。特徴がない地形――砂漠や海など――では、それが生死を左右するほど重要になる。「北・南・東・西」もわからずに移動すると、堂々巡りをする恐れがあり、まったく無益だ。残り少ないエネルギーや水も無駄になる。

しごく単純だがとても役に立つナビゲーション・エイドをいくつか紹介しよう。自分の位置を確かめるのに、私は何度となく使ったことがある。

棒の影

長さ一メートルで親指ぐらいの太さのまっすぐな枝を見つける。小枝を落とし、平らで柔らかな地面に垂直に刺す。棒の影の先端にしるしをつけてから一五分待ち、またしるしをつける。二つのしるしを結んだ線が、東西とほぼ等しい。それと直角に線を引くと、それが南北を指すことになる。北半球にいるなら、最初のしるしを左足で、もう一つのしるしを右足で踏めば、真北を向いていることになる。南半球では、それが逆になる。

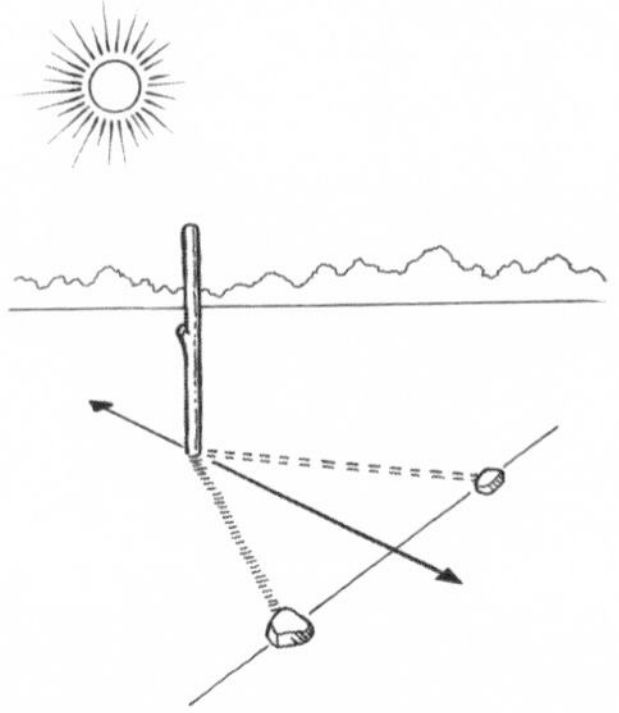

時計を使う

北半球にいて、腕時計がちゃんと動いているようなら、おおざっぱな基本方位はもっと簡単にわかる。まず、時針を太陽に向ける。つぎに、時針と一二時のなす角を二分する線を引く。それが南北を指す線になる。

線のどちらが南で、どちらが北かは、太陽の位置と時刻によってちがう。太陽が東から昇って西に沈むのを、忘れてはいけない。

南半球では、一二時を示す点を太陽に向け、時針となす角を二分する線を引けば、それが南北を示す。

デジタル時計しかないときには、時針もしくは一二

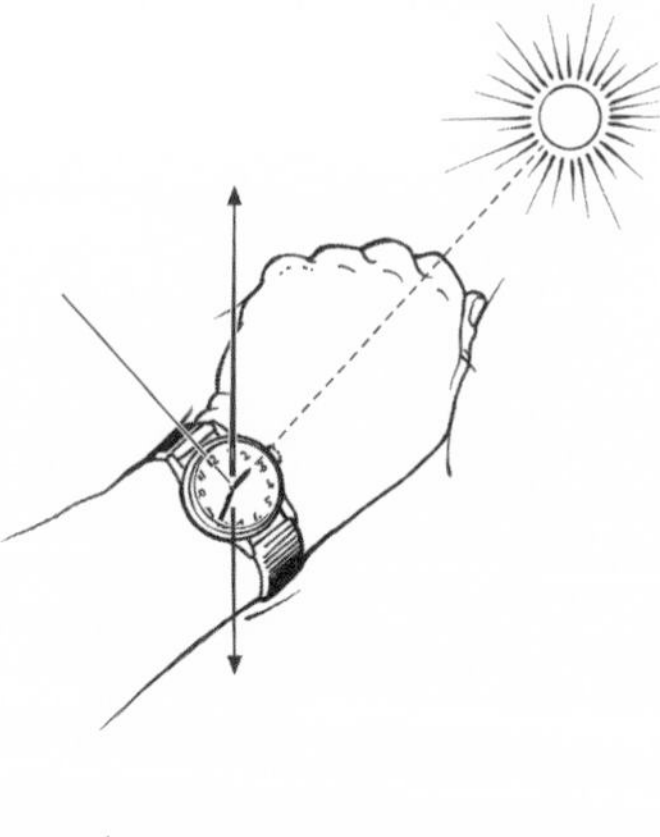

時が（北半球か南半球かによって異なる）太陽を指すようにして、時計の盤面を地面に描き、おなじ手順で線を引く。

手製コンパス

薄い金属片（アルミや金銀ではなく、鉄のたぐい）は、簡単に磁気を帯びさせ、コンパスにできる。針か剃刀《かみそり》の刃があれば申し分ないが、クリップをまっすぐにのばしたものか、鉄条網の切れ端でもいい。磁石が見つかれば（スピーカーやヘッドホンにはかならず使われている）、それにこしたことはないが、絹布か化学繊維の布（パラシュートなど）か、手の甲でも、弱い磁気を帯びさせることはできる。

金属を一定の方向に約三〇回こする。生地を使うときには、一度こするたびに針を生地から離して、おなじところからまたこすりはじめる。こすり終えた針は、木の葉か樹皮に載せて、水に浮かべる。剃刀の刃の場合は、糸で吊るす。どちらもゆっくりと南北を指すはずだ。

針は電池でも磁化できる。絶縁されたコードを針に巻きつける。絶縁されていない場合には、針のほうを葉でくるむ。電池（二ボルト以上）の接点にコードをつなぎ、五分待つ。

どちらのやり方も、磁化は長続きせず、何度も磁化しなければならないことを忘れてはならない。また、緯度が高いところでは、磁気偏差により針が真北から大きくずれた方角を指す。

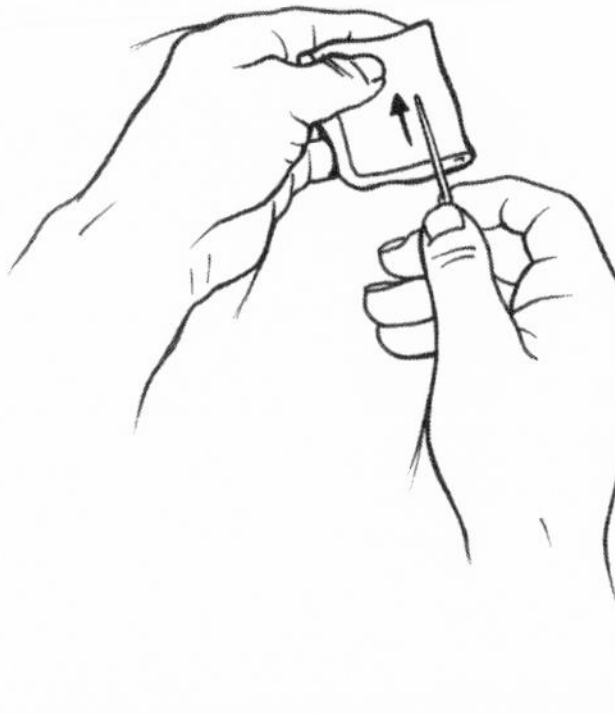

天測航法の基本

砂漠や海のように特徴のない地形では、太陽系についての知識と、天体が地球とどういう関係で動いているかについての初歩的な知識のおかげで、命拾いすることがある。

晴れた夜に星を見あげると、その無限さにはとうてい理解が及ばないと思うことがある。だが、私たちの祖先にとって、天空は筋書きが単純なドラマみたいにわかりやすいものだった。夜空を動く星の群れを、彼らは昼間に目にする動物や伝説上の生き物に見立てた。獅子《しし》、馬、犬、魚。空を移動しながら奇妙な踊りをする人々。

天空の薄い雲のようなものが、じつは私たちが天の川と呼んでいる銀河系とおなじように、無数の恒星から成っているとわかったのは、わずか数百年前だった。太陽とそれを巡る地球などの惑星は、無数の銀河系の一つの片隅にある、無数の太陽系のうちの一つにすぎない（ちゃんと聞いて！）。

夜にくっきりと見える星は、私たちの銀河系にある恒星で、完全な法則によって動いている。地球は二四時間で自転し、三六五日かけて太陽のまわりを一周する。地軸が二三・五度傾いているので、年に一周するあいだに、北半球と南半球が太陽に近づいたり遠ざかったりする時期ができる。それによる気温の変化が、季節をもたらす。

万事が、こういう楽しいメリーゴーラウンドで、月は二九・五日で地球を一周し、月の表面から反射する光が地球に届くとき、陽光を受ける角度によって月が満ち欠けする。こういった現象を観察して、航法の技術が確立した。私たちがありがたみを理解せず、あるのがあたりまえだと思っているナビゲーションの道具がないときには、いまもそれが役立つ。

私たちの祖先は、太陽、月、星が、だいたい東から昇り、空を移動して、ほぼ西に沈むことを認識していた。こうした事実と、北半球では北極星《ポラリス》、南半球では南十字星の観察により、長距離の旅に利用できる航法が確立し、コンパスと信頼できる地図が到来するまで、ずっと使われていた。

「夜にくっきりと見える星は、私たちの銀河系にある恒星で、完全な法則によって動いている」

昼間のナビゲーション

明るいうちは、ただ太陽が空を動くのを観察すればいい。それに加えて、地上の自然物を鋭く観察すれば、コンパスの基本方位はおおよそわかる。

前にも述べたが、太陽は東から昇り、西に沈む。ただ、地軸が傾いているので、それほど正確な方位ではない。春分と秋分（三月二一日と九月二一日）には、太陽は確かに真東から昇り、真西に沈むが、聖ヨハネの日の六月二四日（夏至に近い）には、北半球では真東の五〇度北から昇り、冬至（一二月二一日）には真東の五〇度南から昇る。日没も同様だ。南半球では逆の現象が起きるし、赤道に近づくとそのずれは小さくなる。

夜間のナビゲーション

夜間の移動は、地形によって望ましいときと望ましくないときがあるが、何時間か晴れた空が見えるようなら、いつでも使える便利な方位の指針がいくつかある。

⊙月を使う

月も太陽とおなじように、東から昇って西に沈む。満月のときは、「棒の影」（37ページ参照）を太陽のときとおなじやり方で使う。

役に立つ豆知識：月の光っている場所が、つねに太陽に近い側だというのを覚えておくといい。たとえば、月が日没前に昇るときには西側が照らされる。日没後だと東側が照らされる。日没と月の出が同時だと、満月になる。

それから、弦月（三日月）の上下の先端を結んだ線は、北半球ではほぼ南を指す。南半球では、その逆になる。満月のときは、月の表面に目を凝らしてウサギの頭と両耳を見つければ、北がわかる。まんなかに近いほうの耳をそのまま延長した線が、北を示している。

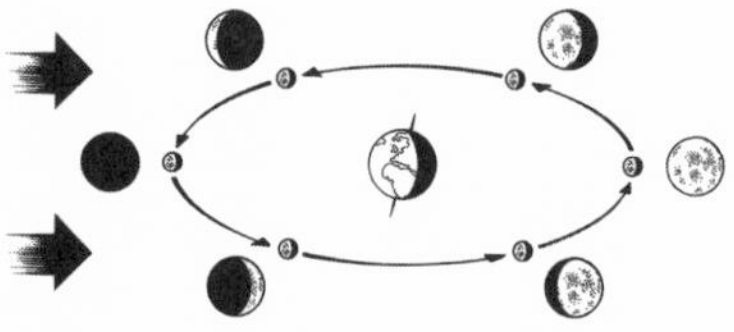

⊙北半球では、北極星を探す

これまで述べてきたように、太陽も月も空を東から西へと動く。オリオン座や大熊座のような、よく知られている星座も含めて、星は天球をめぐって運動する。ただ、北半球では、一つの輝ける例外がある。ポラリスとも呼ばれる北極星だ。北極星は北にあり、星座はこれを中心にまわる。その仕組みさえ知っていれば、北極星を見つけてつねに真北を知ることができる。ただ、緯度が高くなると、この方法はあまり有効ではなくなることを覚えておこう。北極点に立つと、北極星は真上にあることになる。

北極星を見つける方法は二つある。まず、大熊座（北斗七星）を探す。雄牛がひく昔の荷車や柄の長いひしゃくににているので、すぐに見分けられる。北半球では、もっとも明るい星座の一つでもある。ひしゃくの端の星二つを結んだ線分を約四倍に延長したところに、北極星がある。

雲のせいで大熊座が見えないときには、大きなWの形のカシオペア座を探す。これも大熊座とおなじように、北極星のまわりを巡っている。Wのまんなかの角からななめ左上に線を引くと、北極星にぶつかる。北極星は格段に明るいので、すぐに見分けられるはずだ。

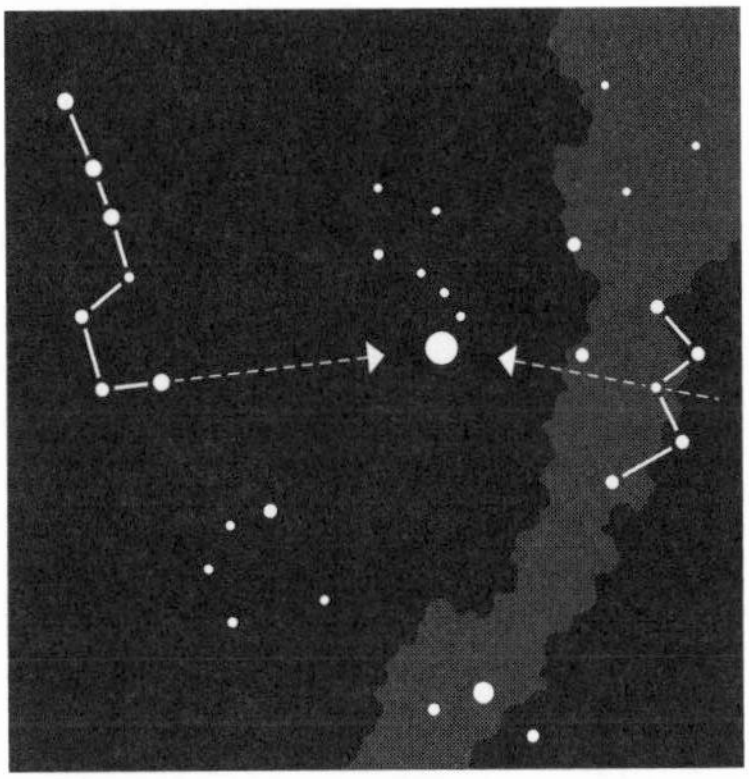

◉南半球では、南十字星を探す

南半球では、北極星なみに明るい目印の星はない。南十字星が一番の目印で、霊的な意味合いも大きい。

南十字星は、独特な十字の形なので、すぐに見分けられる。天の川の靄《もや》のような帯をたどっていくと、インクの染みのような黒い点が見つかる（石炭袋と呼ばれる暗黒星雲）。その近くに、四つの星から成る南十字星（十字架座）がある。そのうちの星二つは、夜空でもっとも明るい。星五つから成り、それよりも大きくて暗いニセ十字と見間違えないこと。

南十字星が直立していれば、まんなかの縦軸から地平線に向けて、直線を引けば、それが真南を示している。十字が傾いているときには、縦軸の五倍の長さの直線を地平線に向けて引く。直線の先端から鉛直線を引き、地平線と交わったところが真南。

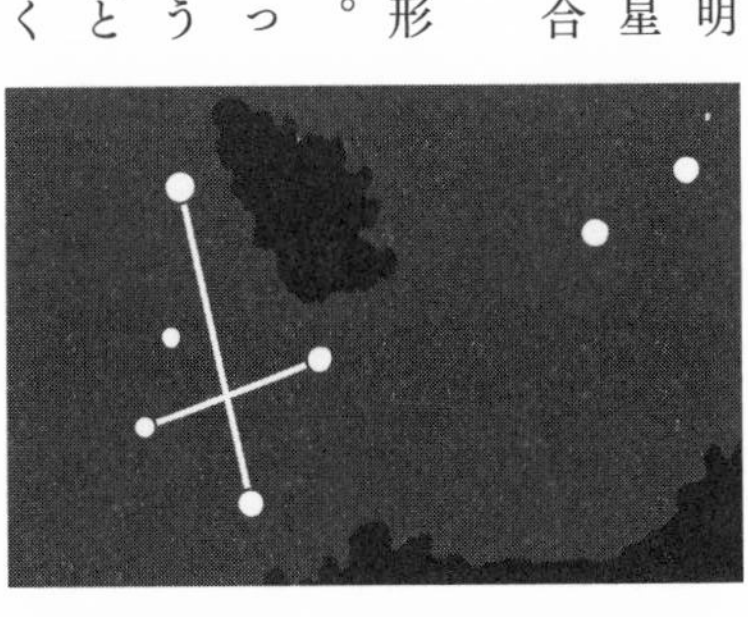

⊙星の目印

空の一部が雲に隠れているときには、明るい星を見つけて、棒二本を照門と照星の代わりにして、その動きを追う。北半球では、星の動きから、つぎのように推測できる。

・左へ動く：その星は北にある。
・右へ動く：その星は南にある。
・上へ動く：その星は東にある。
・下へ動く：その星は西にある。
　南半球では、それが逆になる。
・昇る星は東にある。
・沈む星は西にある。
・北の空でもっとも目立つ三つの星――オリオンの帯――が見つけられれば、それとほぼ垂直の暗い星を探す。それがオリオンの剣で、帯を抜けて下に線を引くと、だいたいだが、北のほうを指す。

赤道直下では、頭上を動く星は東から昇って、西に沈む。方角がわかったら、夜の地平線の一点を見定めるか、星を追って移動する。だが、気をつけなければならない。二〇分以上星を追うと、そのあいだに星が動く。例外は前に述べたように北極星だ。北極星は動かないので、ずっと追うことができる。

気象を予想する

天気がどう変わりそうか予想できれば、移動すべきか、じっとしているべきかが判断できる。特定の気象状況が移動に適しているかどうかは、地形によって異なる。砂漠にいるとき、焼け付くような日だったら、移動せず日陰にこもっていたほうがいい。山地なら逆に移動にうってつけだ。遠くで嵐が起こっていたら、砂漠では水を手に入れられるが、山地では移動中に天気が変わる兆候があったら、急いでシェルターを探さなければならない。

数時間先の天気を予想するのは、そんなに難しくはない。不吉な前兆（雨が近いことを示す黒い雲、遠くの雷鳴、突然の風）はたいがい予測どおりになるから、予防措置を講じる。SASにいたときに、役に立つ豆知識を教わった。雲は見かけどおりにふるまうというのだ。別の言い方をすれば、物騒な感じの雲は悪天を、優しげな雲は好天をもたらす。

　とにかく、気象の兆候、ことに雲の様子は、長時間（六時間以上）の天気の変化を予想するのにたいへん役立つ。だから、雲の種類とそれが意味することを知っておくと、とても役に立つ。

　雲は、空気が飽和点（比較湿度一〇〇％）を超えて冷えたときにできる。識別にあたっては、高さで三つに分類する。

・上層雲：五〇〇〇～一万四〇〇〇メートル
・中層雲：二〇〇〇～五〇〇〇メートル
・下層雲：二〇〇〇メートル以下

　形による分類では、

・積雲：巻積雲《けんせきうん》
・層雲：層積雲
・羽毛のような雲：巻雲《けんうん》

　正直な気象予報士ならちゃんと説明するだろうが、気象予想は科学であるとともに、芸術でもある。それでも、つぎのページの表をよく見て、雲の形とそれがもたらす可能性のある典型的な気象を知っておくことはだいじだ。ただ、天気ほど当てにならないものはない……。

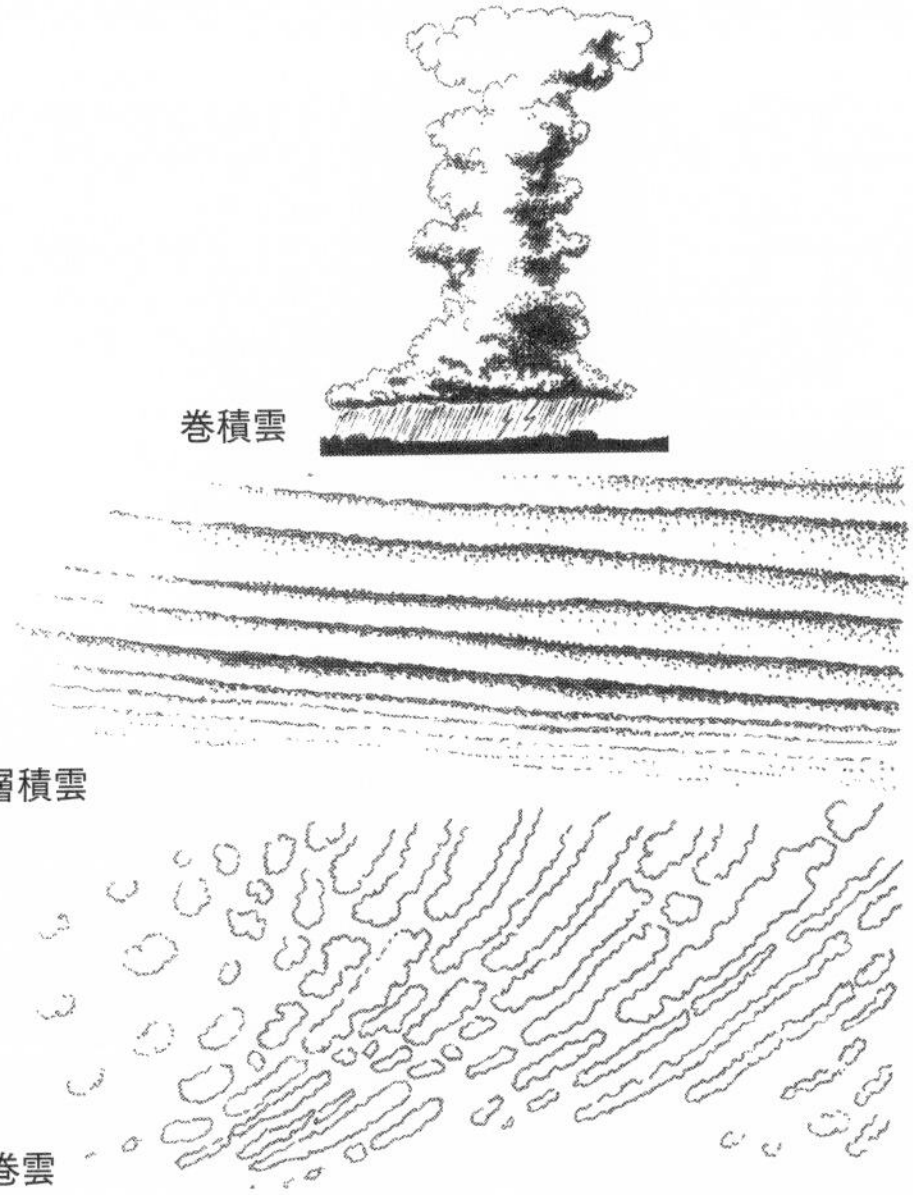

横風の基本原則

　天気が変わりそうなとき、風の動きからもう一つの役立つ手がかりが得られる。前線が通過すると、気圧が変化し、それによって風向きが変わるからだ。つぎの原則は、雲が

▼種		▼特徴	▼もたらす天候
上層雲	巻雲	薄い霞、馬の尻尾（英北部の巻雲は予想しづらい。濃巻雲は変化をもたらさないものもある）	晴れのち雨
	巻積雲	鰯雲、鯖雲、風紋	にわか雨
	巻層雲	無定形雲、後光	雨
中層雲	高積雲	まだら雲、羊雲	にわか雨
	高層雲	おぼろ雲	雨
下層雲	層積雲	うね雲	変化なし
	層雲	無定形層雲	霧雨
	乱層雲	厚い雲の重なり	暴風雨
	積雲	綿雲	晴天
	積乱雲	入道雲	雷雨

中層か上層にあるときのみに当てはまる。

背中を風上に向けて立ち、

・高い雲が左から近づいてくるようなら、天気は悪くなる。

・高い雲が右から近づいてくるようなら、天気はよくなる。

南半球では、これを逆に考える。

雷

野生環境で雷雨が近づいているとき、油断してはならない。よくてもずぶ濡れになることを覚悟する必要がある。だが、もっと恐ろしいのは、雷雨がつねに雷を伴っていることだ。雷が電撃を発するときに、周囲の空気が膨張して収縮するために、すさまじい雷鳴が鳴り響く。稲妻が地表に触れると、膨大な電気エネルギーが放出され、周囲に高圧の電流が流れる――場所といる時間が悪かったら、雷に打たれる恐れがある（稲妻の電撃が一点だけを襲うのではないことを、忘れてはいけない。電流は下向きに広範囲にひろがることがある）。逃げるひまがあれば、ただちに低い場所で身を隠し、開豁地《かいかつち》には出ないようにする。一本だけ立っている木や大きな岩も落雷しやすいので、近づいてはいけない。

通電しにくい乾いたものを見つけて、その上に座る（巻いたロープでも木でも、ないよりはずっといい）。両腕で膝を抱え、胎児の姿勢で背を丸める。そうすれば、地面と接触している部分が小さくなり、稲妻から見て小さなターゲットになる。ピッケル、トレッキングポール、宝飾品、時計など、金属類は体からはずし、近づかないようにする。

雷から身を守るには、洞窟が一番いいが、ぜったいに入口近くに立ってはいけない。岩のオーバーハングもおなじで、死を招く罠《わな》になりかねない。平地のくぼみや起伏の少ない地面も、雷の電流が表面を流れやすい。

ジャングルでは、そういう猛烈な雷雨が毎日のように発生していて、すぐ近くに落雷したと思われたときには、私は地面に伏せた。現地のジャングルをよく知っている人間とキャンプしたときに、雷がほんの数メートル離れたところに落ちたことがあるという話を聞いた。とっさに顔を覆ったが、うしろ向きに飛ばされ、目を閉じていても手の骨が見えたという。なんたる経験談だ！　生きているのは幸運だった。雷に二度打たれることはありそうにないから、その晩、ジャングルで雷雨に襲われたときは、ずっと彼のそばを離れないようにした！

結び目、罠、道具

結び目

ノット（結び目）をこしらえる技法には、特別な秘訣などない。ただ練習するだけだ。ここでも、サバイバルの要である忍耐がいる。色々な結び方を覚えて、使い道に合った正しいノットをすぐさま思いつくようになるには、長い時間がかかる。慣れない野生環境にたったひとりでいるときに習いはじめるのでは、お話にならない。

だから、アウトドアが好きなら、散歩に行くときにはロープを二本持ち、みんなが川岸でうたた寝をしているときに結ぶ練習をするといい。そうすれば、これから説明する色々なノットが身につくはずだ。うまく結べると、ものすごくうれしいはずだ。目を閉じて、好きなノットの練習をしよう。暗闇ですばやく結ばなければならないとも限らないのだ。

特定のノットを、どういう理由でどう使うかを知っていると、ものすごく役に立つ。帆で航走する船で海に出ているとき、ノットの知識はぜったいに欠かせない。帆に力がかかるとき、帆《ほ》脚索《あしづな》（ロープ）の張り加減とノットをたえず変えなければならない。だから、縦結びではまったく役に立たない。

基本的に、ノットは二つの異なる物体をつなぎ合わせるためのものだ。ロープ二本をほどけないようにつなぐこともある。物体につないであるロープが、固定するのに使われることもある。二つの物体を縛り付けるのにロープを使うこともある（ジャングルで杭と横木で地面から離れた寝床をこしらえるときなど）。

海や崖っぷちでは、適切なノットをしっかりと結べるかどうかが、文字どおり生死を分ける。キャンプでも、不適切なノットを下手に結んであると、とてつもなく苦労するはめになる（嵐の最中にキャンプを移動しようとして、濡れたロープの縦結びをほどこうとすれば、時間と体温とエネルギーを消耗する）。しかし、一つ確かなことがある。ノットを結び違えると、予測できない結果を招く。ことに野生環境では。肝心なときにすばやくノットをほどけないと命取りになることが多い。

ノットは、さまざまな目的のために発展してきた。急に体重をかけなければならなくなった場合の安全策のノット。重みがかかっているとき、しっかりと結べていながら、簡単にほどけるノット。引けば輪が締まるノット。大きさが色々の滑りやすいものをまとめるためのノット。選択肢はいくつもあるとはいえ、ある目的に使うのに一番ぐあいのいい結び方を探すことによって、ノットは発展してきた。また、ノットは構造物のもっとも弱い部分であってはならない。

基本的なノット

◉オーバーハンド・ノット（止め結び）およびそのループ

利用：もっとも単純な結び目で、さまざまなノットの一部にもなる。ロープがほぐれたり、すべり落ちたりしないように、たいがいロープの端にこしらえる。なにかにひっかけるのにも使う。力がかかっているとほどきにくい。

◉フィギュア・エイト・ノット（8の字結び）およびそのループ

利用：一つ結びよりもしっかりとしていて、なおかつほどきやすい。結び違えても一つ結びになり、それでも安全なので、登山家がよく使う。8の字輪は、クライミングハーネスやスパイクアンカーの綱留め栓にロープを通すときにつねに用いられる。安全のためにロープの端は一重結びにする（「本結び」参照）。

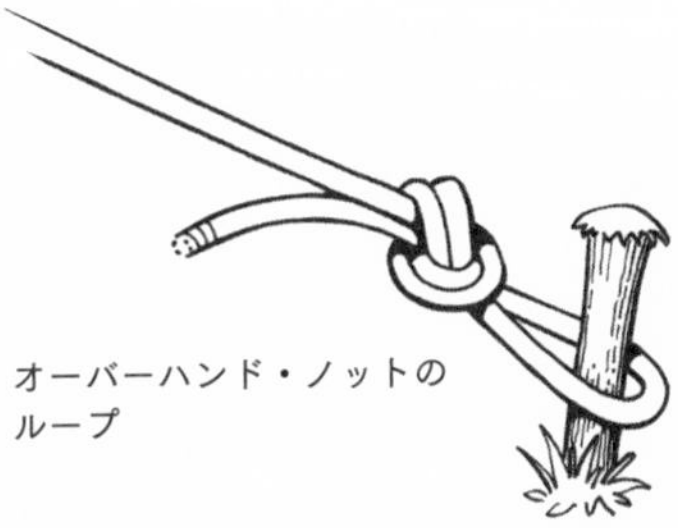
オーバーハンド・ノットのループ

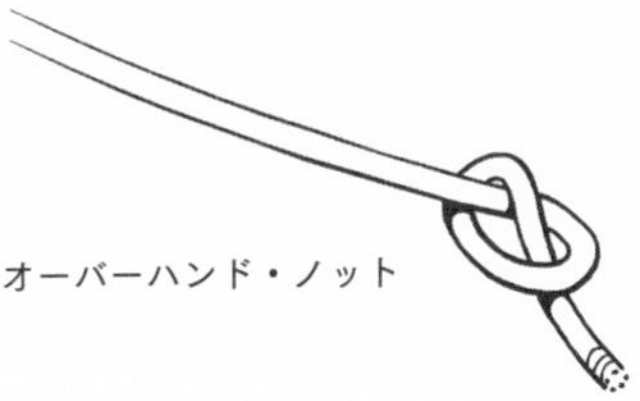
オーバーハンド・ノット

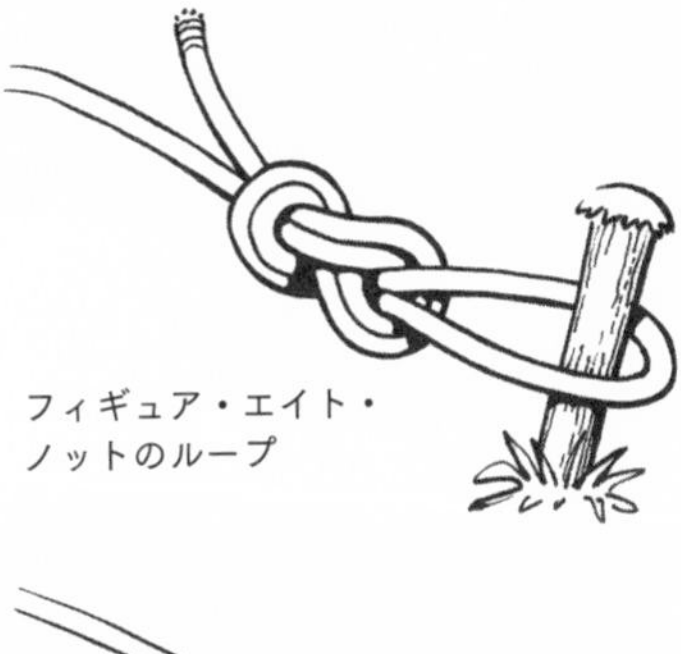
フィギュア・エイト・ノットのループ

フィギュア・エイト・ノット

ロープとロープを結ぶ

◉リーフ・ノット（本結び、こま結び）

利用：もっとも広く使われているノット。滑りやすい。ロープがある程度太くて、強い張力がかかっていなければ、ほどきやす

リーフ・ノット

い。左の上に右をかけ、右の上に左をかける。さらに、両方のロープの端を一重結びにする。

⦿ダブル・ノッテッド・オーバーハンド・ベンド

利用：ロープや紐をつなぐのに使う。ある程度しっかりしているが、強い張力がかかるときは使わないほうがいい。

⦿シート・ベンド（一重継ぎ）とダブル・シート・ベンド（二重継ぎ）

利用：ロープをつなぎ合わせるには、前述の

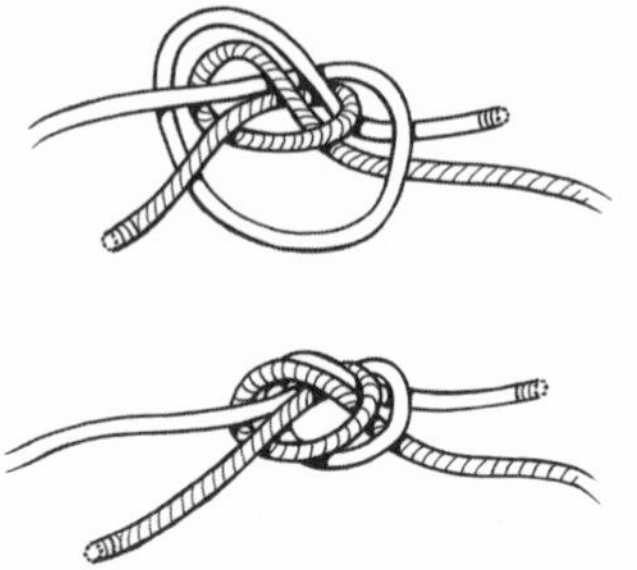

ダブル・ノッテッド・オーバーハンド・ベンド

シート・ベンド

ダブル・シート・ベンド

結索よりも優れているし、太さや素材が異なるロープや紐をつなぐのに理想的。強い張力がかかっていなければ、ほどきやすい。ダブルは濡れたロープに最適で、張力が絶えず変わっていてもゆるまない。

⦿フィッシャマンズ・ノット（テグス結び）

⦿ダブル・フィッシャマンズ・ノット（二重テグス結び）

利用：登山中に滑りやすいロープをつなぎ、索輪かループを木や岩につなぐのに登山者が使う。釣り師は仕掛けをつなぐのに使う。ジャングルで蔓のような弾力があるものをつなぐのに最適。ほどけにくく、ほそいラインがしっかりとつながる。

「肝心なときにすばやくノットをほどけないと命取りになることが多い」

フィッシャマンズ・ノット

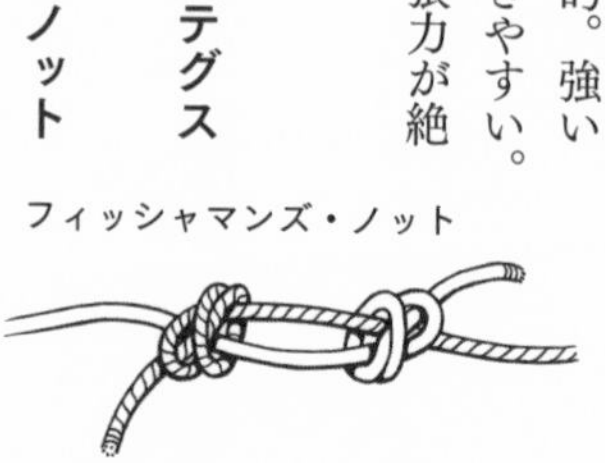

ダブル・フィッシャマンズ・ノット

ループ・ノット

⦿スリップ・ノット

利用：一番単純なループ・ノットを別のノットと縦一列にして使うことも多い。端はハーフ・ヒッチ（ひと結び）で留める。

スリップ・ノット

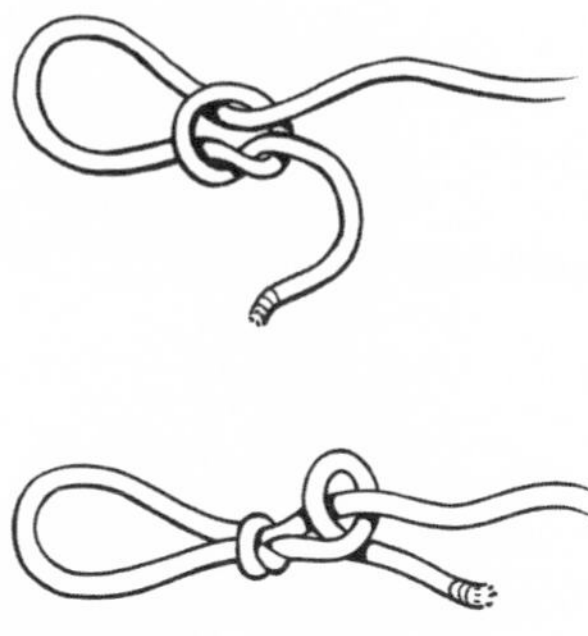

⦿ボウライン（もやい結び）（私のお気に入り）

利用：とても役に立ち、幅広い使用法があるから、レパートリーのトップにすべきだ。海でも山でも、さかんに使われる。すばやく結べて、きわめて丈夫で信頼できる。滑ったり締まったりしないように命綱を腹に巻く、もっとも効果的なやり方だ——重みにも耐える。ボーイスカウトで覚えるときの文句を思い出しながら、結んでみよう。「ウサギが一羽、穴から出てきて、木をぐるりとまわって、穴に戻った」命がかかっているときには、ぜったいにほどけないように、端をハーフ・ヒッチで留めること。

ボウライン

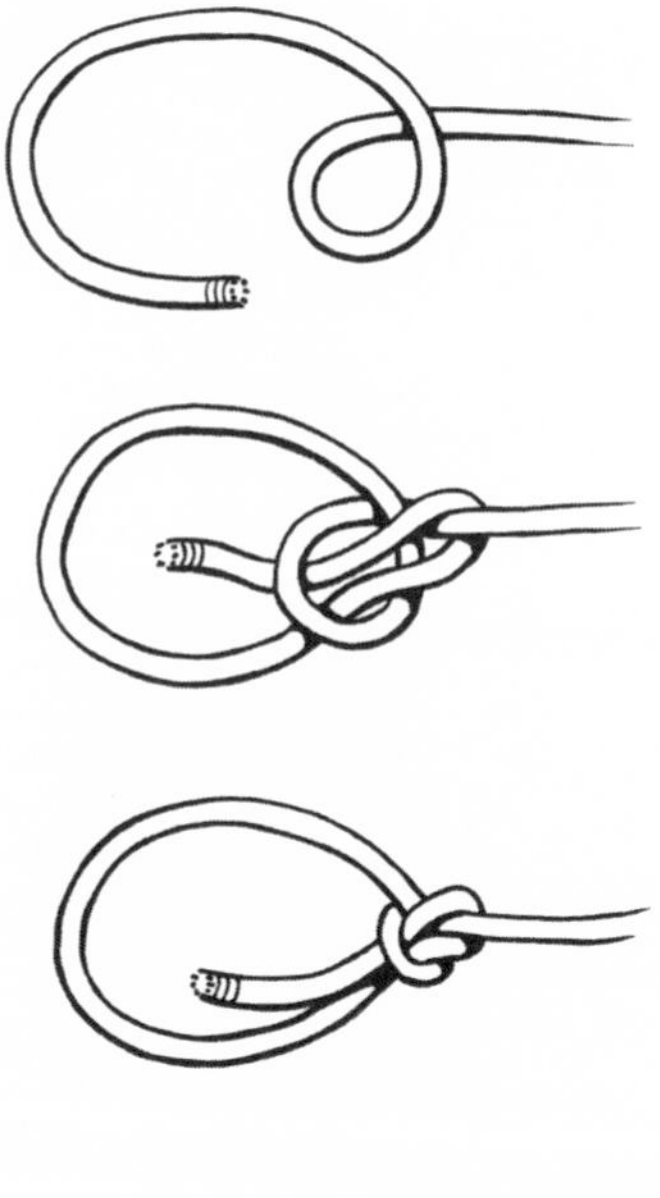

⦿ランニング・ボウライン

利用：罠につかうのにことに便利。ループになにかを捕らえると締まるという特

ランニング・ボウライン

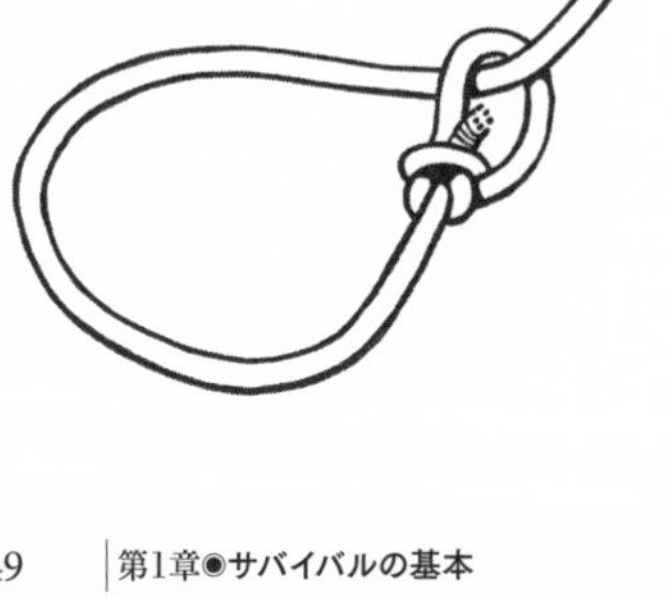

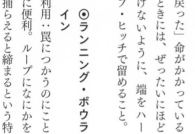

徴がある。絞首刑の輪縄になりかねないので、人間の手足には巻かないこと。

◎トリプル・ボウライン

利用：三つのループで重いものを持ちあげたり、運んだりするのに重宝する。登山ではループ二つに腿《もも》を通し、もう一つのループを胸に巻くハーネスとして非常に便利。

トリプル・ボウライン

◎プルージック・ノット

利用：ワゴナーズ・ノットとも呼ばれる。木の枝やロープに巻きつけて、足がかりもしくは手がかりとし、力がかかっているときには締まって滑らないが、ゆるめれば前後に移動できるようにするためのもの。山の急斜面などを下るときに不可欠。

　ラインに七、八回巻きつけてからループを通すフレンチ・プルージックという方法もある。このほうが従来のプルージックよりもゆるめやすい。

プルージック・ノット

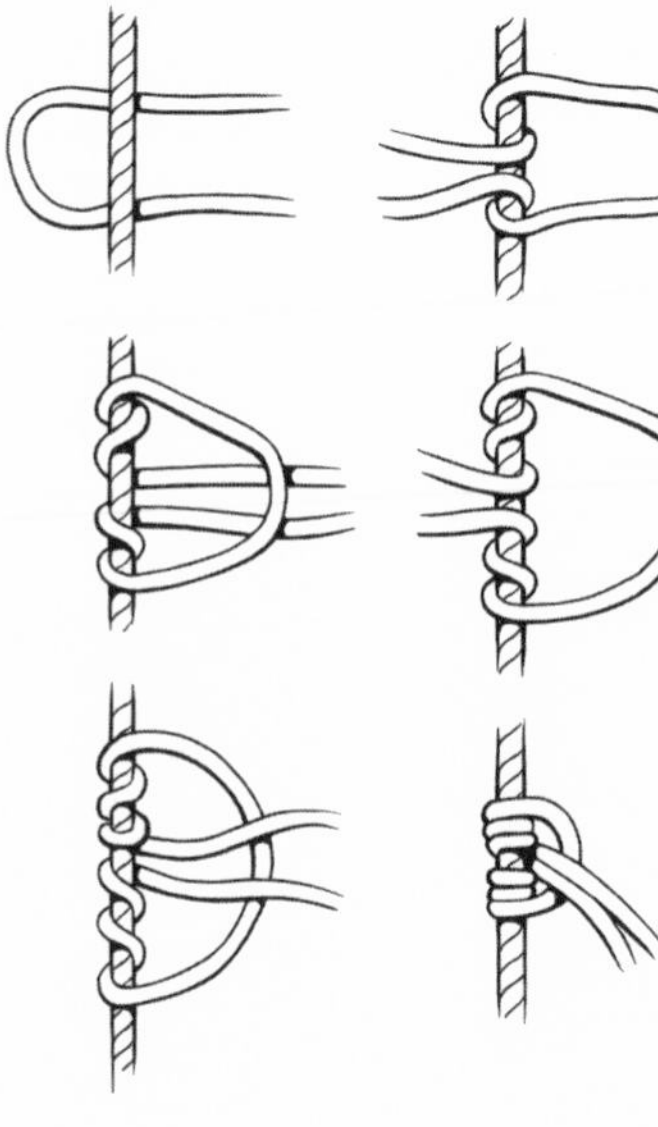

「お気に入りのノットを目を閉じて結べるようにする。闇ですばやく結ばなければならないときがあるかもしれない」

ラッシング（丸太組み）のためのノット

⦿ダイアゴナル・ラッシング、ラウンド・ラッシング

利用：丸太、枝、竿《さお》、竹を組んで、シェルター、プラットフォーム、壁、筏《いかだ》をこしらえるのは、サバイバル状況では基本的な技術だ。ダイアゴナル・ラッシングは、二本の資材が直角に交差するX字形の構造をこしらえるのに使える。ラウンド・ラッシングは、平行する二本の資材を継ぎ合わせて延長するのに使う。

⦿ホイップ・ノット

利用：単純だが正しく結べば効果的なノット。刃に柄をつけたり、槍《やり》の穂先をつけるのがおもな目的。たるみなく強く締め付けることがもっとも肝心。

ダイアゴナル・ラッシング

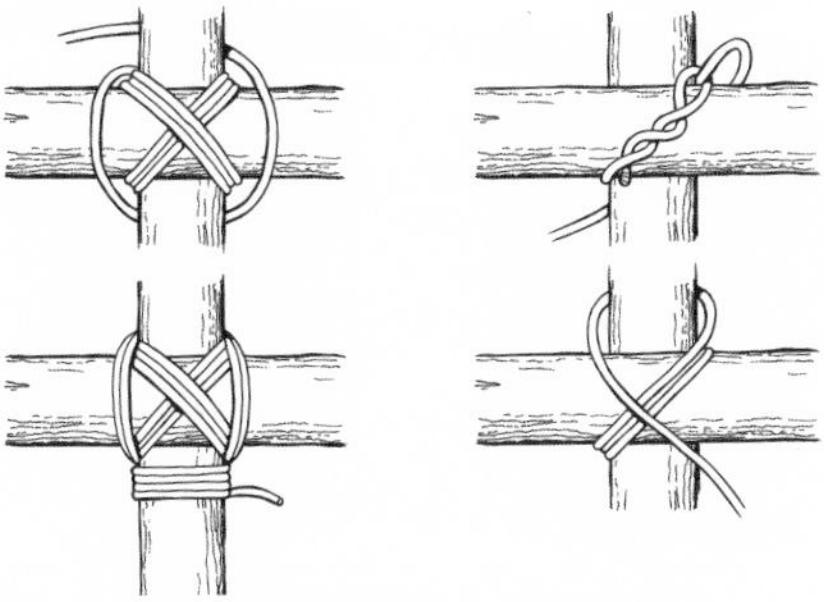

ラウンド・ラッシング

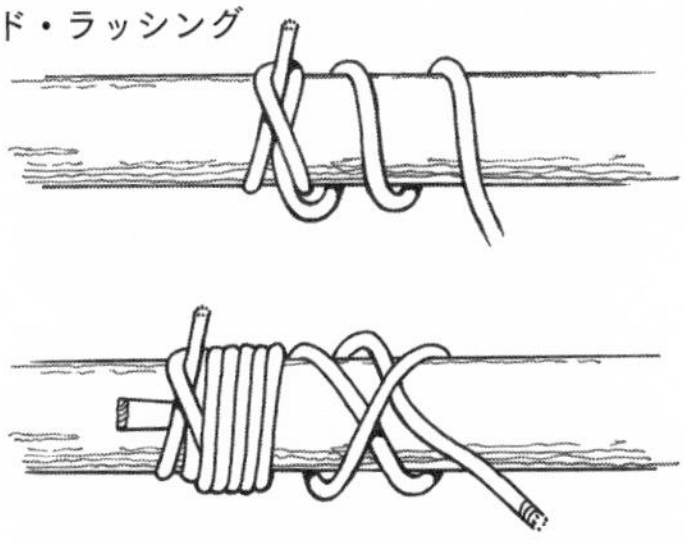

ホイップ・ノット

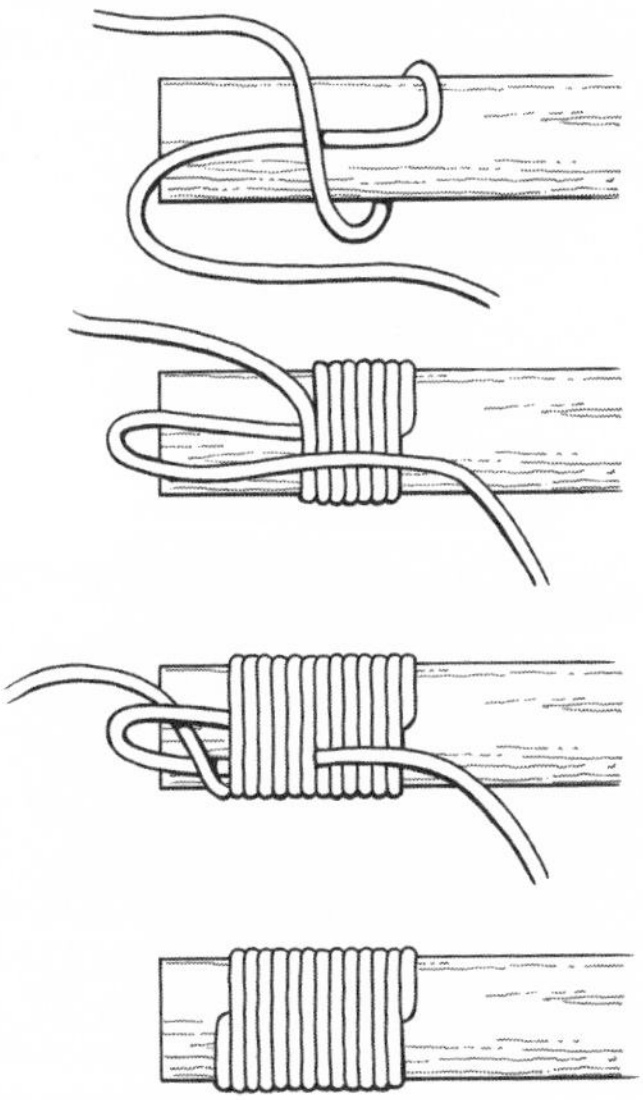

ヒッチ

◉クローブ・ヒッチ（巻き結び）

利用：おもに、ロープを固定されたものに結ぶのに使う。枝や杭が水平だと効果的。地面から斜めに立っているものに結ぶと、ほどけやすい。

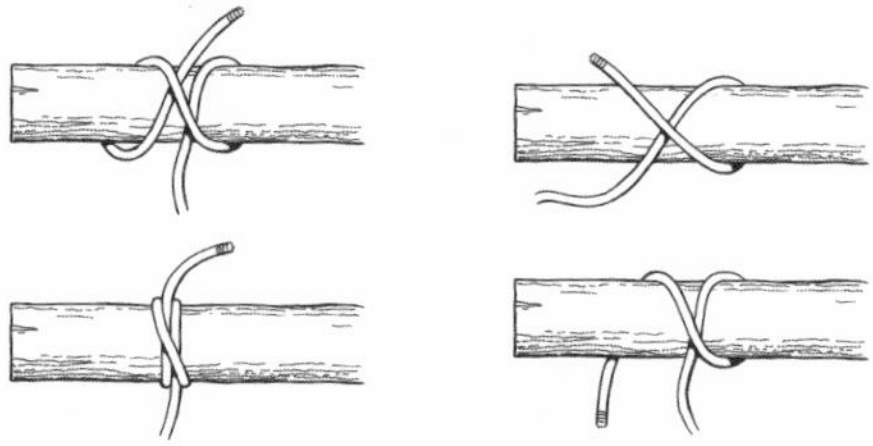

クローブ・ヒッチ

◉ラウンド・ターン&ツー・ハーフ・ヒッチ

利用：枝や杭にロープをつなぐのに、もっともよく使われ、ほどきやすいようにも結べる。どの方向から不均衡な力がかかっても、ゆるみにくい。

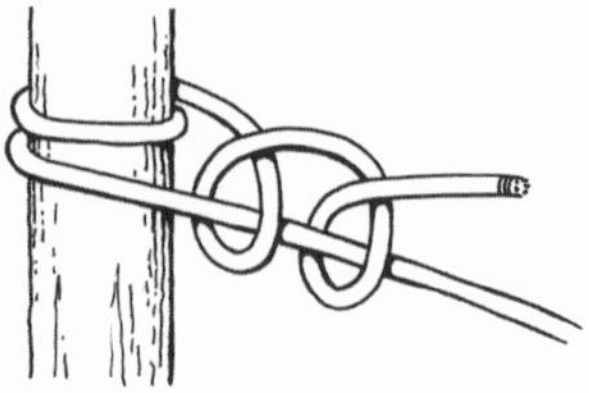

ラウンド・ターン＆ツー・ハーフ・ヒッチ

◉――罠

食料を探すときにまず考えるのが、野生動物を狩ることだ。植物を探すほうがたいがい簡単だし、エネルギーも使わない。しかし、道具ができあがれば、どんなときでも罠を試すべきだ。仕掛けるのに時間やエネルギーはたいして使わないし、夜に寝る前に仕掛ければいい。シェルターを見つけ、薪を集め、火をおこし、そして罠を仕掛ける。これを標語にしよう。そして、眠っているあいだに、罠に働いてもらう。哺乳動物を捕らえるよりも魚を獲《と》るほうが簡単な場合が多いが、その最善の方法についてはあとの章で説明する。

罠にかかった動物は苦しむので――苦しまずにあっという間に死ぬことは、まずあり得ない――当然ながらほとんどの罠が（イギリスとアメリカも含めて）多くの国で禁じられている。そうはいうものの、サバイバル状況で落胆しているときに、シチュー用のウサギを罠で捕らえると、このうえなく元気になるものだ。

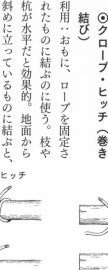

「シェルターを見つけ、薪を集め、火をおこして、罠を仕掛ける。これを標語にしよう」

罠は、針金、ロープ、紐のいっぽうにループをこしらえて作る。その輪縄にひっかかった獲物が抜け出そうとしてもがくと締まる仕組みになっている。やがて窒息死する。かわいそうな死に方だが、自分の命と獲物の命を天秤《てんびん》にかければ、罠を仕掛ける甲斐《かい》はある。

たいがいの動物は、巣の入口近くと、木のあいだの通り道の上に仕掛けた針金の罠にかかる（巣のすぐ外には仕掛けないこと――動物は巣を出るときにもっとも警戒する。ひと跳ねかふた跳ねする先に仕掛ける）。輪縄は締まりやすいようにして、端は木か杭にしっかりと結びつける。動物に見にくい夜に、罠は威力を発揮する。

罠がうまく機能するためには、三つの原則がある。捕らえる動物を適切に選び、その習性を知ること。獲物を捕らえて殺せる、単純で効果的な罠をこしらえること。そして、適切な位置に仕掛け、カムフラージュすること。

動物の習性を知る

地理や地形によって、捕らえる動物の種類を判断する必要がある。高望みはしないこと。鹿肉はうまいが、鹿を殺すのは想像しているよりもずっと難しい大仕事だ。それに、食べきれないくらい大量の肉があって、すぐに腐りはじめる。干し肉にでもしないと重くて運べず、ほかの動物（たとえば熊）がにおいを嗅ぎつけて寄ってきて、命を脅かされかねない。

それよりも、ウサギ、リス、キツネ、アナグマ、イタチのような小動物を狙ったほうが、実りがある。サバイバルするには、家にいるときの好き嫌いや先入観は捨てなければならない。食料はなんとしても必要なのだ。

まず、自分の周囲に獲物がいる証拠がいっぱいあるかどうかを探そう。なにを狩ることになるのかがわかれば、その習性を知ることができる。寝る場所、食べ物や水を探す場所がわかる。罠を仕掛けるのに、そういったことが重要になる。

罠をこしらえる

どういう動物を狩るかを決めたら、それに合った罠をこしらえなければならない。罠は、特定の動物の大きさや体重しだいでうまく機能する。罠の重要な要素をこれから説明する。

◉材料

ロープ、紐、針金が手にはいるときには、それで罠をこしらえることができる。肝心なのは水平思考だ。私はパラシュートの開傘索を収めていた金属容器からはずした針金を使ったことがある。すぐに死ななかった場合、獲物がロープを食いちぎる恐れもある。力がかかっても切れない範囲で、できるだけ細いものを罠に使うようにする。

◉ループ

獲物の首をひっかけて捕らえる仕組みの罠では、獲物の大きさによってループの大きさも決まる。ループが大きすぎると、動物が逃げてしまうかもしれない。小さすぎると、ひっかからないかもしれない。輪縄を動物の首よりもやや大きくする（リスだと指三本、ウサギだと拳大）。ループの下半分が動物の胸の高さになるように、地面から浮かすことが肝心だ。それには小枝を使う。

◉テンション罠

しなう若木を曲げて、罠を結びつけた横木に紐でつなぐ。罠に動物がかかると、引き金《トリガー》の役目を果たす横木がはずれて、若木が戻り、獲物が持ちあげられる。苦労して手に入れた食べ物をほかの動物に横取りされないのが、この仕掛けの利点。

テンション罠、ばね罠《スプリング》には、想像力の及ぶかぎり、

無数の型がある。たとえば、一つのトリガーに罠をいくつもつなぐこともできる。弾《はじ》ける仕組みとトリガーは一つだけでいいので、手間が省けるし、捕まえられる確率が高まる。

◉おとりと落とし罠

罠におとりを加味すると、シチューの材料を捕まえる確率は大幅に高まる。動物の死骸の一部、ネズミ、毛皮の切れ端など、注意を引くものならなんでもいい。

おとりがことに効き目があるのは、落とし罠だ。餌に惹《ひ》かれて近づいてきた獲物が、トリガーを作動させると、重い石や枝が落下して、身動きがとれなくなる。落とし罠は、倒木や石を使えば、簡単に仕掛けられる。

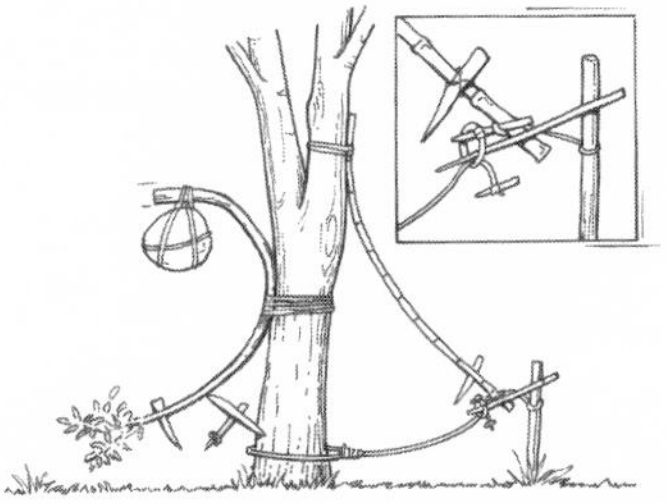

私はいつも、一カ所でもうまくいけばいいと思いながら、罠を八カ所ないし一〇カ所に仕掛ける。しかし、手っ取り早い確実な方法などない。肝心なのは、できるだけ多くの罠を仕掛け、位置と仕組みに気を配って、何度も辛抱強く続けることだ。そうすれば、やがて好運に恵まれる。人間の脳は、ウサギの脳よりもずっと大きいんだよ！

位置

罠がちゃんと働くためには、適切な場所に仕掛けなければならない。下生えのなかで動物の背中からこすれ落ちた毛を探してみよう。よく使われている通り道が、それでわかる。動物はおなじところを通ったり、とまったりするから、習性を観察すれば、重要な情報が得られる。巣の場所、餌や水を得る場所。それらの場所へ行き来する通り道が、罠を仕掛けるのにうってつけだ。

動物を罠に誘導する柵や障害物は、よくカムフラージュ

して、繊細にこしらえなければならない。そういったものも罠も、周囲の地表の植物に溶け込むようにしなければならない。割ったり折ったりした木の表面には、泥をなすりつける。罠を仕掛けるときには、そのまわりをできるだけ乱さないようにして、皮膚が触れることによる臭跡が残らないようにする。煙がでるようなもの——たとえばくすぶっている葉——があれば、においをごまかせる。あるいは、針金に濡れた草や泥をなすりつけるだけでもいい。

「サバイバルするには、家にいるときの好き嫌いや先入観は捨てなければならない。食料はなんとしても必要なのだ」

◉道具

野生環境で道具を作るのにもっとも大事なのは、やはり想像力と水平思考だ。それがあれば、ナイフ、棍棒《こんぼう》、槍、弓、調理器具など、自分にもっとも役立つ道具がおのずと見つかる。形にこだわる必要はない。ただ辛抱強く適切な材料を探し、効率よく使いやすい器具に仕上げればいいだけだ。

SAS選抜訓練中、野外で何日も過ごしたときのことを思い出す。隊員志願者たちは、かならずといっていいくらい、ランボーが持っているみたいなナイフを所持品に入れている。人質がとられている大使館の窓に跳び込みかねない勢いだ。しかし、一番役に立つ実用的なナイフは、スイス・アーミー・ナイフ形の単純なペンナイフなのだ——軽くて持ち運びが楽だし、木を削って接いだり、動物のはらわたを抜くのに使えるくらい切れ味がいい。私が会ったプロフェッショナルたちが、たいがいできるだけ小さなナイフを持っていた——ただし、すこぶるよく切れるように研いである!

道具は、石、骨、木でこしらえることができる。

⊙石

叩いたり、切り刻んだりするのに便利。燧石《すいせき》は縁を鋭くしてナイフのようにできる。丸っこい燧石のナイフで、ガラガラヘビの首を切ったことがある。

◉骨

使い道は多い。釣り針、槍の穂先、柄。石で砕き、細長い破片をこしらえて使う。

◉木

使い道は、想像力しだいでいくらでもひろがる。道具を作る場合、おおまかにいって二種類の木があることを覚えておこう。硬材（広葉樹の硬い木）と軟材（おもに針葉樹）だ。軟材は焚き付けには向いているが、道具にはしないほうがいい。ちがいを知るには、爪で樹皮を押す。跡が残るようなら軟材で、跡が残らなければ硬材だ。

　叩く道具にするか、先端を尖らせるのであれば、最初にあぶって硬くするといい。よくおこっている火床に先端を入れ、シューッという音がして湯気がでるまでまわす。それで細胞が変化し、樹液が濃くなり、打撃に対して頑丈になる。

調理器具

◉器、鍋

木、骨、角、樹皮などで器《うつわ》をこしらえられる。器や鍋にくぼみをこしらえたいときは、ナイフのような鋭いもので削ってはいけない。削った部分はなめらかにならないし、切りくずが出るばかりだ。**赤熱した炭**を焚き火から出して、くぼみを作りたいところに乗せればいい。くすぶる木をゆっくりと吹き、炭を足せば、木はしだいに炭化する。炭化したところをあとで彫れば、なめらかなくぼみができる。

◉フォーク、ナイフ、スプーン

樹脂の後味が残らないように、樹脂がない木を削ってこしらえる。食べ物に味が移るのも避けたい。樹脂のない木は、オーク、カバなどの硬材。

◉水筒

大型の動物の胃でこしらえる。水で内容物を徹底的に洗い、下側を結ぶ、上の口は紐で閉じるようにする。

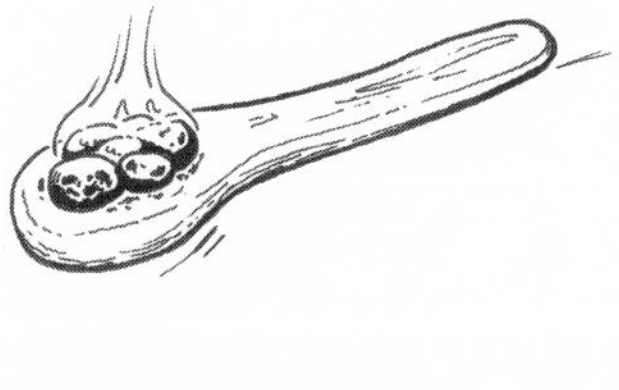

武器

⊙棍棒

アニメの石器時代の男が持っている棍棒を想像してしまうが、木の棍棒や頑丈な枝の端に石をくくりつけた武器は、野生動物から身を守るのにたいへん役立つ。ヘビを殺したり、罠でもがいている獲物に止めを刺したりするのにも使える。

⊙槍、投げ槍

槍や、先端を尖らした枝は、野生動物を殺すのにも使えるが、攻撃よりも防御の道具として役立つ。魚を獲るのにも使える。尖らした骨をホイップ・ノット(51ページ参照)で、樹皮をむいた長いまっすぐな若枝に固定する。枝はその前に火であぶって硬く、まっすぐにする。オオハマボウが材料として最適。

⊙弓と矢

威力のある弓を作るには、弓本体に適切な木を選ぶことに尽きる。丈夫で、長く、柔軟性があり、枝分かれによるこぶがない木でなければならない。イチイ、オーク、ヒッコリー、カバが最適だ。本体は焚き火の上で何日か乾燥させなければならない。端に刻み目をこしらえ、弦を張る。カバの若木が矢にうってつけで、長さは六〇センチ、直径一センチくらいがいい。狂いがなく、まっすぐな矢にする。それによって命中率と威力が増す。

アマゾン川で以前、弓矢をこしらえて、ピラニアを獲ったことがある。コツは自分の影が映らないようにして間近から放てるように、矢を長くした（二メートル）ことだった。

そのほかの役立つ道具

⊙掘り棒

掘り棒があると、地面から芋虫や幼虫を掘り出して食べるほかに、さまざまな雑用がやりやすくなる。できるだけまっすぐな、長さ一メートル、直径二センチメートルくらの硬材の枝を見つける。樹皮をはぐ。先端を鑿《のみ》の形にして、前に書いたやり方であぶって硬くする。

私はたいがい長めの掘り棒をこしらえて、杖にも使う――山ではじつに便利だ。雪のなかで歩くときや、凍結した湖の氷や密生した下生えを探るほかに、芋虫やトウヒの根を掘るのに使える。

⦿松脂

松の新鮮な樹液（松脂《まつやに》）は、すばらしい接着剤になる。樹皮をはがして、小枝から容器に松脂がしたたり落ちるようにする。熱した松脂を枝に塗り、その枝に火をつけて、接着したいものに垂らす。そこに灰をすこしふりかけると固まる。便利だし、簡単にできる。

死肉漁り

原始時代の人間は、なんといっても死肉漁《あさ》りの名人だった。ほかの動物にたいへんな狩りをやらせてから、その場に出ていって、捕食者を追い払った。私はケニアでライオンが獲物を殺すのを見たことがある。数時間前に殺したシマウマがまだ温かいうちに、ライオンの群れが血を吸い、柔らかい内臓と肉のあらかたを食べてしまう。そこへハゲタカが群がる。ハゲタカを脅して追い払えば、シマウマの肉は私が独り占めできる。首の筋肉を生ですこし食べ、歩きながら食べるためにすこし切り取った。

水が少ないときには、肉の食べすぎに気をつけよう。たんぱく質を消化するには、水が必要だからだ。だが、水があるときには、ためらわず死肉を漁ろう。食べ物を見つけるもっとも効果的な方法の場合がある。鳥の卵もいい。私はモアブの砂漠でカラスの卵を盗み、太陽に焼かれて音をたてるくらい熱していた岩の上でスクランブルエッグにしたことがある。

サバイバルの医術

サバイバル状況で肉体的に健康でいることは、耐え抜ける可能性を大幅に改善する。それに、体調がよければ、明るい精神状態を保つのがずっと楽だ。最初の段階で、ほとんど怪我をしていなかったら、その状態をずっと維持することが最優先だ。怪我をしていたときには、医療品なしで簡単な手当てができる知識があると、ものすごく役に立つ。応急手当《ファーストエイド》の基本的なやり方（たとえば回復体位や人工呼吸）は、患者と手当てをする人間の両方がいることが、前提になっている。きみはたったひとりだけ生き延びたので、そういう手当ては望めない。だから、あらゆる地形で使えるような、自分で治療する方法を説明することにする。冬の山地での低体温症、ジャングルで毒ヘビに噛《か》まれた場合や、砂漠での熱中症など、個々の地形に特有の問題については、あとの章で述べる。

ファーストエイドの基本は、明快な思考、常識、医療の基本知識、工夫の能力に大きく左右される。一番大切なのは、工夫の能力だ――パラグライダーの相棒のギロは、虫歯を抜くのに一カ月先しか予約が取れないことがあったと、私に話してくれた。痛みがあまりにもひどいので、ギロはその晩、作業場へ行って、ドリルを使い、自分で歯を抜き、いっぺんで治すことができた！

じつは、私たちには、自分にも想像できないような能力が備わっていることが多い。白衣を見れば安心するかもしれないが、生死がかかっているような状況では、白衣などなくてもおなじことができるはずだ。ユタ州で岩の下に五日間、腕を挟まれていたアロン・ラルストンは、そこから逃れないと死ぬと判断した。ポケットナイフで片腕を肘の下から切断し、止血帯を巻き、応急処置をした。それから、アンカー（ロープで確認する支点）をこしらえて、ブルー・ジョン・キャニオンの底までロープで懸垂下降し、無事に脱出した。

野生環境では、予防が治療よりも大事だという格言が、自宅にいるときよりもずっと真実になる。自宅にいるときには、ちょっとぐらい健康をおろそかにしても、医師の予約を取ればいい。野生環境では、そういうことになった場合、自分が医師になるしかない（医療品は乏しいが、とにかく順番は待たなくていい）。

「ファーストエイドの基本は、明快な思考、常識、医療の基本知識、工夫の能力に大きく左右される」

◉健康管理

肉体の健康を維持できるかどうかは、脱水症状を起こさないようにする能力に大きく左右される。消費するエネルギーよりも多くのカロリーを食べ物から摂取できるかどうか、清潔な衛生状態を保てるかどうかにも左右される。

水

私たちの体は、七〇%が水分だ。食べ物がなくても、数週間は生きられる可能性があるが、水がないと、ふつうの人間は数日、あるいは地形によってはもっと早く死ぬ。水は大部分が、生命を維持する正常な機能のために消費される。食べ物の消化、発汗、排尿、排便、呼吸でも水が消費される。

肉体にほとんどストレスがかからない気温(摂氏二〇度)でも、腎臓で一日二リットル以上の水を消費し、一リットルの汗をかくが、私たちはそれをほとんど知らずにいる。高温、寒さ、活動、高度、火傷《やけど》、病気といった環境や身体的要素で、それが増加することもある。消費した水分は、補わなければならない。補わないと脱水を起こし、正常な思考や効率的な作業をさまたげる。

摂取する水分よりも、失う水分のほうが多いと、血が濃くなり、酸素を筋肉に送ったり、熱を全身にまわしたり皮膚から発散させたりすることができなくなる。体液の五%が失われただけで、喉の渇き、過敏症、吐き気、脱力感が起きる。一〇%が失われると、眩暈《めまい》と頭痛が起きて、歩けなくなり、手足がちくちくと痛む。一五%が失われると、目が見えなくなり、排尿すると痛み、舌が腫れ、口がきけなくなって、皮膚の感覚が麻痺《まひ》する。一五%を超える体液が失われると、すべての不快感が魔法みたいに消える。その頃には、ほぼまちがいなく死んでいるからだ。

つぎのような脱水症の典型的な症状が出たら、すぐに注意しなければならない。嫌なにおいのする濃い黄色の小便、小便の量の減少、皮膚をつまんでも弾力がない、指の爪が白くなる、疲労感。これらの症状はすべて、激しい渇きを感じる前に起きることがある。渇きは、もっと水分をとらなければならない指標にはならない。喉が渇いたときには

▼体液の減少(リットル)	▼脈拍(／分)	▼呼吸(／分)
0.5	100以下	12－20
0.6－1.5	101－120	21－30
1.6－2	121－140	31－40

もう、脱水を起こしているのだ！

エベレスト登山の経験から、私はそれがどういうものかを知っている。南の鞍部《あんぶ》で高度八〇〇〇メートルに達したとき、雪を溶かしてコップ一杯の水をこしらえるのに、何時間もかかった。一六時間続けて登攀《とうはん》し、脱水がひどいせいで、みんな幻覚を見た。私たちの小便は濃い茶色だった。そういう状態に陥ってはならない。

どんなときでも、最初から体液を失わないようにするのが、最高の戦略だから、直射日光は避ける。体を動かすときには、エネルギーを使い、汗をかくことが、なにかを達成するのに役立つという確信がなければならない。一定の間隔で少量の水を飲むというやり方が、一番優れている。乾燥した気候では、水分を一時間に三・五リットル失うこともあり得る。

⦿脈をとる

脈と呼吸を調べ、上記表と照合すれば、体液の減少している割合を簡単に推定できる。

⦿浄水法

水のことで危険は冒さないこと、汚染した水を飲んで病気になれば、失われる水分が増える。危ないと思ったときには、どんな水でも五分以上、煮沸する。

食料

食べ物がなくても、最高で三週間は生き延びられるが、数日間なにも食べずにいると、肉体と精神の状態が急激に悪化する。健康を維持するには、炭水化物、たんぱく質、脂肪、ビタミン、ミネラル、繊維をバランスよく摂取する必要がある。ウサギや魚ばかり食べていたのでは、死ぬかもしれない。それらのたんぱく質には、生き続けるのに必要な脂肪がほとんどない。たんぱく質だけではなく、炭水化物と脂肪の組み合わせも必要なのだ。

栄養学の基本を理解し、どうしてそういう成分すべてが重要なのかを知れば、野生環境で食べ物を探すときの優先順位がおのずとわかるようになる。

「汚染した水を飲むような危険は冒さないこと。危ないと思ったときには、どんな水でも五分以上、煮沸する」

◉たんぱく質

体を作っているもっとも重要な構成物。筋肉、皮膚、骨は、成長する必要がある。サバイバルに必要なありふれた食べ物は、肉、卵、魚、タンポポ、木の実、ラクダ・ヤギ・牛の乳、動物の血。

◉炭水化物

体のおもなエネルギー源。すばやくエネルギーに変換できる。炭水化物は大量の熱を発生させ、肝臓に蓄えるが、すぐに枯渇する。サバイバルに必要なありふれた食べ物は、ガマ、木の実、果物。

◉脂肪

エネルギーを蓄えるのに最適な成分だが、消化しにくい。サバイバルに必要なありふれた食べ物は、骨髄、肝臓、魚の腹身、動物の脂肪、ラクダ・ヤギ・牛の乳。

◉ミネラル

鉄分が不足すると、体は十分な熱を発生できなくなる。サバイバルに必要なありふれた食べ物は、動物の血、魚、タンポポ、イラクサ。

◉ビタミン

体の新陳代謝に欠かせない。不足すると、壊血病やそのほかの過敏症を引き起こす。サバイバルに必要なありふれた食べ物は、松やトウヒの針葉、イラクサ、いろいろな木の樹皮の下の層、魚、食べられる植物や実の大部分。

◉繊維

腸が食べ物を消化するのに役立つ。量が少ないと便秘がちになる。サバイバルに必要なありふれた食べ物は、草や松葉。

サバイバル植物

日常生活で、植物はもともと私たちの大事な食べ物や栄養素になっているが、サバイバル環境に投げ込まれると、それがいっそう重要な意味合いを持ってくる。現在、栽培されている作物は、トウモロコシ、米、野菜のような主要産物から、果物、ナッツ、ハーブ、スパイスに至るまで、かつてはすべて野生だった――いまも多くが自生している。アルコール、紅茶、コーヒー、ソフトドリンクなど、飲み物の大部分も、植物から作られる。

一見してわかるとは限らないのだが、たいがいの野生環境には栄養のある食べられる植物がある。しかし、世界各国のあらゆる生態系の植物を紹介するとなると、数百種類のリストになってしまう。イギリスだけでも、森や生垣に数限りない種類の果物、ベリー類、ナッツ類がある。こういった救荒植物は、飢餓をかなり緩和する。

そんなわけなので、この簡単な解説では、自分が活用できたものや、世界のあちこちでふつうに見られる植物に的を絞ることにする。さらに、極限状態の砂漠や氷点下の世界のみで生育するまれな品種も取りあげる。

◉ガマ

生息環境：世界中の川や湖や渓流の岸、湿地で見られる。
外見：丈は一メートルないし三メートル。釣りに使うコルクの浮きに似た形の穂で、すぐに見分けられる（棒にさしたソーセージに似ているというものもいる）。根茎が地中で水平に伸びている。
利用：根にはでんぷんが四六％、糖分が一一％含まれ、食べられる。生か燃えさしの上であぶって食べる。焼いた根をほぐすと、甘い栗のような味がする。穂は火口や断熱材に使える。

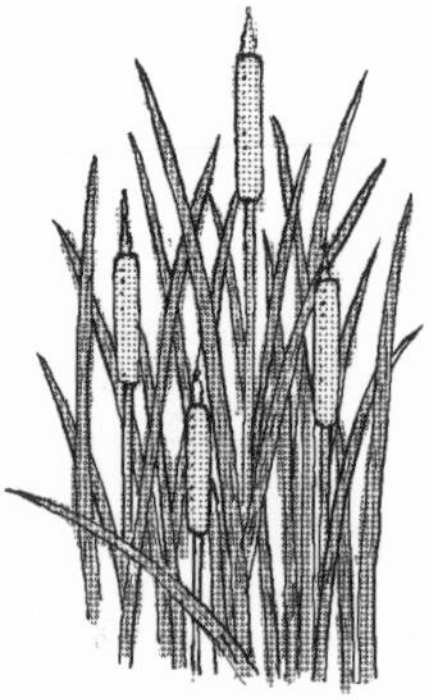

◉タンポポ

生息環境：北半球

の温帯で、日の当たるひろびろとしたところに生える。
外見：昼間咲いて夜に閉じる鮮やかな黄色の花に特徴がある。葉は平均一五センチの長さ、鋸のようにギザギザで、地面にへばりつくように生えている。

利用：カルシウムとビタミンAとCが豊富。葉は生でも調理しても食べられる。根はゆでるか焼くと、コーヒーの代用になる。

⦿イラクサ

生息環境：北半球の温帯で、川沿いのじめじめした場所に生える。
外見：丈が一メートルに及ぶことがあり、葉の縁と裏側に細いとげがあるのが特徴。
利用：新芽と葉は食べられ、栄養価が高い。上のほうの葉にはたんぱく質が多く含まれている。一五分以上ゆでてから食べること。

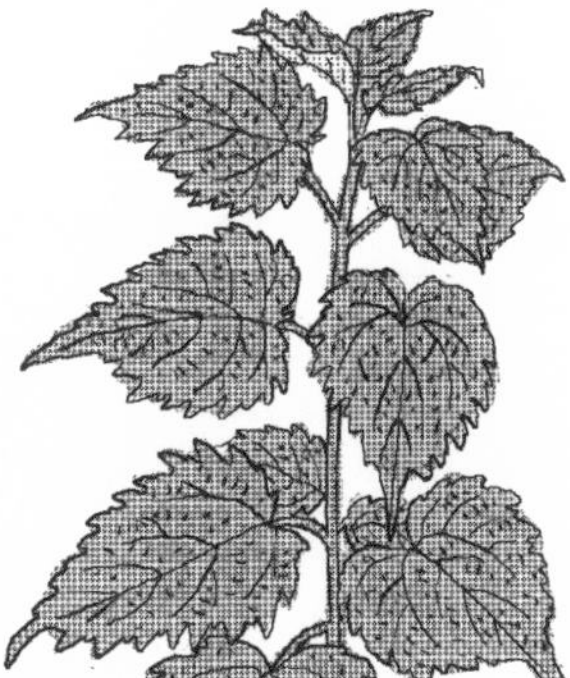

⦿ローズヒップ（野イバラの実）

生息環境：北半球の生垣や森の際に多いが、あまり北のほうにはない。
外見：この実をつけるヨーロッパ野イバラは茎が曲がっている蔓植物で、

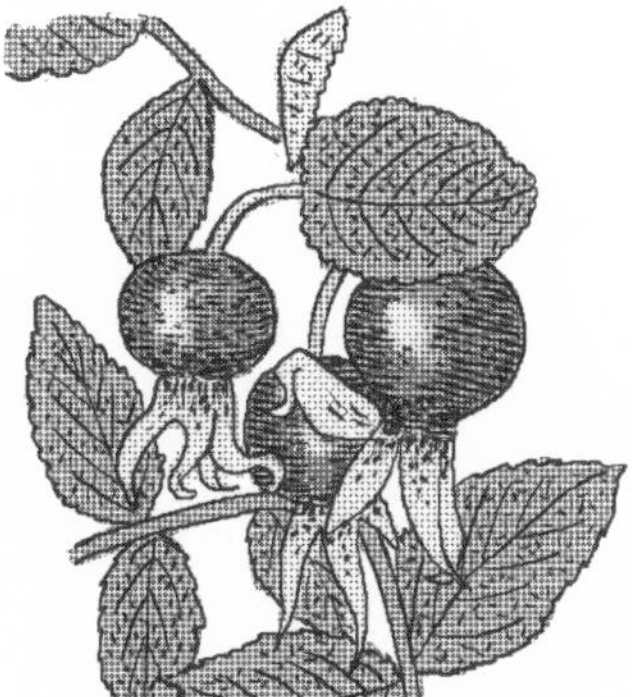

とげがあり、濃いピンクの花を咲かせる。実はたいがい真っ赤で、長さ一〇～二〇ミリの楕円形《だえんけい》。
利用：ビタミンCがもっとも豊富な植物で、ビタミンA、D、Eも含まれる。生で食べると腹下しするので煎じたほうがいい。眩暈や頭痛に効能がある。

◉睡蓮

生息環境：世界中の温帯と亜熱帯。
外見：水面の赤か白の香り高い花を囲んで、大きな葉が浮いているので、すぐにわかる。
利用：花、種、根が生もしくは調理して食べられる。ただし根は皮をむくこと。根をゆでた汁は、下痢止めになり、喉の痛みを和らげる。

◉竹

生息環境：湿度の高いジャングルから寒冷な山地に至る生息地で、世界中で一〇〇〇種類以上が生息している。
外見：家具などに使われているから、すぐに見分けられる。丈は一五メートルに達することもある。

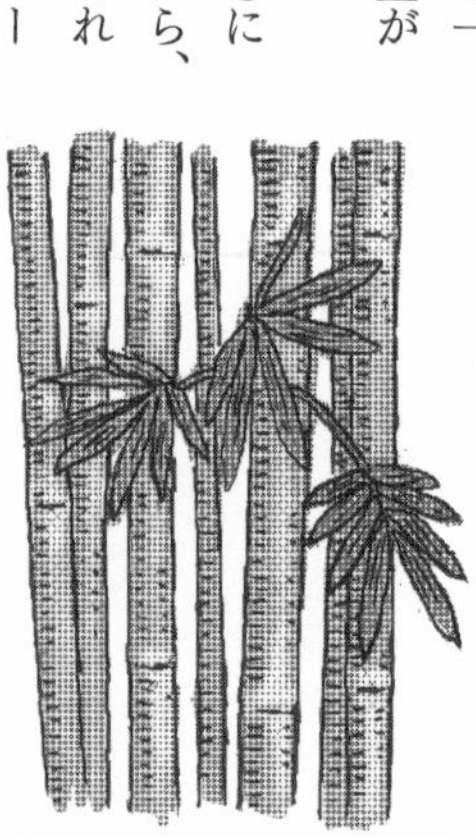

利用：筍《たけのこ》は生もしくは調理して食べられる。シェルター、ベッド、筏など無数のサバイバル装備の材料になるし、調理器具にも使える。かなり丈夫で、切り倒すのは難しい。私は倒すときには根元を焼く。

◉アガベ（リュウゼツラン）

生息環境：メキシコでもっとも豊富に見られるが、中米と南米の熱帯、カリブ海、アメリカ西部と南部にも生息している。
外見：肉厚の多汁で軟らかい葉は先端が尖り、縁にとげがある。茎が短く太いため、根からまっすぐに葉が伸びているように見える。色は黄色とグリーン。花が咲くまで長い年月がかかる。
利用：紐を作るのに葉が使えるし、石けんを泡立てたようなジュースがとれる。花と蕾《つぼみ》も食べられるが、煮たほうがいい。メキシコではテキーラの原料——最高！

◉オプンティア（ウチワサボテン）

生息環境：おもにアメリカと中南米の砂漠・半砂漠。世界中の似たような生息地

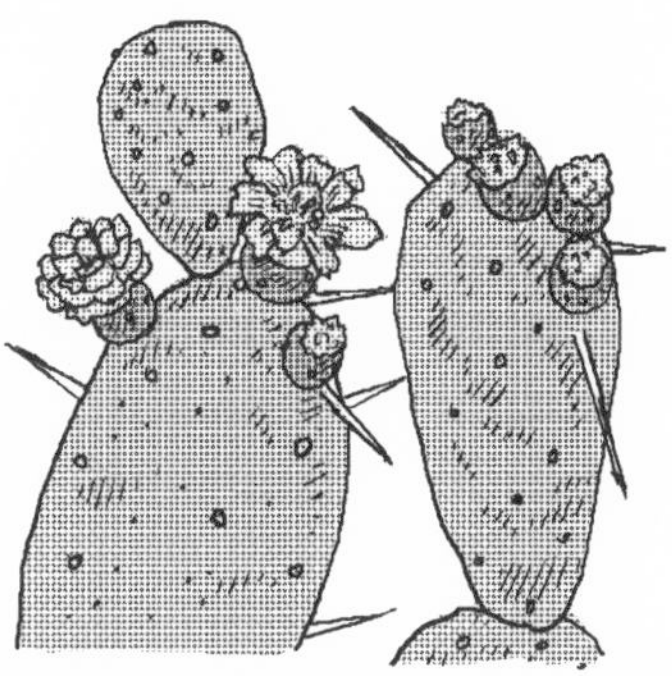

でも見られる。
外見：クッションのような平たいグリーンの葉に、セイヨウナシみたいな実がつく。
利用：どの部分も食べられるし、葉から水分を取れる。傷を治す効果もある。小さなとげに注意。砂地でこすればとげは取れる。種は焼いて挽《ひ》けば小麦粉のようになる。

◉ホッキョクヤナギ

生息環境：北米、ヨーロッパ、アジアの亜極と、温帯の山地や岩の多い荒地。
外見：ヤナギ科の矮性《わいせい》低木で、艶のある丸いグリーンの葉に銀色の軟毛がある。密生してマットのようになり、丈が四五センチを超えることはめったにない。
利用：若葉はビタミンCがきわめて豊富。地表と地中の新芽は、皮をむけば生で食べ

られる。

⦿ハナゴケ（トナカイゴケ）

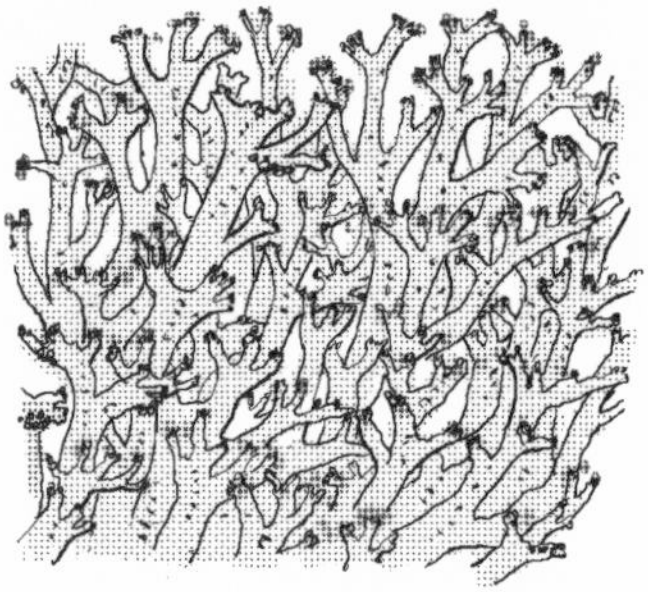

生息環境：寒さにきわめて強く、北欧とアメリカの暑い地域と寒い地域の両方に生息する。水はけのいいひらけた土地を必要とする。
外見：グリーンの崩れやすい苔に真っ赤な再生部分がある。
利用：すべて食べられるが、苦いことが多い。つぶして煮る。下痢止めの薬になる。死んだ鹿の胃にあるものは、なかば消化されているので、そのまま食べられる。第二次世界大戦中、ノルウェーのレジスタンス戦士は、そうやってサバイバルした。

サバイバル樹木

世界のどこの野生環境であろうと、ひとりでサバイバルする人間にとってもっともありがたいのは樹木だ。まわりがすべて敵性環境のとき、樹木だけが味方だと思えることが多い。樹木は自然の猛威をしのぐのを助けてくれる。幹や枝でシェルターや筏をこしらえられる。樹皮、種、実、葉、針葉は、たいがい食べられて栄養がある。根、幹、枝、洞《うろ》から得られる水分は、命の水になる。問題は、そういった樹木を見分けて、どういう助けになるかを知ることだ。

樹木は、おおざっぱに広葉樹、針葉樹、ヤシの三つに分類できる。広葉樹は幅の広い平らな葉を持ち、ほとんどが冬に落葉する。落葉しないものは常緑樹と呼ばれる。針葉樹は針のような葉を持ち、常緑で（カラマツは例外）、実はたいがい球果（マツカサ）の形をしている。ヤシの幹には枝がなく、幹のてっぺんから葉が出ている。

以下は野生環境で見つけられる代表的な役立つ樹木。

⦿ブナ

生息環境：温帯性の地域を好み、アメリカ東部、ヨーロッパ、アジアと北アフリカの温帯に生息する。
外見：対称形の大木、ライトグレーのなめらかな樹皮、濃いグリーンの葉、実（ドングリ）の莢《さや》にとげがある。
利用：実（ドングリ）は最高のサバイバル・フードで、栄養価が高い。

◉ビャクシン
生息環境：北米、ヨーロッパ、中東、アジア、北アフリカの山地。日当たりのいいひらけた場所を好む。
外見：密生する小さな葉と独特の芳香で見分けられる。
利用：実は生で食べられ、枝を湯にひたして栄養のあるお茶をいれられる。

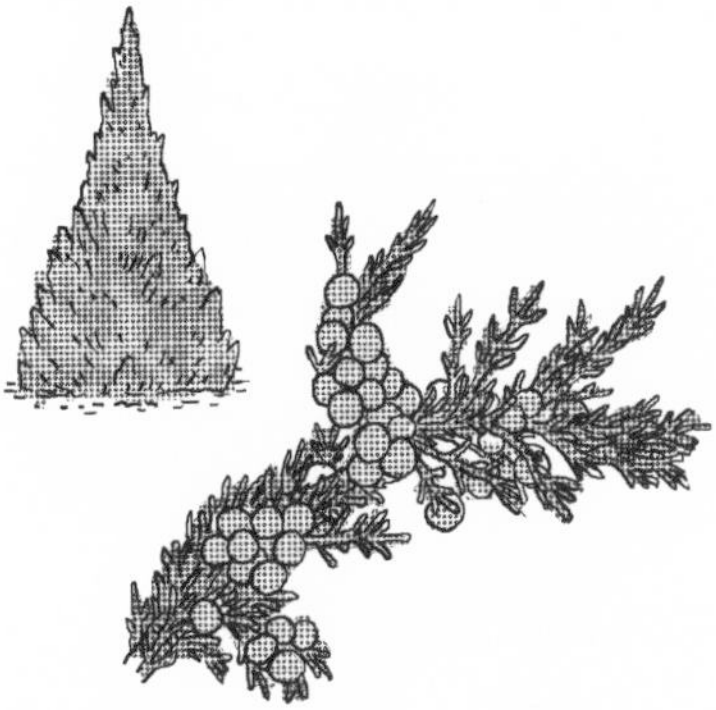

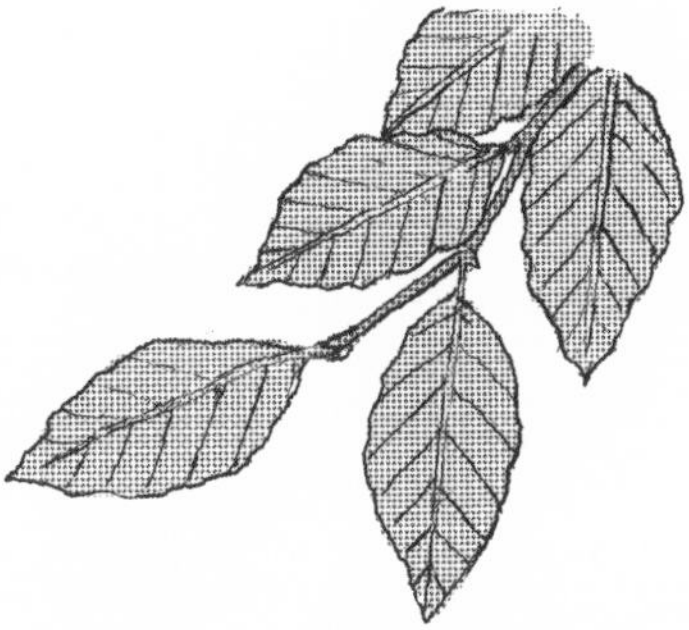

◉トウヒ
生息環境：温帯性の地域から、南半球と北半球の極寒の地域に至るまで。
外見：ピラミッド形もしくは円柱形で、尖った長い針葉の色は濃いグリーンから銀色がかったブルーまでさまざま。丈が三〇メートルになることもある。
利用：針葉を煎じるとビタミンCが豊富なお茶ができる。

◉マツ
生息環境：おもに北半球の温帯性の地域だが、日当たりのいい場所を好み、アメリカ、カリブ海、中東、アジアのあちこちで見られる。
外見：一〇〇種類以上あり、いずれも常緑で松脂が取れ、独特の芳香がある。ほとんどのマツの樹皮はウロコ状で、枝は幹からせん状に生えている。
利用：湿り気の多い内側の樹皮は生で食べることができる。松葉で栄養のあるお茶をいれられる。いずれもビタミンAとCが豊富にある。松脂は熱して接着剤にしたり、一時しのぎの歯の充填材《じゅうてんざい》にもできる。松葉を握りつぶし、含まれている樹脂を皮膚に塗りつければ、蚊よけになる。一時間ごとに塗ればいい。トウヒもマツも、針葉が樹脂を含んでいるため、早く燃えて高温を発するので、焚き付けにうってつけだ。

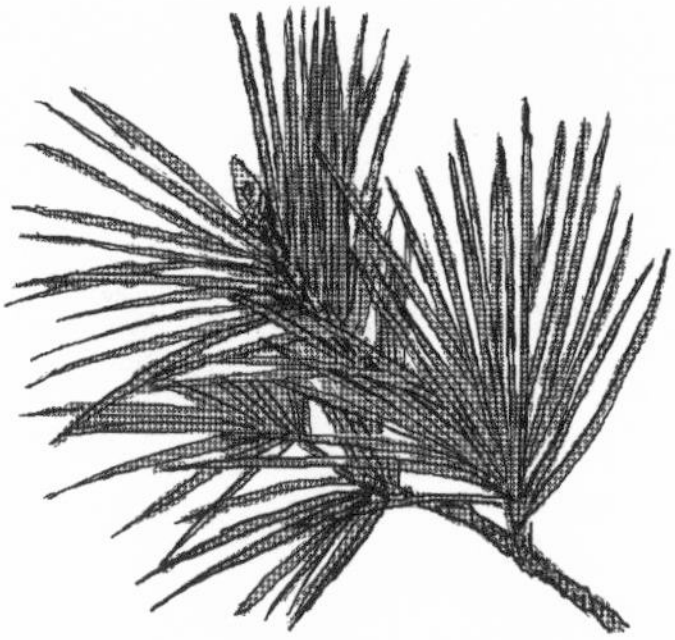

⊙ナツメヤシ

生息環境：おもに北アフリカと中東。ほかの亜熱帯の地域にも多い。
外見：ヤシ科の例に漏れず丈が高く、枝はなく、幹のてっぺんに葉が生えている。
利用：実は熟すと黄色くなり、乾燥して長期保存できる。葉は壁にしたり屋根を葺《ふ》くのに便利だし、幹は格好のシェルター材になる。

⊙ニッパヤシ（マングローブ植物）

生息環境：アジア全域の潮間帯。
外見：短く太い根茎の大部分が泥のなかにあり、大きな葉が突き出して、四、五メートルにも及ぶこ

とがある。
利用：若木の花柄の汁は糖分が多く、種も食べられる。葉は屋根を葺く材料にうってつけ。

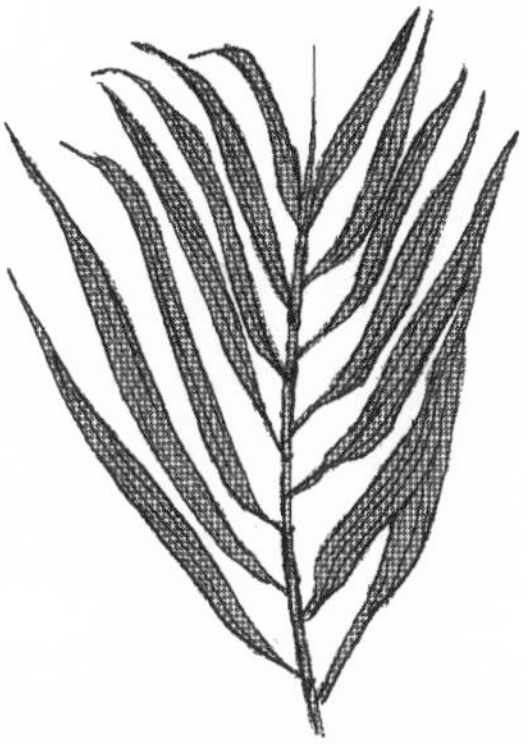

◉トウ（ラタン）

生息環境：アフリカ、アジア、オーストラリアの熱帯雨林におもに見られる。
外見：葉のとげを利用して、ほかの熱帯雨林の樹木にからみついてのびる。茎が六〇メートルに及ぶこともある。
利用：茎は飲める水分を豊富に含んでいる。茎の先端と太くなった部分の樹幹は生もしくは調理して食べられる。茎を編むと、丈夫な紐ができる。

◉サゴヤシ

生息環境：アジアの熱帯雨林。内陸部の湿地におもに見られる。
外見：とげのある頑丈な短い幹、厚く硬い樹皮、てっぺんから生えている葉。
利用：下のほうの樹幹を叩いて水にさらし、オートミール状にする。栄養価が高く、糖分の多いでんぷんがとれる。実も食べられる。

◉バオバブ

生息環境：アフリカとオーストラリアのサバンナ。
外見：直径七・五メートルに達する

こともある膨らんだ幹に特徴がある。てっぺんに短くて太い枝がある。ヘチマのような実は、長いもので四五センチメートルあり、短い毛に覆われている。
利用：幹は空洞で、水がたまっている。根、葉、実、種、すべて食べられる。樹皮はロープをこしらえるのにきわめて便利。

衛生管理

◉体

意識して毎日洗うようにして、手（とくに爪）、脇の下、股、歯、足、髪にはことに気を配る。どこにいても、陰部や湿った温かい部分が感染症の第一ターゲットだというのを、忘れてはならない。灰、砂、ローム層の土は、石けんの代用になるし、動物の脂肪で石けんを作るのもいいかもしれない。水がないときでも、**空気風呂**の恩恵は受けられる。健康に危険がない範囲で、服をできるだけ脱いで、新鮮な空気を一時間くらい浴びる。いろいろな面で利益がある。紫外線はバクテリアを殺すし、汚れた服はできれば日に当てたほうがいい。

◉歯

歯と口内は清潔にしなければならない。歯ブラシがないときには、小枝の端を噛んでほぐした**チューイング・スティック**をこしらえる。それで歯と歯茎を磨く。川の近くだったら、ガマを使うといい。小さな茎を裂くと、先端が歯の形になって、歯にぴったりと合い、磨くとさっぱりする。その茎を半分に折って、ぎざぎざの部分で歯垢《しこう》を削り落とす。これを五分もやると、いまだかつてなかったくらい歯がさっぱりする。びっくりするほどだ。インディオがいい歯の持ち主なのもよくわかる。塩水でうがいするか（飲んではいけない）樹皮のお茶を飲めば。喉の感染症を防げる。

◉足

すべての兵士にとっての鉄則：機会があれば足の手入れをする。あんよにはやさしくしてあげること。脱出のためには足に頼らなければならない。洗い、乾かし、揉《も》み、肉刺《まめ》ができないようにすること。足の場合はことに予防が重要だ。**やばい場所**ができかかっていると感じたら、五分かけて、空気にさらし、乾かし、靴下とブーツをできるだけぐあいがいいようにはき直す。

森の地面から取った苔を靴下にうまく入れると、皮膚が圧迫されないかぎり肉刺ができるのを防げる。肉刺ができてもつぶさない。つぶれたときは、外傷とおなじ手当てをする。

「紫外線はバクテリアを殺すし、汚れた服はできれば日に当てたほうがいい」

◉医療が必要な場合

医療が必要になっても、自分ひとりしかいないので、方法はかなり限られる。しかし、できるだけ冷静になり、あわてそうになるのを抑えれば、いい結果が出る可能性が高くなる。小さな傷は、生命を脅かすようなものにならないように、すぐさま手当てする。

外傷

外傷は皮膚が破れることで生じる——小さな切り傷、擦り傷、水ぶくれ（肉刺）、火傷、凍傷など、あらゆることが原因になる。しかし、一見してたいしたことがないようでも、真剣に手当てしなければならない。失血の危険もあるが、それよりももっと起こり得る可能性が高いのは細菌感染で、死に至る恐れもある。細菌がついているありとあらゆる物との接触が、感染を引き起こす原因になる。

激しく出血している外傷では、傷口を圧迫し高くすることが重要だ（ヘビに噛まれた場合は、高くしてはいけない、238ページ参照）。外傷の出血が激しいときには、傷口を圧迫し、座る。傷を心臓よりも高くすると、出血の勢いを和らげることができるからだ。圧迫は止血に十分な力でなければならないし、血が凝固するまで押さえていなければならない。一五分ごとに圧力をかすかにゆるめること。

傷口を水で洗い、清潔にしておくことは、なによりも大事だ。きれいな水がない場合は、小便を使う。傷口から汚れを洗い流したいときには、ことにそれが有効だ。小便は無菌だからだ。重傷でない限り、外傷は空気にさらしたほうがいい。

ショック（急性循環不全状態）

この機能不全は、器官や組織に酸素を十分に供給できるような圧力で心臓が血液を送り出せなくなったときに起きる。あらゆる種類の怪我で起きる可能性があるが、感染、心臓発作、体液不足、塩分不足、疲労、嘔吐《おうと》が引き金になることもある。

激しい失血は、なんとしても止血しなければならない。血を二リットル失うと、生命にかかわる。ただちにシェルターを見つけて、暖をとり、足を高くして、水を少しずつ飲む。

水ぶくれ（肉刺）

そうっとしておく！　つぶすと細菌が皮膚の下にはいる恐れがある。自然につぶれた場合には、ほかの外傷とおなじ手当てをする。できればきれいな水で洗い、空気にさらす。

「傷口を水で洗い、清潔にしておくことは、なによりも大事だ。きれいな水がない場合は、小便を使う」

火傷

できるだけ早く、大量の冷水をかけ流すのが、大小のどんな火傷でも、最善の手当てだ。患部がひろがらないように皮膚組織を冷やすために、できるだけ長く水に浸《つ》ける。組織は思っているよりも長いあいだ熱を伝え続けて、火傷の範囲がひろがるのだ。失った水分を補給するために、水を多めに飲む。

日焼け

冬の高山の峠から、焼けつく砂漠のまんなかに至るまで、世界のどこにいても、日焼けは深刻な問題になる。美人コンテストに出るのはあきらめなければならないかもしれないが、露出した皮膚や顔に泥を塗る。これで太陽のもっとも危険な紫外線から皮膚を守れる。豚が泥んこになろうとするのには、れっきとした理由があるのだ。氷河からの反射による日焼けや雪焼けがことにひどいアラスカとヒマラヤで、私はこれを有効に活用した。

ねぶと

膿《うみ》の芯を表皮に近づけるのに、熱を加える。棒の先に布を巻いて、熱湯にひたしたものを使うといい。鋭利で（無菌の）刃物で膿を出す。流水で洗い、再感染を防ぐために覆う。

真菌感染

太陽の光が治療に役立つ。患部を空気と光にさらし、ぜったいに掻《か》かないようにする。掻くとよけいひどくなる。自然の消毒剤（76〜77ページ参照）が役立つこともある。

発疹

やはりおふくろの知恵が役立つ。湿っていれば、乾かせ。乾いていれば、湿らせろ。じとじとした発疹《はっしん》には、ゆでたドングリか硬材の樹皮が効くことがある。乾いた発疹の保湿には獣脂が役立つことがある。

シラミ、ダニ

いずれも糞便を通じて発疹チフスを感染させるので、たかられていないかどうかをつねに調べ、日に当てるか、できれば煮沸して、衣服から取り除く。噛まれたあとを掻くと、感染しやすくなるので我慢し、水で洗う。食らいついているダニを煙でいぶすと離れるが、分泌液を残してしまうので、理想的とはいえない。いずれにせよ、頭がもげないように取り除かないと、感染症を引き起こす原因になる。アルコール、燃えさしの先端を当てればうまく取り除ける。アルコール、たばこの火も使える。

捻挫

足首の捻挫であれば、はじめのうちはブーツを脱がないほうがいい。腫れるとはけなくなるからだ。休んで、足首の状態を安定させ、高くする。アイスパックが手にはいれば大助かりだが、ない場合は冷水でも腫れを和らげられる。RICEの四文字を忘れないこと。休む（レスト）、氷で冷やす（アイス／クール）、圧迫する（コンプレス）、高くする（エレベート）。

骨折

動かずにいることが望ましいが、いつでもそれができるとは限らない。骨折した箇所を動かすと、内出血を起こしかねず、ショックの大きな原因となる。どうしても移動しなければならないときには、入念に副木《そえぎ》をする。

脱臼

関節をはめ直すのは、早ければ早いほどいい。どうすればいいかは、やってみればわかる。できるだけ早く、迅速にやる。そのままにしておいて、長いあいだ苦しみ、使えなくなるよりは、一瞬苦痛を味わうほうがずっとましだ。すぐに体を休め、暖かくして、水を飲む。

自然の消毒剤

⦿ミズゴケ

ヨードを含んでいるし、包帯にも使える。アルプスでスノーシューを作っていてナイフで手を切ったときに使った。傷口の消毒と止血で、完璧に役目を果たしてくれた。

⦿野生のニンニク

傷口に擦り込むか、ゆでた湯を傷口に注ぐ。

⦿塩水

細菌を殺すのに役立つ。

⦿ハチミツ

そのままでも水に溶かしても、ハチミツには強い消毒力がある。

「骨折した箇所を動かすと、ショックの大きな原因となる。どうしても移動しなければならないときには、入念に副木をする」

⦿ウジ

ウジを馬鹿《ばか》にしてはいけない！　つつましいウジは、大事なたんぱく源であるとともに、過酷な状況で医療の道具としても使える。ひらいた傷口がひどい感染を起こし、さらに悪化しそうなときは、ウジを使うのが賢明な最後の手段であるかもしれない。

ハエを追い払わずに、傷口にとまらせ、卵を産ませる。ウジが湧いて、傷口を覆うと、組織の腐った部分と膿だけを食べてくれる。血がにじみはじめたら、ウジがそういうところをすっかり食べ終え、健康な肉も食べようとしているのだとわかる。そうしたらウジを洗い流し、すっかりい

なくなったことを絶え間なく確認する。

ベアの必須要件

サバイバルの基本ルール五つ

ルール1 ▼生き延びるという決意

どれほどサバイバル技術の知識があっても、知識はつねに精神に劣る。あきらめるか、それともがんばるかを決めるのは、きみ自身なのだ。そして、その決断が、きみを他人とはちがう存在にする。苦痛は決して長続きしないものだ。

ルール2 ▼水は命

極限状態でも、人間は無理をすれば食べ物なしで三週間生存できる。だが、水がないと、わずか三日で倒れてしまう。喉の渇きがひどくなる前に、水の必要性をつねに優先順位のトップに置くこと。

ルール3▼楽しき我が家

居場所の確保は、人間の本能のもっとも奥に刷り込まれている。できるだけ暖かくて快適なシェルターをこしらえるだけで、たちまち明るい気分になる。暖かく、乾いていて、居心地のいいシェルターは、得意な気分と笑みをもたらして、そんなにひどい状態ではないと思えてくる。

ルール4▼神々の火

まわりにあるもので火をおこすと、なによりも意欲を高めてくれる。火は体を温め、食事を作るのに役立ち、最終的にきみを救うだろう。火おこしの名人になるべし。火おこしは人生でもっとも重要な技術の一つだ。

ルール5▼信仰をたもつ

信仰があるのをひけらかしてはいけない。自分には自分の神、他人には他人の神があるという考えかたをする。どんな時代でも、信仰があると、それが最大の味方、最大の力になることが、何度となく実証されている。

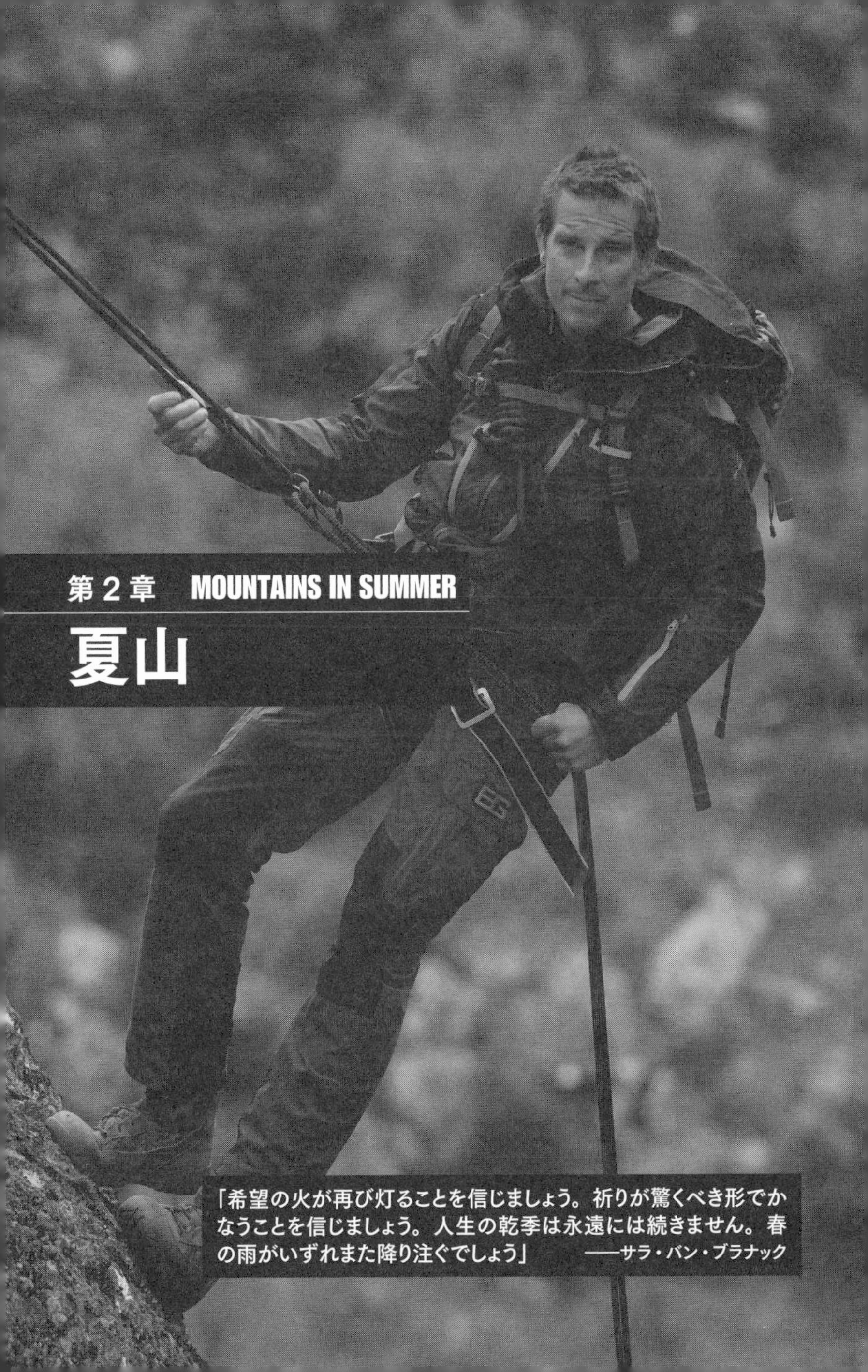

第２章　MOUNTAINS IN SUMMER

夏山

「希望の火が再び灯ることを信じましょう。祈りが驚くべき形でかなうことを信じましょう。人生の乾季は永遠には続きません。春の雨がいずれまた降り注ぐでしょう」

──サラ・バン・ブラナック

それが世界のどこであれ、どの季節であれ、高い山には低温や強風、氷といった危険が満ちているが、夏山の麓の斜面や谷は自然の宝庫である。

◉

極端な高温や低温、食料や水の欠乏といった人間のサバイバルにとっての最大の敵は、世界中のほかの多くの地域に比べ、夏山ではそれほど大きな問題ではない。

だから、自分は運がいいのだと考えよう。どのような状況であれ、前向きな精神はサバイバルには不可欠だ。だがそれは、五体満足で文明社会に戻るのが簡単だという意味ではない。危険要素が数限りなくあるのと同じで、山の種類は、南極地方からサハラ砂漠の端まで、あらゆる気候帯により異なる。

北極海からロシアとカザフスタンの国境まで続くウラル山脈は、タイガと呼ばれる針葉樹林に覆われていて、ナビゲーションが難しいだけでなく、ヒグマが潜んでいる恐れがある。冬は気温がマイナス六〇度までさがって大地は硬く凍りつき、短い夏には溶けた雪のせいでいたるところが沼地と化して、移動が非常に困難になる。

アンデス山脈はどうだろう。世界最長の山脈は、カリブ海からケープホーンまで南アメリカの西側を七二〇〇キロメートルにわたってひろがっている。そのあいだには、エクアドルの世界一高い活火山コトパクシ山、地球上でも指折りの乾燥地帯であるチリのアタカマ砂漠、海に達する氷河があるパタゴニアのティエラ・デル・フエゴがある。

「前向きな精神はサバイバルには不可欠だ」

だが、ヨーロッパのアルプス山脈やピレネー山脈といった北半球の気候帯に存在する山岳地帯の大部分では、真夏でも山頂に万年雪があるが、森林や谷は比較的温暖だ。

とはいえ、たとえそこが荘厳なまでに美しい場所であったとしても、夏であれ冬であれ、山岳地帯の高い斜面に長居してはいけない。早急な救助が期待できず、シェルターもないのであれば、できるだけ早く低いところに向かい、気温がいくらか高く、シェルターと水と食料を入手できる可能性が高い谷におりたほうがいい。

しかし、それをどうやるかを知らないと、そういうあたりまえの決断も危険をはらんだものになる。重力が手伝ってはくれるが、ほぼ垂直な崖をロッククライミングでおりるのは、特別なトレーニングをやっていない人間には勧められない。仮にうまくおりられたとしても、その下の地形がどうなっているかを見きわめるのは難しい。数時間苦労したあとで、再び同じ箇所をのぼらなければならない羽目になったら、体力も気力もひどく消耗してしまう。

私自身にその経験がある。ニュージーランドで、のぼるときとは別のルートを使って山をおりていた。ひとりでおりはじめてしばらくすると、岩の斜面が急になり、滑らかな岩がオーバーハングとなって宙に突き出していた。その下の岩棚まではほんの三メートルだったので、私はオーバーハングの縁からぶらさがるようにしてそこにおりた。

そんなことを繰り返しながら、次々に現われるオーバーハングを越え、どんどん小さくなる岩棚へとおりていき、最後の縁にたどり着いた。同じようにしておりるつもりで下をのぞきこむと、そこにはなにもない空間が広がっていた。下までは三メートルどころか優に一五〇〇メートルはあっただろう。私は戻ることも、おりることもできない場所に自らを追いこんでしまった。

「できるだけ早く低いところに向かい、気温がいくらか高く、シェルターと水と食料を入手できる可能性が高い谷におりたほうがいい」

頭上には手がかりもないオーバーハング、足元はどんなロープでも足りないほどの深い崖。越えてきたいくつものオーバーハングを再びのぼるほかはなかった。あのせり出した岩をのぼれなければ、にっちもさっちもいかなくなる。不安定な岩棚で立ち往生しているあいだに、しがみついているだけの体力さえ失ってしまうだろう。

自分がひとりであり、いかに無防備な状態であるかを思うと、恐ろしくてたまらなかった。記憶にあるかぎり、あれほど必死でのぼったオーバーハングはほかにはない！

そういうわけだから、下の状態がはっきりわからない場合は、十分に注意したほうがいい。進むことも戻ることもできない罠《わな》に足を踏み入れるのは、山で命を落とす大きな原因の一つだ。

山岳地帯にはほかにもありふれた危険が存在する。雷はどんな場所にも落ちるが、自分が地面への唯一のルートとなるような開けた場所はもっとも危険だ（44〜45ページ参照）。谷川は一見、安全そうだが、そこには別の危険が待っている。豪雨がもたらす鉄砲水は信じられない速度で山腹を駆けおりてくるし、沼や湿地や湖や渡ることのできない川は、ナビゲーションを恐ろしく困難なものにする。

だが少なくともきみは生きている！　まずは一からはじめて、この厄介な状態からどうにかして抜け出そう……。

シェルターを作る

どのようなサバイバル状況であれ、シェルター作りを最優先する。たとえ自然が穏やかな顔を見せている——少なくとも当面は——夏であっても、シェルターを見つけること、もしくは作ることは重要だ。つぎに必要なものは水と食料だが、シェルターがなく体を温かく、乾いた状態に保つことに無駄にエネルギーを費やすと、そういったものの効果は薄れる。

第1章で触れた精神的な葛藤を最初に感じるのが、このときかもしれない。これほどのプレッシャーのなかで、ほんとうに冷静に物事を考えられるものだろうか？　自分のなかの精神的及び肉体的エネルギーを、無駄にすることなくうまく使うことができるだろうか？　軟弱な現代社会で私たちの大部分が忘れてしまった、本能にもとからあった〝常識〟の本来の意味と価値を再び見出《みいだ》せるだろうか？

休息できないために疲れると、誤った判断を下し、肉体と精神が急激に衰えかねない。どれほど粗末なものであっても〝家〟と呼べる場所を持つことは、なにより大きな精神的支えになる。

だがサバイバルのすべての要素と同様、よく考える必要がある。不適切なシェルターに貴重なエネルギーを浪費するべきかどうかと、まず自問してみてほしい。この場所にとどまるべきだろうか？　とどまったほうが救出されるチャンスは大きいだろうか？　もしそうでないのなら、シェルターを作る場所をどこで探せばいい？　この地にいったいどれくらいの期間、いることになるのだろう？

「どのようなサバイバル状況であれ、シェルター作りを最優先する」

まず考えることを忘れないでほしい。不適切な場所――たとえば雨が降り出したとたんに高いところから流れてきた水でびしょ濡《ぬ》れになったり、せっかく作った新しい寝室をイノシシに台無しにされたりするようなところ――に不安定で換気もできないシェルターをあわてて作ると、ただ無駄骨ではすまされない。貴重なエネルギーを浪費したうえに、元気をなくしてしまう……やがて雲行きが怪しくなり、夕闇が迫ってくる……「ああ、もうだめだ。どうしてまだ間に合うときに、よく考えなかったんだろう?」

そうならないためには、まず基本が大切だ。

立地、立地、立地

たとえはるかな僻地《へきち》であっても、家を建てるときには不動産業者の概念が通用する。立地がすべてだ。ふさわしい場所を選ぶには、役立つシェルターに欠かせない特性を考えるのが最善だ。では、なにが必要か? なにより重要な第一の目的は、自然の猛威から身を守ることだ。山岳地帯には、さまざまな形の自然の猛威が待ち受けている。シェルターは、太陽、雨、風、高温や低温などに、性能を試されることになる。頑丈で、安定していて、洪水や落石や野生動物や虫の襲撃などの危険が及ばないものでなくてはならないのだ。

だから時間をかけて、周辺の地形を調べてほしい。たとえばそこが高い山の尾根のような風雨にさらされる場所ならば、ちがう立地を考えるべきだ。

できれば、岩や木が日光の温《ぬく》もりをより長くとどめてくれる南向きの斜面を探そう。

たいていの場合、谷におりるのは賢明な判断だが、谷底は避けたほうがいい。川が流れていたり地面がぬかるんでいたりするかもしれないし、鉄砲水の危険があるうえ、夜になると冷気がおりてきて急激に気温がさがるからだ。

山でシェルターを作る理想的な立地は、谷底から三〇メートルほどの高さにある平地で、熱を吸収してたくわえる木や岩の陰であることが望ましい。わずかに高いだけで、シェルターは谷底より数度暖かくなる。

けもの道だとはっきりわかる場所は避けよう。そこは頻繁に使われているかもしれないし、動物たちは餌場や水場に向かう道をふさぐ物体を歓迎しないかもしれない。またシェルターを作る前に、上を見てほしい。腐った枝で数多くの不注意なハイカーが頭に怪我《けが》をしている。その轍《てつ》を踏まないこと。

「できれば、岩や木が日光の温もりをより長くとどめてくれる南向きの斜面を探そう」

「山でシェルターを作る理想的な立地は、谷底から三〇メートルほどの高さにある平地」

シェルターのタイプ

どういったシェルターを作るかは、その場所にどれくらいとどまるつもりであるかによる。一晩過ごすシェルターを探しているときもあれば、数時間嵐をしのげればいいという場合もある。

自然のシェルター

洞穴

近くに洞穴を見つけたら、短い間なら天の恵みだといえる。だが長居すると、不都合な点のほうが多くなる。洞穴は寒くてじめじめしていることが多いし、よそ者の侵入を嫌い、病原菌を持っている可能性のあるコウモリやヘビやそのほかの野性動物の巣になっているかもしれない。

木、くぼみ、岩山

木や倒木や自然の造形も、風雨を避けることができれば、シェルターになる。それには葉がついた枝を風よけにしたり、断熱のためになにかの茂みを敷いたりするような工夫が重要だ。

地面にあるくぼみを利用するのなら、嵐がきたときに濡れないように、必ず排水溝を作る。

低く垂れた枝

低く垂れた、葉が生い茂る太い枝（広葉樹よりは針葉樹が望ましい）は、当面の風雨からしばし身を守るのに役立つ。落ちた松葉はいいクッションになり、断熱材の役割も果たしてくれる。

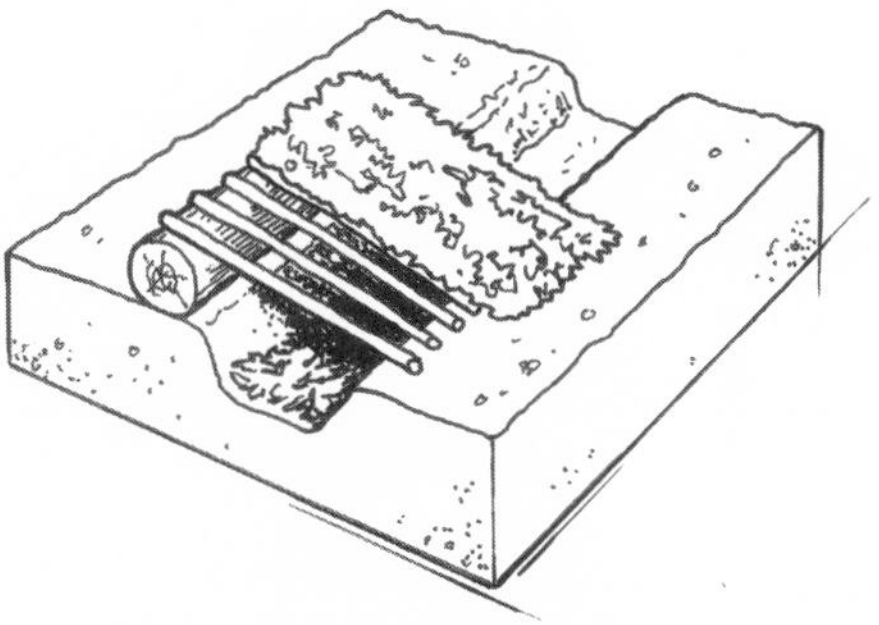

◉一時用シェルター

垂直に立つもの

岩や木の幹のように地面からほぼ垂直に立つ自然物を利用すれば、効果的なシェルターを簡単に作れる。その前に浅い穴を掘って小枝や下生えで埋め、頭上を枝と木の葉で覆うとよい。

差しかけ式

前に書いたのと同じ要領で、前面に焚《た》き火と熱反射器のためのスペースを作れる。同じ高さの二本の木をつなぐように渡した枝や棒やロープに、枝や木の葉を四五度の角度で立

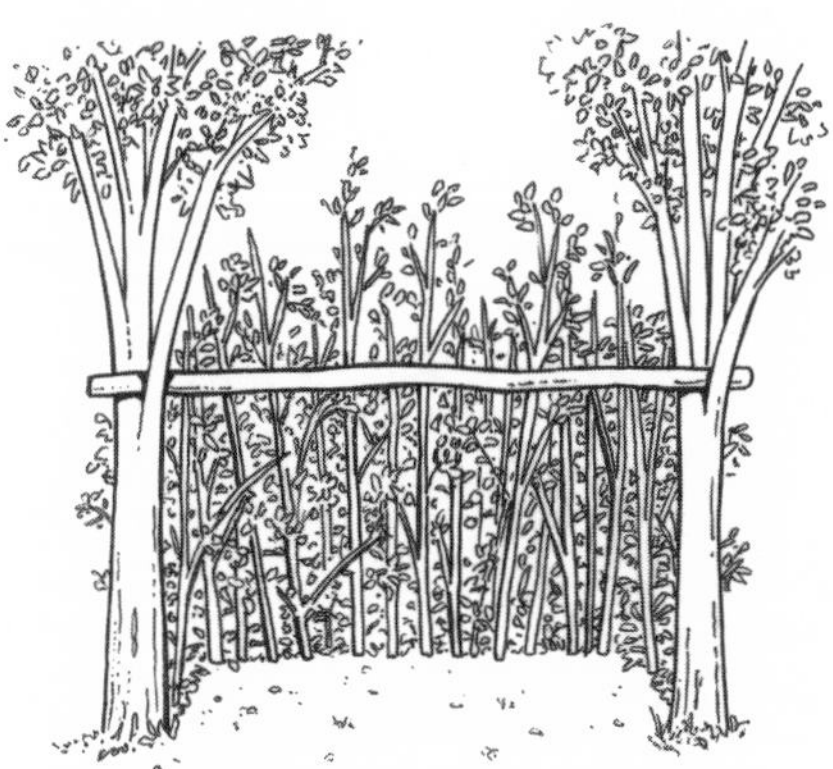

てかける。防水布やビニールシートがないときは、雨を防ぐために木の葉は少なくとも一〇センチの厚さにして、その上を枝で押さえる必要がある。卓越風を避けるような角度に設置すること。雨水が伝ってきて濡れることがあるので、内側に枝が突き出ないように注意する。

曲げた若木

密集して生えた若木の先端が伸びてまとまり、ロックコンサートやキャンプ場でよく見られるドーム型のテントのようになっていることがある。それほど都合のいいものがない場合は、円を描くように地面に小さな穴をいくつも掘り、そこに切った若木を刺す。若木の先端をまとめてロープなどで固定し、枝や木の葉をかぶせる。

三脚式

丈夫でまっすぐな枝を使った三脚式の骨組みは、形状や大きさの異なるさまざまなシェルターになる。側面に丸太や枝を立てかけて壁を作り、その上を木の葉などで覆う。

あらかじめ基本の骨組みの下に寝て内側の大きさを測っておき、状況に応じて調整する必要がある。熱を逃がさず、なおかつ換気と身動きができるだけの空間を残すようにする。壁を覆う木の葉は上から押さえなければならないので、その分だけ狭くなることを考えておく。

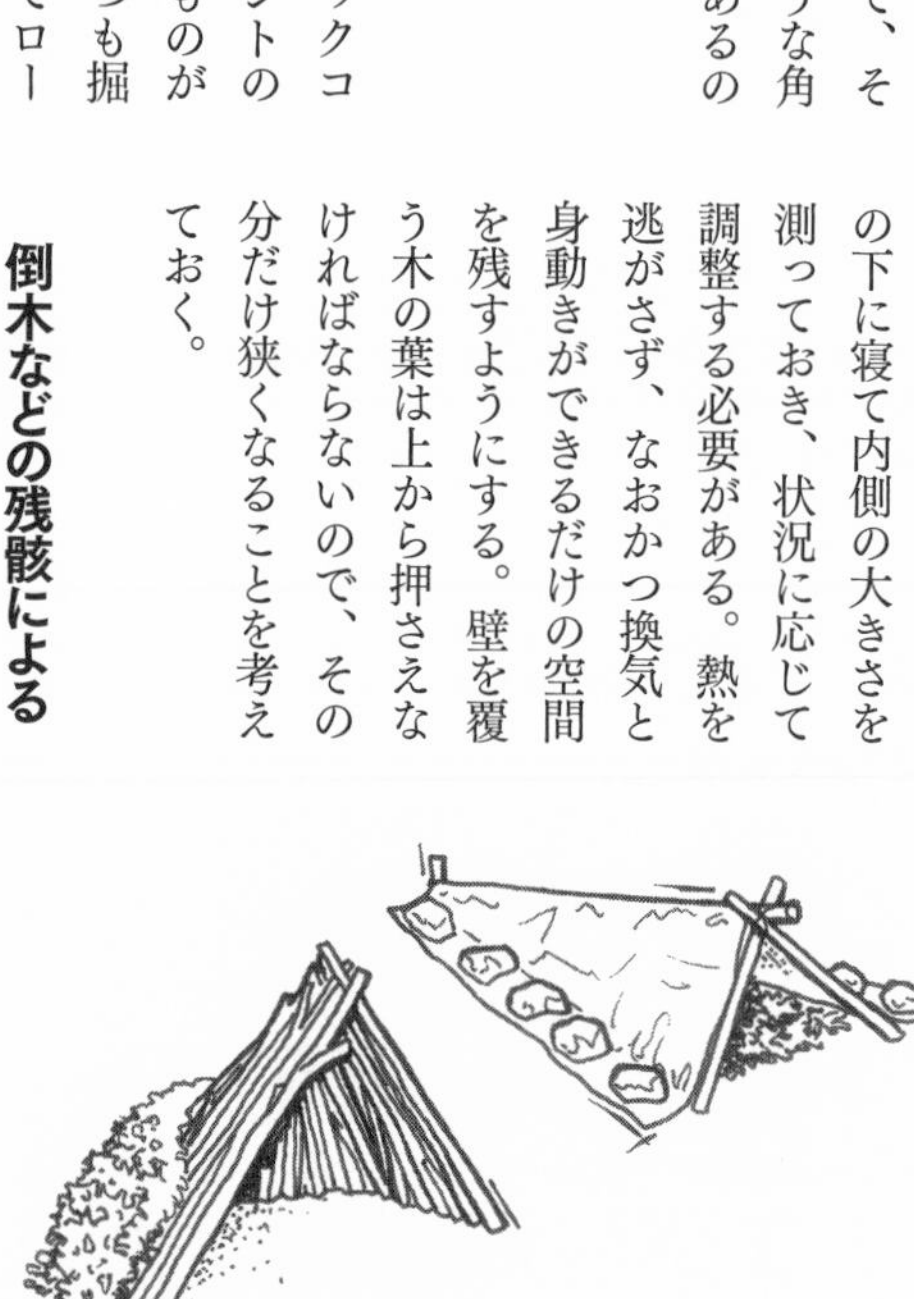

倒木などの残骸によるシェルター

嵐や熊のせいで倒れた木があれば、下側の枝をはらって自然のシェルターにできる。あとはただ横側の隙間を木の葉や苔《こけ》や枯れた枝などで埋めれば、あっという間にシェルターのできあがりだ。私は装備もなくロッキー山脈に降下したとき、このタイプのシェルターを使った。手のこんだ

ものを作る時間がなかった最初の夜、これで十分にしのぐことができた。外よりも一〇度は暖かいし、地面と屋根を苔と松葉で断熱すればさらに効果は高まる。

長期用シェルター

ウィキアップ

ウィキアップは、差しかけ式の技術を使ったアメリカ先住民の円錐《えんすい》形の小屋をまねたものだ。コツは、円錐形かドーム形に組み合わせたときに自立するように、同じくらいの大きさと長さの枝を選ぶことだ。あるいは、小さな木の幹のまわりに作ってもいい。地面に穴を掘って根元を埋めれば、さらに頑丈なものになる。木の葉や枝葉をかぶせれば、断熱効果を高めることができる。

Aフレーム

作るのに時間はかかるが、Aフレームはより長く、よりしっかりと自然の危険から身を守ってくれる。まず、丈夫でまっすぐな棒を一本見つけよう。その長さによってシェルターのサイズが決まる。その両端を、逆V字形に組んだ二本の棒の交差部分に固定する。木やなにか高さのあるものを使って一方の端を支えておき、そのあいだにもう一方の端に支柱になるものを取りつける。片側がうまく固定できれば、もう一方に支柱を取りつけるのは簡単だ。

どちら側を入口にするのかを決め、その反対側に木の枝で壁の骨組みを作る。骨組みができたら、木の葉や枝葉で（次項「サバイバルシェルター上級編」を参照）屋根を葺《ふ》く。天候の状況に合わせて、二重や三重にするとよい。そうすれば開いている側で焚き火をすることができる。熱を反射させるための岩や石を向こう側に積めば、暖房効果も期待できる。

ジャングルでは（後述するが）これを発展させ、不愉快な虫がはいのぼってこないように、Aフレームの横木を使って床面を高くあげたベッドを作ることもできる。

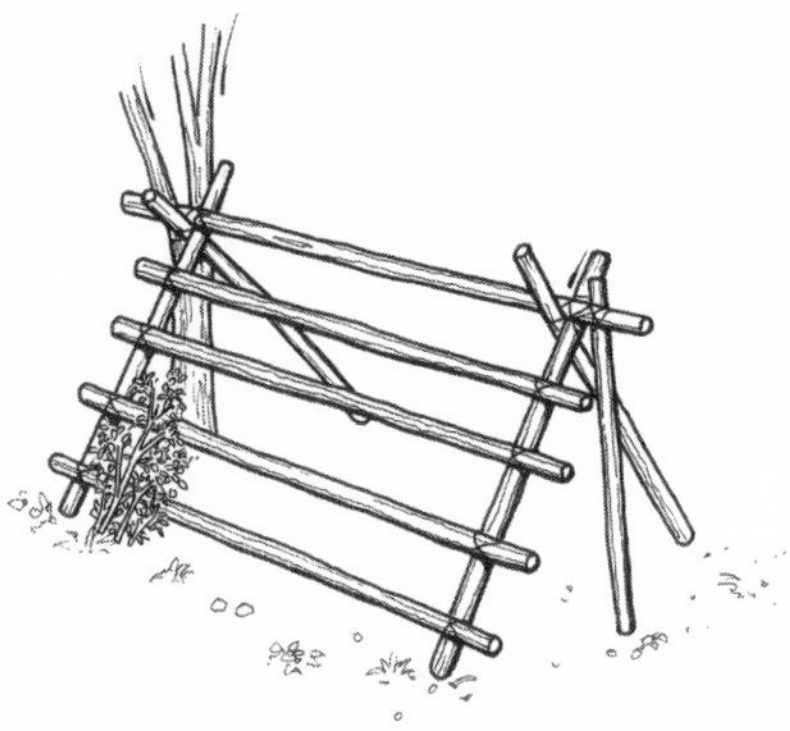

サバイバルシェルター上級編

昔、私の部下だった曹長は快適さにこだわり、「寒かったり居心地が悪かったりするのは、バカの証《あかし》だ」とよく言っていた。よくできた丈夫なシェルターは、快適な生活の第一歩だ。作る際にほんの少し配慮するだけですむ。以下のような点に気をつければ、まずい結果にはならない。

- 作業をはじめる前に服を一枚脱ぐ。そうすれば汗まみれにならずにすむし、湿度が高かったり雨が降っていたりするときに、作業を終えたときに乾いたものを着ることができる。
- 遅くとも、日が落ちる二時間前には作業を開始する。夜の作業ははるかに難しい。
- 作りはじめる前に大きさを確認しよう。できてしまったら取り返しがつかない。
- あとからかぶせる断熱用の木の葉や、上の層が雨水を含んで重くなることを考えて、骨組みはそれに耐えられる強度にする。

●シェルターは卓越風と直角をなすように建てる。そうすることでシェルターは風をまともに受けずにすみ、焚き火の煙も内側にはいらない。

●シェルターの骨組みの端――たとえばAフレームの上部など――が、本体よりも上にならないようにする。上に突き出していると雨がそこにたまり、壁に落ちる。

●ビニールシートや防水布、ポンチョ、キャンバスなど、あるものすべてを利用しよう。これらは非常に乾燥した環境で水を集めるといった用途に使うこともできるが、雨よけや地面の冷たさから身を守るために非常に役立つ。

●ただの黒いゴミ袋でどれほど多くの命が救われたかを忘れてはいけない。防水の風よけとしてのゴミ袋の価値を軽視しないこと。

●ポンチョなどを防水のシェルターとして使う場合には、たるまないようにぴんと張り、地面に対して四五度の角度にすること。そうすることで雨水が速く流れ落ち、繊維に浸透しにくくなる。

●枝葉や木の葉や苔などでシェルターの壁を葺くときには、少しずつ先がかぶるようにして下から上へと重ねていく。壁や屋根の層は薄いよりは、厚すぎるくらいのほうがいい。

●壁や屋根を見栄えよくする必要はないので、それに無駄なエネルギーを使わないこと。素材の自然なままの形や質感に任せよう。

●シェルターのまわりに排水溝となる溝を掘り、雨水がそこを伝って流れるようにする。

●たとえ夏であっても、地面は熱（と心地よさ）を奪う大きな原因となるので、必ずなにかを敷くこと。

●ビニール袋や予備のジャケットに松葉を詰めると、すばらしい布団やマットレスや枕になる。

●眠る前にジャケットやズボンの内側に苔、ワラビ、ガマなどを詰めよう。空気の層ができて、気温のさがる夜間も暖かさを保ってくれる。

●同じ理由から、夜は靴の紐を緩めよう。

「バカは居心地の悪い思いをするのさ!」

元SAS（英国陸軍特殊部隊）曹長

水を手に入れる

夏の山岳地帯で水を手に入れるのは、たいして難しくないように思える。山頂の雪は溶けて澄んだ渓流となり、谷川ではたっぷりの酸素を含んだ水が、急流下りができそうなほどの勢いで泡立ちながら流れていく。

そうかもしれない。運がよければ。いまきみがこれを読みながら想像しているのは、谷間から吹くさわやかな風に乗ってカウベルの音が遠くから聞こえてくる、「サウンド・オブ・ミュージック」に登場するようなアルプスの緑豊かな山なのではないだろうか。だが実際は――いまいる場所に空からおりてきたと仮定しよう――植物もほとんどなく、食料や水も手にはいりそうもない、雨が降らない高山の尾根であるかもしれない。その後いくらか気温の高いところまでおりたとしても、そこもまた乾燥した砂漠のような場所かもしれない。

どういった状況であれ、飲用に適した水を手に入れることは非常に重要だ。私は、栄養失調よりも脱水で死んだ人間のほうを数多く目撃している。フランス外人部隊は、隊員たちの食料が十分であるかどうかにはたいして注意を払わないが、水をしっかり飲ませることにはうるさいくらいにこだわる。彼らはどこよりも砂漠地帯にくわしく、そこから学ぶべきことをしっかりと学んでいる。

絶望的な状況下では、口内の唾液が不必要に蒸発することのないように口を閉じて、鼻から呼吸をするだけでも効果がある。サハラ砂漠の遊牧民族はみな実際にそうしている――常に口を覆って、呼気で無駄に水分を失わないようにしているのだ。

運よくどこかの時点で、命をつないでくれるきれいな水を手に入れたとしても、水を持ち運ぶのは非常に厄介だ。水は重く、必要とする量は多い。たとえ容器があったとしても、十分な量を運ぶのは無理だろう。いずれ深刻な脱水症状の脅威にさらされることは、避けられない。

だから、まず体内にある水分を大切に守り、一滴たりとも大気中に無駄に排出したりしてはならない。結果の伴わない不要な行動によって脱水を起こしては意味がない。パニックを起こしてむやみに動きまわるのは絶対に避けなければいけない。不安そのものが脱水を起こす原因でもある。

「どういった状況であれ、飲用に適した水を手に入れることは非常に重要だ」

水を手に入れる方法を考えるときは、冷静になって日陰にとどまるようにしよう。手に入るようになってからは、水質がその水と同じくらい重要であることを忘れないようにしよう。

私は可能な場合は必ず、飲む前に最低でも五分煮沸することにしている。さっぱりした味にするためにビタミンが豊富なローズヒップや松葉で風味をつけ、冷ましてから飲むこともある。

水を浄化する手段（94〜95ページ参照）がなにもない場合は、その水源は思いきりよくあきらめて、別の場所を探したほうがいい。

水があるしるし

よく観察すれば、水源の近くには多くのしるしがあることに気づくはずだ。

・草食動物は明け方と日暮れどきに食事をするので、足跡が水源まで続いていることが多い。複数の方角から一点に向かう足跡があれば、動物が異なる方向からやってきていることがわかり、その先に水源がある可能性が高い。

・早朝や午後遅く、鳥はしばしば水飲み場の上を旋回する。スズメやハトなどは、水を飲んだあと低空をゆっくりと飛ぶ。

・ハエやアリやハチの群れを見かけたら、近くに水源がある可能性が高い。

水源

地表水

雨水がない場合は、渓流やそれが流れ込む谷川といった地表水を探そう。衛生面からいえば、流れが速く、岩の上を流れる水が望ましい。高度のある場所の利点は水源に近いことで、下流よりも飲用に適している可能性が高い。その場所から上流に五〇〇メートルまでの水中に死んだ動物がいなければ、おそらく大丈夫だ。私が渓流から水を飲むときには、流れに沿って五分ほどくだり、そのあいだに動物の死骸が近くにないことを確かめる。水の流れる音を聞くと、ますます喉が渇く！

地下水

近くに渓流がない場合は、岩の割れ目やくぼみを探してみよう。乾燥した風景のなかに植物の茂みがあれば、それは近くに水があるというしるしだ。喉が渇いていれば、濡れた岩肌をなめるだけでも蜜のように感じられるだろう。

地面が平坦《へいたん》で柔らかなときは、土を掘ってみるといい。ただし、水をくむのは泥が沈殿するのを待ってからにしよう。地表近くの水分は蒸留器で集めることができる（93ページ参照）。

動物や植物から水分を得る

山岳地帯では、水分を得られる植物はジャングルほど豊富ではないかもしれない。だが切迫した状況に置かれたときには、動物からも――肉食動物が食べたあとの動物の残骸であっても――水分を摂取することができる。眼球の液体をすするのはあまり楽しくない行為だが、眼球が含む水分は飲用として安心である。生きるか死ぬかということになれば、驚くほどおいしく感じられるだろう。私は南太平洋の救命筏《いかだ》の上で、捕まえた魚の目玉を食べ、背骨をすすったことがある！

水を集める

十分な量の地表水を集められなくても、道具を使って植物や大気中から水を集めることができる。

いだに急激に冷えると、大気中の水蒸気が水滴となる。山に登ればよくわかるが温度差が大きければ大きいほど、露は多くおりる。〝草が露に濡れていれば、雨は降らない〟ということわざを覚えておくといい（露は好天が予想される雲のない寒い夜に発生するので、朝の湿気をうまく利用する）。

この原理に従って露を集めよう。四五センチほどの深さの穴を掘り、内側を粘土で固めるか、防水の素材を張る。露が着きやすいように、表面の滑らかな石をたくさん入れておけば、穴の底に露がたまる。

より簡単な方法としては、Tシャツで茂みをかきまわしたり、足にぼろ布をしばりつけて芝生のなかを歩いたりして朝露を集めるという方法がある。あとはただその布を絞って、水を飲むだけでいい。この方法によって、もっとも乾燥した地域でも多くの命が助かっている。

蒸留器

雨が降る気配がなく、植物もほとんどない乾燥地帯であっても、なんらかの防水素材があれば——ポリエチレンで

役に立つ豆知識

日光に貴重な水分を奪われる前に早起きしよう！

「眼球の液体をすするのはあまり楽しくない行為だが、眼球が含む水分は飲用として安心である。生きるか死ぬかということになれば、驚くほどおいしく感じられるだろう」

水と露を集める道具

雨水は飲んでも安心であるうえ、ただ集めるだけでいい。防水布があるのなら、それを大きく広げ、雨水が清潔な容器に流れこむようにする。できれば斜面が望ましいが、平坦な場所であれば穴を掘って、その上にシートを広げるとよい。水は重いので、シートにはしっかりと重石《おもし》をすること。

露は、熱力学の基本原理によってできる。地面が夜のあ

もビニールでもキャンバス地でも、手にはいるものならなんでもいい——蒸留器を作ることができる。

雨をためるときと同じように、地面に穴を掘ってその上にシートをかぶせる。だが今回は降った雨水ではなく、地中の湿気をそこに集める。日中の暑さによって蒸発した湿気が、防水シートの冷たい面に触れて結露する。シートの中央に小さな石を置いておくと水滴が集まるので、その下に落ちるように容器を置いておく。

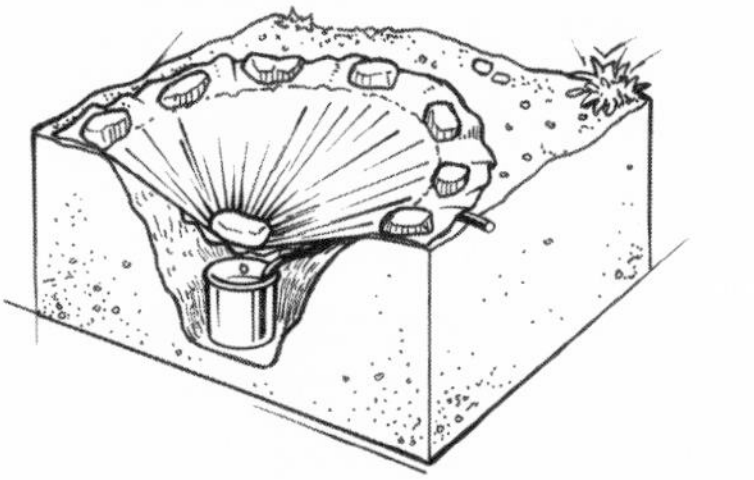

この方法は、多いときで二四時間のうちに〇・五リットルもの水を作ることができる。水の量を増やすためには、穴のなかに植物を入れたり、さらには小便をしたりするとよい。

植物から水分を集める

人間と同じく、木や草も大部分が水でできている。日光の当たっている木の枝やみずみずしい木の葉や茂みにビニール袋を巻きつけることで、その水分を集めることができる。葉は水分の凝結を妨げるので、ビニール袋がなかの葉に触れないように注意すること。

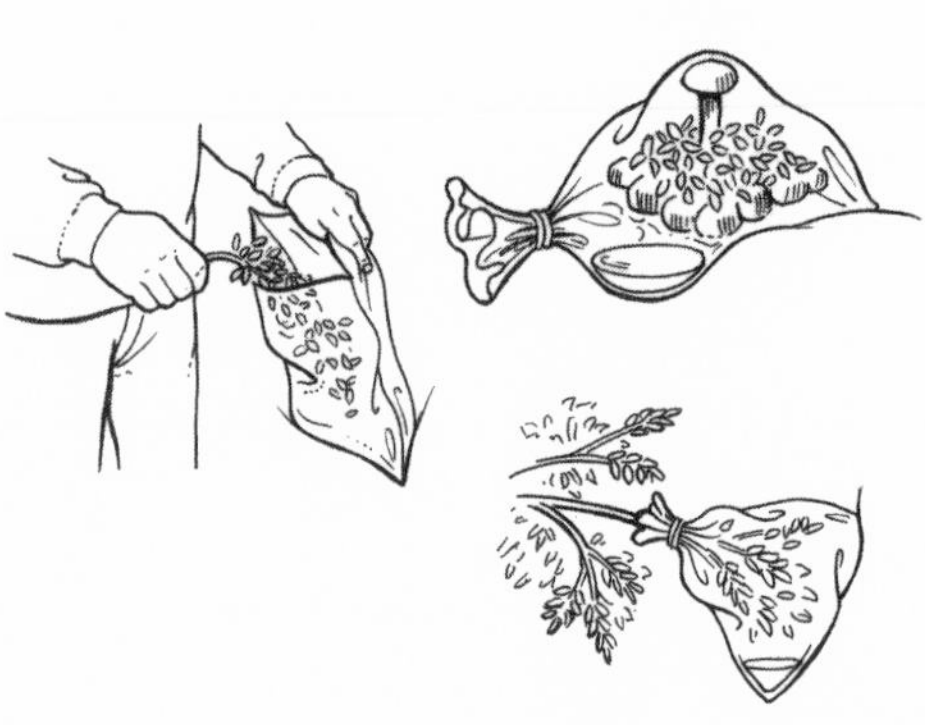

水の浄化

汚染された水を飲むことは、まったく水を飲まないよりも悪い結果をもたらすので、リスクを冒すよりは、より悪い状況を想定したほうがいい。たっぷりと酸素を含んだ流水であっても食中毒を起こす可能性はあるし、氷を溶かした水にはバクテリアが含まれているかもしれない。腸管に寄生し、慢性の下痢の原因となるランブル鞭毛虫《べんもうちゅう》は、澄んだ渓流の水からしばしば発見されている。だいたいにおいて、水源から離れれば離れるほど、水が汚染されている可能性は高くなる。

大気中や植物、あるいは蒸留器で集めた水は、清潔だという大きな利点がある。だが危険な水であっても、それを浄化する方法があるはずだ。容器にはいった飲料水を手に入れることのできない地域を旅する人の多くは、水を浄化するための錠剤やヨウ素を携行している。シャツやバンダナ、砂を詰めた靴下を簡単な濾過器《ろか》にすることもできる。

火をおこすことができ、十分な燃料があり、沸点が一〇〇度以下の高地ではないという条件のもとではあるが、なによりもっとも効果的な方法は五分以上煮沸することだ。そうすることで、害をなす病原菌の九九・九％は死ぬ。

高度八〇〇〇メートルを超えるエベレスト山では空気が薄いため、水は七〇度という地上よりはるかに低い温度で沸騰する。その温度ではバクテリアを殺すことはできないが、私たちが飲んでいたのは氷や雪を溶かした非常にきれいな水だったので、わかりやすいルールを適用すればそれですんだ。黄色い雪は溶かすな！

「汚染された水を飲むことは、まったく水を飲まないよりも悪い結果をもたらす。だいたいにおいて、水源から離れれば離れるほど、水が汚染されている可能性は高くなる」

食料を手に入れる

夏の山岳地帯で食料を見つける確率は高い。自然がもっとも気前のいい時期なので、少なくとも理論上は炭水化物、タンパク質、ビタミン、ミネラル、食物繊維のバランスが取れた食生活が可能だ。わずかな例外はあるが、なんであれ這《は》ったり、泳いだり、歩いたり、飛んだりしているもののほとんどは、その一部を食べることができるのだと覚えておこう。

不都合な点は、食料を探す行為は必ずエネルギーの消費を伴うことだ。だからこそ、サバイバル状況において食料を探す際には、二つの重要なルールを忘れてはならない。得られる以上のエネルギーを食料探しに費やさないことと、食料を手に入れたらそれを無駄にしないことだ。腹に収まったものは、茂みにあるものの一〇倍の価値があるのだ。

森のなかで野生動物を狩ればいいと思うかもしれないが、それは決していい方法ではない。たいていの場合、罠を仕かけ、その成果が出るまでじっと待つほうがはるかに効率がいい。一度作った罠は何度でも繰り返し使えるものだ。〝まああなら上等だ〟という言葉を覚えておこう。罠は芸術品である必要はなく、目的を果たせればそれでいい。それなりのものであれば十分だ。

こういったことを考えたうえで、山岳地帯で手にいれることのできる食料のいい面と悪い面の両方を見ていこう。


「わずかな例外はあるが、なんであれ這ったり、泳いだり、歩いたり、飛んだりしているもののほとんどは、その一部を食べることができる」

木、草、木の実、ベリー

世界中のたいていの山には――とにかく標高の低い場所であれば――食べられる植物が存在する。世界には三〇万種の植物が存在するが、そのうちの約一二万種が食用だ(ヨーロッパにあるのはそのうちの一万種)。もっとも高エネルギーな部分は根と種、実や果実で、葉はビタミンが豊富だ。
一つだけ問題がある。カリブー、ハイイログマ、鳥、リス、ネズミといった野生動物は、どの植物が食べることができ、どの植物が頭痛や下痢の原因になるかということをよく知っている。彼らが食料としているもののなかには人間が食べられるものも多くあるが、そうでないものもある。

ではどうすればいいだろう？　手当たり次第に試している暇はない。確実に見分けることが重要だ。体調を崩せば、状況はますます悪くなる。植物とベリーに関してはいくつかの簡単なルールを覚えておき、ほかの食料で栄養を補うようにしよう。

次のようなことを覚えておこう……。

木と草

・水のなかや湿地に生える植物は、味がよく栄養が豊富なことが多い。
・根や球根や塊茎のほとんどは安全だが、消化できるようにするためには火を通す必要がある。
・火を通すことで、シダ類はすべて食べることができる。
・モミの木は松の木同様、どの部分でも食べることができる。トウヒの根本のほうの内側の樹皮は甘い味がする。皮をはぎ、削ぎ落として食べるとよい。
・木の葉や草のほとんどは食べることができるが、樹液が乳白色のものは避けること。
・赤や白の草、とげや細かい毛に覆われた植物は毒を持っていることが多い。
・草の先端と種は食用になるだけでなく、貴重なたんぱく源となるが、茎の部分は火を通す必要がある。有毒な麦角《ばっかく》菌《きん》には注意すること。種子の先端に小さな黒い棒のように生えるので、簡単に見分けられる。
・ガマは、穂の部分がコルクでできた浮きのような形状をした（棒に刺したソーセージと形容されることもある）きれいな水辺に生える植物で、世界中で見ることができる。食用になる根は四六％のでんぷんと一一％の糖分を含んでいる。生のまま食べることもできるが——寄生虫を避ける

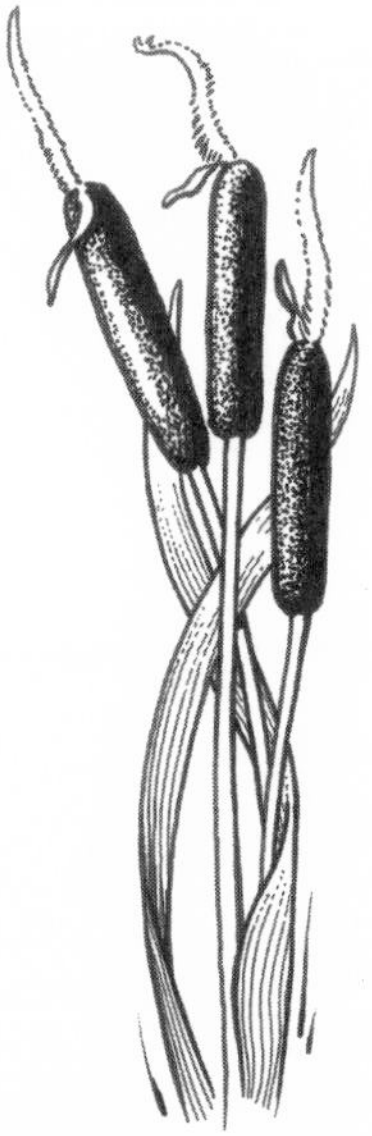

ため、きれいな水で洗ってからにしよう——火の燃えさしで調理してもよい。でんぷんが豊富な根を焼くと、甘い栗《くり》のような味がする。

・ドクニンジンには注意しよう。これを食べると、数時間のうちに死に至ることがある。ハーブとしても使われるこの二年生植物は二・五メートルの高さにまで育つことがあり、細かく分かれた葉は三角形をしていて、つるつるした茎には紫の斑点がある。葉と根にパースニップに似た悪臭があり、初夏には傘のように固まって咲く小さなかわいらしい花をつける。実は小さくて平たく、筋がはいっている。摂取すると、不安感、からだの震え、運動障害、機能低下、昏睡《こんすい》などの症状が出たのち、死に至ることがある。

果実とベリー

・茎についた単果は、たいがい食べることができる。

・青や黒のベリー類はたいがい食べることができるが、白と黄色のベリーは食べられない。赤いベリーは注意が必要だ（ブルーベリーには、どの果実よりも多くの抗酸化物質が含まれているので、もしも見つけたらすべて食べ尽くそう！）。

・集合果（ラズベリーやブラックベリーのような果実）はどれも食べることができる。

・実の先端に五枚の花弁がついた単果はすべてバラ科に属する。ローズヒップがその一つで、ビタミンAとCを豊富に含み、お茶にすると大変美味である。

実と種子

・木の実や種子を求めて地面を探している鹿などの動物を観察するとよい。野性の豚などの小さな動物がどこの土を掘っているかにも注目し、そのまねをしよう。

・球果をつける木の種子はどれも食べることができる。松葉にはビタミンCが含まれている。

キノコ

・食欲をそそるものもあるだろうが、専門家でないかぎり、キノコには手を出さないほうがいい。火を通してもキノコの毒は消えないので、まちがって採ると命を落としかねない。

・どうしても食べなければならないときには、ひとつの目安にすぎないが、傘の裏が白いものは避け、茶色いものだけを選ぶようにしよう。まず舌の上に小さなかけらを乗せ、五分待つ。それから少し食べてみて、さらに三〇分様子を見る。こうして、細心の注意を払って食べる。

◉――昆虫、地虫、蠕虫

ウジやカブトムシや蠕虫《ぜんちゅう》（ミミズなど）を朝食に出されて食欲がわく人間は少ないだろう。だが生命の危険にさらされたとき、〝気持ち悪い〟だのなんだのと贅沢《ぜいたく》なことは言っていられない。実際空腹が耐えられないほどになると、〝気持ちの悪さ〟は突如としてたいした問題ではなくなることを、私自身何度も経験している。普段は食べ物にひどくうるさいこの私がだ。

虫の仲間のいいところは、地球上でもっとも多く存在する生物であり、簡単に捕まえられるということだ。そのうえ、牛肉のたんぱく質が二〇％に過ぎないのに対し、彼らはその八〇％がたんぱく質でできている。近い将来、ファストフード・チェーンがカブトムシバーガーを提供するようなことはないだろうが。

ウジは三〇グラムあたり約七〇キロカロリーの熱量を持つ。つまりじっと身を潜め、生命を維持できる最低限のエネルギーしか使わなければ、手のひら一杯のウジで丸一日生き延びることができるというわけだ。だがガツガツとほおばる前に、頭は噛《か》み切って吐き出したほうがいい。そのほうがずっとましな味になる。

また十分な数を捕まえることができたなら、炒めてから食べるか、あるいは火を通してすりつぶし、粉にして煮込むとよい。蠕虫も同じように料理することができる。

ウジやナメクジや蠕虫（ぞっとするような形状のものや、恐ろしく長いものを食べたことがある）を食べるときには、私は丸呑《まるの》みすることにしている。そうすれば、虫を噛んだときに口のなかに液体が飛び散る、あのなんともいえない感覚を味わわずにすむからだ。

夏の北半球では、緊急時の食料としてヤマアリの幼虫を素早く手に入れる方法がある。大きなアリの巣を見つけたら、防水布を広げ、巣を壊す。巣の材料ごとアリと幼虫を布の中央に投げ入れたら、布の端を丸めて日陰を作ってやるだけでいい。アリはせっせと幼虫を日陰に運びはじめるので、数分待てばそこに幼虫が集まっているという寸法だ。アリの幼虫は膨らんだ米に似て、決しておいしそうには見えないが、簡単に手に入れることができ、栄養が豊富で高たんぱくな食料である。

虫に関する教え

・幼虫、バッタの仲間、甲虫、地虫、アリ、シロアリ、蠕虫（バクテリアを排出させるため、食べる前に水につけておくことが望ましい）は食べることができる。
・たとえば毛虫、クモ、ダニ、ハエ、蚊など、刺すもの、噛むもの、毛があるもの、鮮やかな色のもの、においのあるものは食べられない。
・ほとんどの虫は生で食べることができる。ひどい味のものが大部分だが、カブトムシなどの幼虫は比較的さっぱりした味で、アリのなかには体内に蜜を蓄えているせいでかなりおいしいものもいる。

「虫の仲間のいいところは、地球上でもっとも多く存在する生物であり、簡単に捕まえられるということだ」

・甲虫やバッタの仲間のように硬い外殻を持つ虫には寄生虫がついていることがあるので、羽と脚を取り、火を通してから食べるようにしよう。
・どうしても気持ち悪くて食べられないという場合は、虫をすりつぶしてペースト状にし、植物の根と混ぜるとよい。

魚

山があるところには谷があり、谷があるところには川があって魚がいる。山で入手できる食料をいろいろと述べてきたが、そのなかでも魚はかなりおいしい。

遠い昔の祖先のように、とげや骨や羽根から釣り針を、イラクサの茎のような繊維質の素材や服の糸や紐《ひも》から仕掛けを作ってもいいが、まずは罠を作って自分の手で捕まえてみよう。

罠、簎、くすぐる

魚は時々、逃げ場のないところにみずからはまってしまう。たとえば、夏の最中、川の水位がさがったあとに残った水たまりのような場所だ。まずそういうところを探してみよう。見つからないときは、魚の習性を理解することで居場所を知ることができる。それがわかっていれば、あらかじめ作っておいた罠へ追いこめる。

魚は呼吸をしているし、食べ物も必要としている。そのため、酸素を多く含んだきれいな水を好む。また早朝や夕方、もしくは夜（この場合は懐中電灯が必要になる）に餌を取ることが多いので、そういう時間のほうが簡単に見つけることができる。

流れの速い川が曲がっているところの外側は水深が浅くなっていて、魚がいることが多い。やはり私たちと同じように、魚もまた暑いときには日陰を求め、寒くなると日の当たるところに出てくる。だから日中は土手の陰を探すとよい。

こういったことを知っておいたうえで、最適の場所を見つければ、岩や小枝、もし手にはいるのであれば半分に切ったペットボトルなどで（図を参照のこと）簡単なじょうご式の罠を作ることができる。このなかに誘いこまれた魚は、もう外に出ることはできない。産卵のために群をなして泳いでいる魚がいれば、この罠は非常に効果的だ。可能であれば、虫やすでに捕らえた魚の内臓をなかに入れて、餌にするとよい。

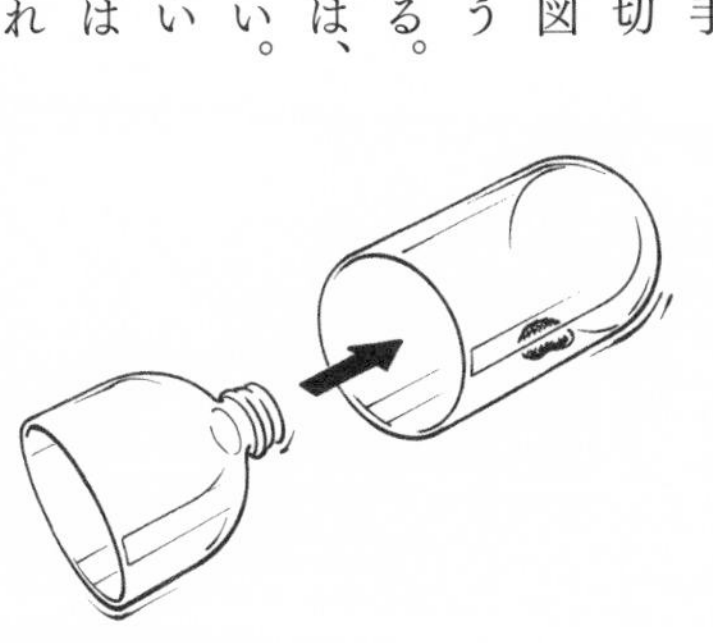

簎《やす》で突くという選択肢もあるが、魚は岩の下に隠れることが多いので、簡単にはいかないだろう。水の屈折を計算にいれて、実際に魚が見えている位置よりもうしろを狙うことを忘れないように。

両手をお椀《わん》のように丸めてそっと水のなかに入れ、魚を〝くすぐる〟という手もある。獲物を見つけたら、怖がらせないように静かに手のなかに誘いこみ（難しい！）、それから一気に捕まえるのだ。簡単にはいかない。だが辛抱強く試みれば、成功するはずだ。

成功のコツ

・魚の下流から近づく。

・水温と同じくらいにまで手を冷やす。

・自分の影が魚にかからないようしながら、うしろからゆっくり近づく。

片手を魚の上に持っていき、一気に底の沈泥に押しつけて滑りやすいウロコをつかむ。そして水から引きあげる。あるいは魚の下に手を入れ、水の流れをまねて腹部を優しく〝くすぐって〟やる。それから、勢いよくすくいあげて岸に放り投げるという方法もある。

私はどちらの方法も成功させたことがある。捕まえた直後に、生のままの魚にかぶりついた。えらをしっかりとつかみ、背骨のあたりに歯を立てるとよい。寄生虫の心配がある場合は、何度か叩《たた》いて払い落とすようにしてからに口に入れたほうがいいだろう。

魚がもっともおとなしくなるのは、小さなため池にはいりこんでしまい、元の流れに戻れなくなったときだ。流れのないため池で酸素が少なくなってくると、魚の反応が鈍くなり、簡単に捕まえられるようになる。

あるいは流れの中央まで歩いていき、底の泥を思いっきりかきまわしてから下流に移動しよう。魚は泥を避け、より酸素の豊富な水を求めて岸のほうへと泳いでいく。そこで魚を〝くすぐって〟やると、うまく捕まえられることが多い。

夜釣り

より優れた手段として、手元にある服や紐から作った釣り糸と、とげや針金などで作った釣り針で行う夜釣りがある。五本以上の釣り針をつけた糸の一方の端に重石となる岩を縛りつけて川に沈め、もう一方の端は岸に固定する。魚や動物の内蔵、虫などを餌にするか、そのいずれも手に入らない場合は、きらきら光る金属で疑似餌《ルアー》を作ろう。

日が沈む前に設置し、朝にその成果を確かめる。一匹かかれば、より多くの魚が寄ってくるだろう。付近に餌が少ない場合は魚も熱心に探そうとするので、その可能性も高くなる。この糸は何本でも設置することができ、私はこの方法で数多くの魚を捕らえた。成功率は二〇％と考えるとよい。つまり、一匹の魚を捕らえるためには五本の仕掛けを設置する必要があるということだ。この方法は大変効果的で、効率のよい釣りだ。つらい労働はきみではなく、仕掛けにやらせよう。

「この方法は大変効果的で、効率のよい釣りだ。つらい労働はきみではなく、仕掛けにやらせよう」

猟獣、ヘビ、げっ歯類

鹿のような大型の猟獣は山岳地帯に数多く生息するが、銃を持っていないと、捕まえるのが非常に難しい。従って、捕まえるのも調理するのももっと簡単なヘビやげっ歯類といった小動物を狙おう。

第1章に記したとおり（52～56ページ参照）、罠は比較的簡単に作ることができるが、多くの国で違法とされているので、使用するのは生か死かといった状況だけにすること。獲物の習性と行動パターンを知ることが成功の鍵だ。多くの動物は、水や食料を探す際に同じ道を使う。つまりそこが、罠を仕かけるのに適した場所ということになる。

ウサギのような動物であれば、槍で仕留めることもできる。丈夫で細い若木を選び、ナイフや尖《とが》らせた石で先端を鋭く削り、火で焼き固めればよい。あとは巣穴の外に餌を置き、座って待つだけだ。だがこの方法は罠よりも効率が悪い。罠はきみが眠っているあいだも働いてくれるからだ。煙を使って、動物を巣穴からいぶり出すことも可能だ。

出入口となる穴を二つ残して、ほかはすべてふさぐ。いっぽうの穴の脇で火をおこし、反対の穴の外に網を張るか、あるいはちょっとした落とし穴を作ればよい。槍で獲物にとどめを刺すか、網で捕まえた場合は、うしろ脚と首を両手で持ち、ひねりながら引っ張って首を折る。獲物を殺すときには、躊躇《ちゆうちよ》なく行うこと。中途半端なやり方は、きみ自身にも獲物の動物にとってもよくない。

四本の安全ピンを使えば、錨《いかり》のような形をした返しつきのひっかける罠を作れる。餌をつけてウサギの巣穴に入れてもいいし、地面に置いておけば鳥がかかるかもしれない。

私もしばしばやっているが、もしもヘビを見つけて殺すことができれば、皮をはぐのは簡単だ。身を串に刺して、焚き火で焼くといい。ヘビは脂肪とたんぱく質源であるだけでなく、大変味もいい。

捕まえるときは、長い棒で頭を押さえて動けなくしてから、石で頭を砕くとよい。確実に死ぬまで何度も繰り返すこと……怒ったヘビがあたりをのたうちまわるのは、見たくない。

皮をはぐときには、切断した頭部を尾のほうへ引っ張るとよい。内臓もついてくるので、あとには料理するばかりになった身だけが残されているという寸法だ。

ヘビの身は棒に巻きつけ、一方の端を棒の先の裂け目に固定し、もう一方の端は棒に結びつける。長く伸ばし、熱い燃えさしや炭の上に置いてもいい。

火で直接あぶると、身が乾燥して、貴重な水分や栄養分が失われる……だがそのほうがおいしく食べることができる。現在の食料や水の状況を考え、どの調理方法が一番いいのかを判断しよう。

SASにいたころ、口を縫いつけたガラガラヘビをバックパックに入れて移動している砂漠の遊牧民を見たことがある。こうしておけば、五日後に食料が必要になったとき、腐った肉ではなく新鮮なものが食べられる。頭のいいやり方だ！

ナビゲーションと移動

ここまで読んだきみはすでにキャンプを定め、食料と水を確保し、体を休めることができただろうと思う。しかしながら、いずれは移動しなければならないときがくる。空中から発見される可能性がなさそうだったり、食料と水が手に入れにくかったりする場合、別の場所への移動は選択肢の一つではなく、差し迫った要件であるかもしれない。たとえば標高がかなり高いところにいるときは、高山病を防ぐために低いところに移動することが生死を左右するかもしれない。症状が現われるのは通常三六時間後からだが、標高が三五〇〇メートルを超えると、ほぼすべての人になんらかの影響が出る。

移動をはじめる前に、持ち出せるものがないかどうかを考えよう。頭を柔らかくすることだ。自分に尋ねてみてほしい。飛行機ないしはパラシュートの残骸のなかに、文明社会に戻るために役立つものはないだろうか？　ある目的のために作られた消費財のなかには、まったく異なる用途に利用できるものが少なくない。空き缶は鍋になるし、ビニール袋は水を入れる容器になる。針金があれば罠を作れ、スピーカーに必ず使われている磁石（38ページ参照）はコンパス（方位磁石）を作るのに使える。

もっとも役に立つ道具の一つが――とりわけ、山中では――ロープだ。私自身何度も経験しているが、パラシュートでどこかにおりたときには、キャノピイ（傘体）と紐が脱出用の貴重な道具となる。パラシュートのキャノピイは非常に丈夫な破けにくい生地でできていて、厳密にいえば完全防水ではないが、間に合わせのリュックサックやシェルターなどあらゆるものの代用になる。紐も貴重だ。食料や水を求めて崖や峡谷を懸垂下降するときを含め（110ページ参照）、さまざまな用途に使える。

> 標高がかなり高いところにいるときは、高山病を防ぐために低いところに移動することが生死を左右するかもしれない。

基本ルールは、固定観念にとらわれず、頭を柔らかくすることだ。「必要は発明の母」という言葉を思い出してほしい。必要に迫られれば、サバイバル状況にいる人間は、命を救えるほどの独創的なアイデアをありふれた物から思いつく。たとえば、カメラのフィルムが火口として最適であることに気づいたりする。フィルムは小さな火花ですぐに点火でき、高温で燃える。

移動する際は効率よく行動することも重要になる。エネルギーはなにより貴重であり、来た道を引き返すようなことになれば気力は著しく減退するうえ、今度は重力にも邪魔されるかもしれない。だからこそ、頭だけではなく目も使おう。そこがすでに高地なら、視界がひらけている場所を探そう。だいたいの地形がわかれば、いくつかの手がかりも得られるはずだ。おおよその地形や目印となるものを覚えることができれば、さらに役立つ（崖をおりる途中で身動きがつかなくなったという、私がニュージーランドで犯した過ちを避ける）。

迷ったときにはこうすればいいと、新兵は、SASの山地選抜訓練の前に、迷ったときの手順を、必ず教えられる。「もしも迷ったら沢を見つけるまで山をくだれ。沢をたどって川を見つけ、川をたどって村を見つけろ……そしておれたちに電話をするんだ……さあ、これがそのための硬貨だ――なくすなよ！」荒っぽすぎるかもしれないが、いつもそれでうまくいっていた！

「パラシュートのキャノピイは非常に丈夫な破けにくい生地でできていて、厳密にいえば完全防水ではないが、間に合わせのリュックサックやシェルターなどあらゆるものの代用になる」

方位

移動するには、まず方位を知る必要がある。東西南北さえわからないようでは、どちらに向かっても無駄だ。空腹を抱えて同じところをぐるぐるまわるのは、ハゲワシに任せておけばいい。

第1章に記したとおり、星や太陽や月を使った基本的なナビゲーションは有益だし、棒の影を利用した間に合わせのナビゲーション・エイドや磁気を帯びさせた針のコンパスは、方位を知るのに役立つ。だが、山中では、まっすぐに移動できるほうがまれだ。太陽は雲に隠れるかもしれないし、間に合わせのコンパスは長くは使えない。こういった方法を活用できるときもできないときも、過酷な地形を移動する際には定期的に方角を確認する必要がある。そのためには、自然の手がかりを読み取ることが役立つだろう。

自然のしるしを利用する

自然には方角を示す手がかりが数多くある。卓越風の方角がわかっていて、木や茂みが明らかに一方に曲がっていれば、それだけで方位を知るのにたいへん役立つ。北に面した斜面と南に面した斜面とでは、生育する植物に明らかなちがいがあることが多い。南向きの斜面では植物はより濃く、より高くなり、日光がよく当たるため、木の枝はしばしば水平方向に伸びる。一方、北側の斜面では、木は太陽を求めてより垂直に近い角度で伸びている。

一本だけそびえる木の北側にはより多く苔がつき（苔は日陰を好む）、若木は片側が白っぽく（日焼け防止のための自然形態）、反対側が黒っぽくなることがある。日光は漂白効果もあるので、黒い石の片側が明るくなっていたら、そちらが南ということだ。木の切り株の年輪は、南のほうが間隔が広い。

氷河の上では、岩はしばしば南のほうに倒れる。岩が影を作るせいで、真下の氷が溶けず、周辺だけが溶け、岩が小さな氷の柱の上に立っているように見えることがしばしばある。日光が当たる南側が溶けるので、岩は南に向かって倒れることが多い。一つだけでは判断しかねるのだが、いくつもの石が同じ方向に向かって倒れていれば、そちらが南だと考えていいだろう。

こういった指針はもちろん南半球では逆になる。それに、これだけを判断材料にしてはならない。完全な絵を仕上げるためのパズルのピースの一つと考えてほしい。

谷川をたどる

いずれきみは谷川に行き着くだろう。川は不可解だ。水の供給源であり、安全につながる道でもあるが——人の住む集落や道路や橋を通ってから、最終的に湖か海へと流れ込むことが多い——一方で、危険をはらんでいる。突然の豪雨の際は、恐ろしいほどの速さの鉄砲水が襲ってくることがある。特に夏は斜面が乾燥しているため、そこを流れ落ちる水の速度はさらにあがる。軍隊にいた頃、北アフリカですっかり干上がった砂漠のワジ（涸《か》れ川）が、ほんの数時間のうちに激流になるのを見たことがある。幸い、その一時間前に私たちは野営地を移動していた。

川岸に沿って移動するのも、それほどたやすいことではない。沼や湿地や横断することが不可能な谷川のせいで、くだってきたところをのぼってひき返さなければならない場合もあるだろうし、筏を作ったり、間に合わせの救命具を使ったりするのが危険なこともあるだろう。

最初にすべきは、川がどれくらい危険なのかを判断することだ。水はどれほど冷たい？　どれくらい深い？　流れの速さは？　上流と下流にはどんな障害物があるか？　これは直線的な川なのか。それとも曲がりくねっていて、予想外の流れがあるのか？　ここは水にはいるのに適した場所だろうか？　どこで水からあがればいい？

一般的にいって、川は上流のほうが幅が狭く浅いので、川を渡りたいのであれば上流で渡るほうがいいかもしれない。

「川は不可解だ。水の供給源であり、安全につながる道でもあるが、一方で危険をはらんでいる」

避けられるのであれば、未知の川にははいらないほうがいい。危険に満ちているうえ、怪我をしたり体温低下を招いたりする可能性がおおいにある。私はロッキー山脈でその両方を経験し、ふらふらになりながらかろうじて急流から這いあがったことがある。なにがあろうと、着ているものは濡らさないに越したことはない。

丸太を結び合わせれば筏は作れるが（197ページ参照）、筏は流れの緩やかなジャングルの川でこそ役に立つ。渓流では、岩にぶつかって壊れるリスクが常にある。頭が沈まないようにするための救命具を使うほうが、より現実的だろう。服の一部——たとえばズボンの脚の部分——に空気とワラビを入れ、紐で縛る。あるいは空のペットボトルをバックパックに詰めれば、間に合わせの救命具になる。コツは、救命具をからだの前で抱え、体重をあまりかけないようにすることだ。また足を下流に向けて流れていくようにすれば、障害物があったときに足で払いのけることができる。
衣服は水中で寒さを防ぐのにはまったくといっていいほど役に立たないが、安心感を与えてくれるうえ、肌が傷つかないように守ることはできる。そこで、可能な場合には一枚だけ身に着け、残りはあらゆる手立てを使って濡れないようにしよう。火口をビニールの袋に入れたものも合わせて、救命具として使うとよい。水中にある木の根や枝に引っかかって動けなくなった場合に備えて、ナイフは身に着けておこう。

傷つきやすい足と足首を守るために靴は履いたままにするが、靴下は脱いだほうがよい（からだを温め気力を保つためには、水からあがったあと乾いた靴下を履くことが大変重要だ）。

水にはいることを決断するのは、それが無益ではないと確認できてからにしよう。貴重な体温を無駄に失ったあとで、水が冷たすぎることや流れが早すぎたことに気づいても手遅れだ。山を下る氷河が溶けた水は、真夏であっても〇度に近いことがしばしばある。突然の冷たさに体がショック反応を起こし、反射的にあえいで、移動をはじめてもいないうちにがぶりと水を飲んでしまう恐れがある。従って、飛びこむのではなく、ゆっくりかつ慎重に水にはいるようにしよう。かなり冷たい水にはいっていられるのは、一〇分が限度だろう。それを超えると低体温症になってしまうので、水にはいる前に目的の場所とどうやって水からあがるかを考えておこう。

水中では、一定の速さの流れに沿って移動するようにすること。カーブしている場所では、外側が一番流れが速いことを覚えておこう。早瀬をくだろうとしてはいけない。

だが、やむを得ず早瀬に巻き込まれてしまったら、流れる水の量が多くて水面がなめらかになっている〝舌《タン》〟と呼ばれるV字形の流れの部分を目指そう。そうすれば、突き出しているギザギザの岩を避けられるかもしれない。障害物の背後で水が吸い込むように渦をまいている〝落ち込み《ホール》〟に注意すること。もしも〝落ち込み〟に捕まってしまったら、横に泳いで逃げよう。自信を持った落ち着いた行動が、早瀬を乗り切る鍵となる。

懸垂下降

懸垂下降は気軽に試みるべきではない。正しく行えばまったく危険はないが、失敗すると当初よりはるかに悪い状況に陥る可能性が大きい。私は一度ロッキー山脈で、道路まで崖を懸垂下降しなければならなくなったことがある。おりる先が見えていたし、岩の表面はしっかりしているように見えたので、決断した。だが断崖をおりる際は十分に注意しなければならないし、正しい訓練が必要だ。生き残るためにそうする必要がある場合は、次の手順に従ってほしい。

ロープの長さが崖の高さの倍以上あることを確認しよう。半分に折り、輪になった部分をしっかりしたアンカー――木や岩など――で確保する。安全のため数カ所で確認し、二重三重に巻きつけておこう。

体重をかけたときにロープがこすれて切れることのないように、ギザギザした岩の端には十分に注意すること。できるだけ水分量の多い木の枝などを当ててロープを守るとよい。

アンカー・ポイントに体を向け、二重にしたロープを脚のあいだに前から通し、右腿《もも》に巻きつけるようにして体の前に持ってくる。左肩から背中にまわし、再び体の前に持ってきて右手で握る。下降するときにロープを繰り出すのがこの手になる。

つぎにアンカー・ポイントにつながっているロープを左手で握り、崖の縁に両足を四五センチほど開いて立ってうしろに体重を預ける。左手で体重を支えるのではなく、〝ハーネス〟にもたれるようにしよう。そして、ロープを繰り出しながら、ゆっくり慎重に崖をおりていく。

奇襲攻撃をかけるわけではないので、猛スピードでおりる必要はない。ゆっくりと確実に

おりることが大切だ。下までおりたら、一方の端を引っ張ればロープは手元に戻ってくる。

山を移動する

自然条件が非常に厳しい地形を効率よく移動するにはどうすればいいだろう？　つぎに記したルールが役に立つはずだ。

●常にもっとも簡単で、かつ安全に見えるルートを選ぶ。
●無理のないペースを守り、必要に応じて定期的に休憩する（私は一時間ごとに五分の休憩を取るのを厳格に守る。それが作業のひとつの規律になる。それを遅らせると体がこわばる）。坂をのぼるときには、歩幅を小さくするとよい。
●障害物は乗り越えたり、そのなかを抜けたりするのではなく、迂回《うかい》する（だが歩き続けるほうが簡単だからといって、誤った方角に向かう道を選ばないように注意しよう。起伏の多い地形では、疲れているときにこの過ちを犯しやすい）。
●急な傾斜はジグザグにのぼるとよい。くだるときは、膝を曲げる。
●がれ場はできるだけのぼらないこと。だがくだりの場合、がれ場を使うと短時間で低いところにおりられる。歩幅を広く取り、かかとに体重を乗せるとよい。すべりはじめたら逆らわず、スキーで止まるときのように、斜面に体を向けるようにする。進行方向に注意すること。がれ場の斜面の先が、突如として絶壁になっていることがしばしばある。止まったときは背後を振り返り、落ちてくる石がないことを確認しよう。時間をかけて慎重に行動することが肝心だ。サバイバルは短距離競走ではなくマラソンなのだ。
●谷へおりるときには山の尾根から様子を見る。周辺の地形を把握するのに役立つ。
●足は念入りに手入れをし、靴下はできるだけ大事に使う。靴を脱いだあとは、靴下の余分な湿気を体温で蒸発させるため、数分間履いたままにするとよい。水ぶくれの原因になるので、松葉が内側にはいらないように注意すること。

●厚着をしない。体温があがりすぎないようにする。
●夜間に移動をする場合は、月明かりを利用しよう。暗さに目が慣れるには三〇分かかるが、明るい光を浴びると一瞬で元通りになってしまうことを覚えておこう。地図を見るために懐中電灯を使うときは、片目を覆っておくとよい（ＳＡＳでは粘着テープを懐中電灯の先に貼り、そこに小さな穴を開けて、細い光の筋が一本だけ伸びるようにしていた）。

自然の危険要因

多くの人にとって、野性の大型肉食動物を自分の目で見ることは憧れかもしれない。だが山でひとり迷ったときには、目撃しないよう祈るにちがいない。ハイイログマが生息する地域では、抱きしめたくなるような熊のぬいぐるみのイメージはあっという間に消え去る。

だがその恐怖は大げさだ。野生動物に襲われて命を落とす可能性は、脱水と疲労で死ぬ可能性に比べてはるかに低い。肉食動物の多くはできるかぎり人間との接触を避けようとするので――ヒマラヤのユキヒョウがいい例だ――襲われて死ぬよりは二週続けて宝くじに当たる確率のほうが高い。

だが、ハイイログマのような野生動物は、重大な脅威になることがある。あえてきみを狙っているわけではなくとも、きみの持っている食料が気に入って、ひと口いただこうとするかもしれない。自然のなかで食べ物を調理したり保存したりする際には、十分に注意しよう。

しかし、食料が目当てでないかぎり、野生動物が攻撃してくるのはたいがい、驚いたときか、脅威を感じたときだけだ。万一大型動物を驚かせてしまったときは、静かに退散しよう。

危険なのは大型動物だけではない。ジョウゴグモの毒にやられれば、ライオンに襲われたときと同様、死は免れない。危険な動物の習性や、彼らを避ける手段を知っていれば、悲惨な運命を避けることができるだろう。

「多くの人にとって、野性の大型肉食動物を自分の目で見ることは憧れかもしれない。だが山でひとり迷ったときには、目撃しないことを祈るにちがいない」

ハイイログマ

一般的にいって動物は、ハイイログマのような大型のものでさえ人間を恐れていて、縄張り《テリトリー》に侵入されるか、激しい空腹を感じているのでないかぎり、人間を避けようとする。攻撃は最後の手段であり、たいていはその動物が安心できる空間に侵入されたときに限られる。そのためにも彼らにこちらの存在を教えることが重要なので、熊のテリトリーに足を踏み入れたかもしれないと思ったら、移動しながら叫んだり、木の枝で木を叩いたりしよう。

最初から近づかせないようにするのが、最高の戦略だ。

・キャンプの際は、すべての食料を（できればビニール袋に入れる）シェルターから一〇〇メートル以上離れたところに保管する。できれば木から吊《つ》るすのが好ましい。においを発する可能性があるゴミはすべて燃やす。

・子熊がいる母熊を刺激してはいけない。子熊を見かけたらすぐにその場を去ろう。近くに必ず母熊がいる。

・熊とまともに遭遇してしまったら、目と目を合わせないようにして、服従している態度を見せよう。体の正面を向けると攻撃的だと解釈される恐れがあるので、少し横向きになってゆっくりと後退しよう。

・絶対に背を向けて逃げてはいけない。熊はきみを獲物だと判断し、追ってくるだろう。熊と競争しても勝ち目はない。

・もしも襲われたら、両手で首をしっかり押さえて地面に突っ伏そう。首と喉はなにがあっても守らなくてはいけない。熊がにおいを嗅いでいるあいだ、死んだふりを――まだ心臓が止まっていなければの話だが――しよう。

・攻撃がそれでもやまず、手元にナイフがあれば、熊の目か口に突き立てよう。

・熊が去ったあとは、いなくなったことが確実になるまでその場でじっとしていること。

「熊のテリトリーに足を踏み入れたかもしれないと思ったら、移動しながら叫んだり、木の枝で木を叩いたりしよう」

ヘビ

・ヘビは冷血動物なので、夏は日陰を、冬は日向《ひなた》を好む。だから、暗い場所や石や丸太の下、下生えのなかなどにむやみに手や足を入れてはいけない。必ず長い棒で確かめてからにしよう（靴を履く場合も同じだ。毎朝、まず靴をさかさまにしてよく振ること！）。

・ヘビは邪魔をされないかぎり襲ってこないので、ヘビの生息地で足元がはっきり見えない場所を移動するときには、長い棒で前方を探りながら、しっかりした足取りで歩こう。

・ヘビは振動に敏感なので、たいていはそれで逃げるはずだ。

・ヘビを見かけたら、どこにいるのかがはっきり把握できるまで動かないようにしよう。攻撃を誘発する可能性があるので、背中を向けないこと。ゆっくりとあとずさりしよう。

・ヘビを殺す際は、太い棒か石を使って、できるだけ首に近い背中を叩きつぶすとよい。できればその前に先の割れた棒を使って身動きできないようにしておく。

ハチ

・ハチの巣を刺激してしまったが、まだ五メートル以上の距離がある場合には、その場に座ってじっとしていよう。ハチは動くものを探す習性があるので、気づかれずにすむかもしれない。

・ハチに襲われた場合は、密集した下生えを目指して走るか、川か湖に飛びこもう。

・ハチを叩いてはいけない。一層いらだたせ、ほかのハチまで興奮させる原因となる。

天候を予測する

山中では、天候の変化はもっとも予測が難しい自然の脅威の一つだ。恐ろしいほどの速さで変わることがあり、備えのないときに険しい場所で天候の急変に見舞われれば、深刻な結果につながりかねない。いつ移動し、いつシェルターを作るのかを決断する際には、天候の変化を考慮する必要がある。予測するのは難しいが、自然はいつものとおり、いくつかの重要な手がかりを残してくれている。

●クモの巣
好天が予想されるときは、クモの巣は大きく広がり、クモは精力的にパトロールをしている。雨が近づくと巣は小さくなり、クモはその中央から動かなくなる。

●刺咬昆虫
嵐が来る二時間から四時間前に活動が活発になる。

●動物が食べる様子
鹿やエルク、カリブーなどの大型動物は、嵐がくる四時間ないし六時間前にたっぷりと餌を食べる。

●煙のしるし
焚き火から途切れることなくまっすぐにたちのぼる煙は、好天のサインである。一度あがった煙が落ちてくるときには、気圧がさがっていて嵐が近づいていることが予想される。

●虹
朝の虹は天気が崩れる前兆である。午後遅くにかかる虹は、晴れることを示している。

●大きなコロナ
太陽や月にかかるコロナは、天気が上向いているときには大きくなり、雨が近づいていると小さくなる。

●緑色のとき
太陽が地平線に沈んだあと、そのすぐ上の空が緑がかって見えるときは、好天が予想される。

●南からの風
北半球では、古くからのことわざを覚えておくとよい。〝南からの風は雨を連れてくる〟。南半球では逆になる。

●嵐の前の静けさ
嵐がやってくる直前には、たいていの生物は活動を停止する。同じ理由から、雨が降り出す前は薄気味の悪い静けさが広がる。

●におい

自然界が水分を受け止める準備をするので、雨が降る前の森はしばしば独特のにおいがする。

●音

湿度の高い大気が増幅器の役目をするので、雨の前は音が遠くまで届く傾向がある。

●朝露が多い。

好天の前兆。露は晴れた夜に気温がさがってできるので、天気が安定していることを示している。

●レンズ雲

レンズの形をした雲は、空の高いところで強風が吹き、湿度があがっていることを示していて、寒冷前線がやってくる前兆だ。まもなく風と雲が地上におりてくる。

●飛行機雲

飛行機雲が二時間以上も消えない場合は、気圧がさがっていること（と天気の悪化）を示している。

●夕焼けは羊飼いに楽をさせ、朝焼けは羊飼いを警戒させる

このことわざは北半球に適用される。空が赤く染まるのは、高気圧の大気中に浮遊する粒子に日光が反射するからだ。夕焼けは西側から強い高気圧が来ることを示し、朝焼けは高気圧がすでに通り過ぎたことを示す。つまり、天気がまもなく崩れる。

ベアの必須要件

山でのサバイバル

ルール1 ▼まず考える——行動はそれから

山中においては、エネルギーを保つことがなにより肝要である。まずすべての選択肢を考え、それからためらうことなく行動に移すこと。計画を立てなければ、成功はない。計画を立て、最後までやり通そう。

ルール2 ▼嵐から身を守るシェルター

山岳地帯は風雨にさらされる場所ではあるが、ほかの地域に比べてシェルターを作りやすい環境でもある。豊富な自然をおおいに利用しよう。必要なものはすべてそ

こにある。

ルール3▼高いところを効果的に使う

下山をはじめる前に、高いところを使って周辺の地形を観察し、自分の位置を見定めておく。頭のなかに地図を描いておけば、必ず役に立つときがくる。

ルール4▼天候に注意する

山の天気は急変しやすい。常に空に注意を払おう。好天をうまく利用し、変化の兆しが見えたときには早めに対応しよう。動物から学び、本能で天気の崩れを予測すべし。

ルール5▼川にまつわる教え

川はしばしば救済への道筋となるが、非常に危険な場所でもある。どうしようもない場合をのぞいて、濡れたり体を冷やしたりしてはいけない。だが川を利用することを学んで生き延びよう。川に沿ってくだっていけば、いずれは安全な場所にたどり着く。

第３章　SUB-ZERO TERRAIN

氷点下環境

「足の下で自分たちを支えてくれているすべてのものを、ときには引っ張り出すといい。踏みしめているもののどれが岩でどれが砂なのかがわかるだろう」　――マデレイン・レングル雪と氷で覆われ、気温が氷点下になるような野生環境では、サバイバーが直面する危険はさらに高度なレベルになる。

◉

ヒトの長きにわたる進化は、そのほとんどがこの惑星の温帯で起きたものだ。それを思えば、生命の維持に不可欠な重要な臓器が機能するためには、人間の深部体温を三七度前後という非常に狭い範囲に保つ必要があるのも、当然なのかもしれない。深部体温がわずか二度さがると、低体温症の症状が現われ、体温をあげないかぎりまもなく死に至る。

注目に値する例外はいくつか存在する。カナダ北部のイヌイット族やシベリアでトナカイを遊牧するネネツ人は、自然の冷凍庫のなかで生き延びる術《すべ》を見つけた、ごく限られた先住民族の一例だ。だがそれは、彼らが何世紀にもわたって順応してきたことと、私たち人間だけができる創意工夫があって、はじめて可能になったにすぎない。昔ながらのものであれ、現代的なものであれ、〝技術〟——トナカイの革で作った服から二一世紀のGPS（全地球測位システム）まで——があってこそ、私たちは氷点下で生き長らえることができるのだ。

この世界でもっとも過酷な冬の環境は、物理的にも地球の末端にある。最南端の地と、最北端の地と、標高がもっとも高い場所だ。北緯六六度三六分以北の北極圏と南緯六六度三六分以南の南極圏はどちらも、ヨーロッパとアメリカ大陸を合わせたより広い。

北極圏にはアラスカ、カナダ、グリーンランド、アイスランド、ノルウェー及びロシアの一部が含まれ、そのほぼ半分にあたる約一四〇〇万平方キロメートルを、北極海に浮かぶ巨大な氷の塊が占めている。冬のあいだ、氷の厚さは三～四メートルほどになり、氷に覆われる海域は直径四〇〇〇キロメートルほどに及ぶ。夏にはこれが三〇〇〇キロメートルにまで縮むが、温暖化の影響で近年、その面積は著しく減少している。

「人間は深部体温を三七度前後という非常に狭い範囲に保つ必要がある」

いっぽう、南極圏には、世界の陸地の一〇％を占める南極大陸があり、そのうちの九五％は夏でも氷に覆われている。ここは地球上でもっとも寒い（そして奇異なことに、もっとも小雨な）場所で、マイナス九〇度近い気温を記録したことがある。

最後に世界中の高山だが、たとえ赤道近くであっても、山頂付近の雪と氷は一年を通じて消えることはない。

だが、こういった統計では、氷点下環境の多種多様さを偽っている表面的なものでしかない。氷点下の氷雪に囲まれて生き延びるには、北極と南極、高地と低地、冬と夏のそれぞれでまったく異なる三種類の寒冷低温環境――多雨多雪、強風、高い標高――が作り出す脅威に対処できるようにしておかなければならない。

氷点下気象

◉――多雨多雪：北極圏

〝凍っては溶ける〟ことが一日単位で繰り返される地域では、多雨多雪で湿潤な氷点下環境が作り出される。一日の平均気温がマイナス一〇度以上ある場合に起き、南極圏よりは北極圏でよく見られる。夏の北極では、長い昼のあいだに雪が半溶けになるのは珍しくない光景で、氷盤が溶けて薄くなり、非常に不安定になって、〝水路《リード》〟と呼ばれる割れ目が何本もできる。

気温が高いにもかかわらず、北極圏でのサバイバルが南極圏と同じくらい困難なのはそれが理由だ。二〇〇一年、探検家のボルゲ・オウスラントは、ロシアからカナダまで北極圏を一八〇〇キロメートルにわたって単独で横断したが、彼の最大の問題は気温ではなく、常に変化する薄い氷の状態だった。八二日の行程のあいだ、彼は体重を分散するためと薄くなった氷のあいだから落ちないようにするために、スキーをつけて凍った海の上を歩き続けたが、尖《とが》った氷の山をのぼらなければならないことがしばしばあったという。氷盤同士が風と水流によって猛烈な勢いでぶつかりあい、ときには一五メートル以上の高さにまで押しあげられて山のようになっていたのだ。北極圏のサバイバルは、文字通り骨を砕くほどの危険を伴う。

北極圏で生き延びるために必ず勝たねばならない戦いは、肉体と装備を乾いたままに保つことである。濡れて冷たい風にさらされ、体温を奪われるような事態は避けなければならない。

●――風：南極圏

「神よ！　ここは恐ろしい土地だ！」一九一二年、ロバート・ファルコン・スコットは南極についてこう記した。無理もない。この土地は地球上でもっとも寒く、もっとも風が強く、もっとも氷の多い大陸なのだ。そして――奇異に聞こえるかもしれないが――もっとも小雨な地域でもある。サハラ砂漠より降水量はわずかに多いが（一年間に五センチ前後）、南極圏は地球最大の砂漠といえるだろう。

ここには膨大な量の水が氷となって封じこめられていて、そのほとんどは非常に古いものだ。二〇〇二年、科学者たちが五〇万年前のものと推定される南極東部の氷床からコアのサンプルを採取したが、もっとも厚い箇所は四七〇〇メートル以上あったという。

降雨量が少なく、平均気温がマイナス一〇度以下であるため、大陸を覆う氷は季節を問わず、昼夜を通しずっと凍ったままである（周辺の棚氷は、近年、急激に縮んでいるが）。

この地におけるサバイバルで問題となるのは降雨ではなく、強風がもたらす猛烈な寒さと暴風雪、命を脅かしかねない風による体感温度の低下だ（体感温度とは、人間の肌が感じる温度の感覚を、風速と気温を使って算出したもの）。風は氷点下の気温がはらむ問題を増大させ、人間の肉体から熱が失われる速度を著しく速める。一九八三年七月二一日のボストークでは、世界最低気温マイナス九九度と時速三〇〇キロメートルの風が記録されている。

南極圏は冬のあいだ完全な闇に閉ざされるので、移動はほぼ不可能だ。気温は、緯度、高度、海からの距離によって異なり、気候は三つの地域に区別することができる。内陸、海岸地帯、そして南アメリカに向かって伸びる曲げた指のような形をした南極半島だ。海岸地帯はなかでもとびぬけて風が強い。尾根から吹きおろすとてつもなく冷たい空気が暴風雪をもたらし、視界がわずか数センチになることもある。最新の装備があったとしても、雪眼炎、低体温症、凍傷の危険は免れない。

「北極圏で生き延びるために必ず勝たねばならない戦いは、肉体と装備を乾いたままに保つことである」

◉標高：冬山

冬季の世界最高峰の山々は、二つの極地での脅威が重なり、さらに危険なところになっている。氷河と危険なクレバス、雪崩《なだれ》の脅威は冬山に常に存在する。湿度と寒さと強風にくわえて標高が高く空気が薄いので、高山における単独サバイバルは命を落とす危険が大きい。

鍵は迅速な行動、体温を保つこと（一度冷えた体を温めるのは難しい）、体の声に耳を澄ますこと、そして決断に迷うようならとにかく下におりることだ。

シェルターを作る

氷点下でひとりになったら、なにをおいてもシェルターを作ろう。たとえいまは天気がよくても、いずれは悪化する。いずれにせよまもなく日が落ちて、気温は急激に低下するだろう。だからやれるあいだに、すぐに準備をしよう。太陽が山の向こうに隠れると、闇はすぐにやってくる。シェルターを見つけるのも作るのも、あたりが見えるあいだのほうがはるかに簡単だ。

あっという間に低体温症に（158〜159ページ参照）なることがあるので、体温を保持することをなにより優先しよう。まずは、風よけになる自然の事物を探すといい。近くに木や岩があるなら、その陰にはいって風をよけよう。だが雪崩や頭上から雪が落ちてくる危険には常に注意すること。あたりになにも見当たらなければ、雪に穴を掘るか、雪の壁を作って風よけにするとよい。

「シェルターを見つけるのも作るのも、あたりが見えるあいだのほうがはるかに簡単だ」

一九七二年にアンデス山脈で起きた有名な飛行機事故では、四五人の乗員乗客のうち一六人が雪と氷のなかで七二日間生き抜いた。のちにそのうちのひとりが、だれかが風をよけるための壁を作ることを提案していなければ、最初の夜が明けるまでにおそらく全員が凍死していただろうと語っている。風から身を守るためのシェルターを作ることを、常に最優先事項にしよう。氷点下の環境において、風は命を奪う第一の原因である。

これまで学んだことを基に、どういったタイプのシェルターが必要なのかを考えよう。地形、手にはいる材料、天候、踏みとどまるつもりなのか移動するのかといったことを考えたうえで、判断すればいい。どういったシェルターでも、作るためには多くのエネルギーを必要とし、貴重な体温を奪うから、可能なあいだに理性的に考えて、現在の状況下で最善のシェルターを選ぼう。

原則
場所を決める

上等なシェルターの材料と燃料の両方を手に入れられるので、山岳地帯では木のある地域が最も適している。樹冠があれば、枝の下にできた雪の洞《うろ》を利用した保温性の高いシェルターや差し掛け式の雪のテントを手早く作ることができる。だがそういった自然の恵みがない場合には、雪洞《せつどう》を掘る必要がある。

雪崩の危険があるような山の中腹は避けよう。また岩や断崖や木に積もった雪の塊にも注意が必要だ。だがいっぽうでそういった自然の風よけは、シェルターを作る場所にもっとも適していることもある。状況に応じて判断すべきだが、用心しすぎるくらいに用心したほうがいい。

アルプス山脈にいたある夜、私は完全な雪洞を作ることができないくらい疲れ切っていた。そこで雪の吹きだまりが土手のようになっていた場所の風下側に、小さな穴を掘った。雪は柔らかく簡単に掘れたうえ、風をうまく防いでくれた。一〇分もしないうちに私はシェルターを完成させていた。風がよけられるだけでなく、頭上の小さな雪の屋根のおかげで保温効果もあった。この応急的な雪洞は、二時間かけて作ったものに比べてもひけをとらないくらいの出来栄えだった!

雪の断熱効果

水気が多く冷たい雪が、シェルターの優れた素材になり、寒さから身を守ってくれるというのは、意外に思えるかもしれない。だが凍ったH_2Oは驚くべき性質を持っている。雪は故障した車の金属よりもはるかに断熱性に優れ、きみの命を守ることができるのだ。その優れた断熱性は、一本のろうそくがイグルー(訳注 氷のブロックを積み重ねて作るイヌイット族の家)内部の温度を四度も上げることができるという事実からもよくわかる。またよくできた雪のシェルターのなかは、外より三〇度も高いことがある。雪が深いほうが作業はずっと楽になるが、シェルターは一五センチに満たない積雪でも作ることができる。

掘った雪は圧縮されて、数時間後に少し縮むことを覚えておこう。どういったタイプのシェルターを作るにせよ、温かさを保つためには、自分のまわりにあまり大きな空間を残さないことが必要だ。だが縮んだときにきみの墓になってしまうような、小さすぎるシェルターを作ってはいけない。

換気

忘れがちだが、雪のシェルターで絶対に必要なのが、換気口だ。雪洞を作って風から逃れたものの、自分でおこした焚《た》き火の一酸化炭素で窒息し、命を落とした遭難者は大勢いる。彼らは眠ってしまい、体温がさがり、そのまま目をさますことなく凍死したのだ。

シェルター内部の熱が逃げないように入口は閉めておきたくなるだろうが、窒息を防ぐためには必ず換気をしなければならない。たとえ火を使っていないときでも、新鮮な空気がシェルター内部で循環できるようにしておこう。呼気にも毒性のある二酸化炭素が含まれているからだ。

換気のためには、直径五センチ程度の二つの穴が、つねに屋根を貫いている状態を保つことだ。棒を手元に置いておき、夜のあいだに屋根が凍りついたり、雪が降り積もったりしたら、その棒を使ってまた穴を開ける。スキーのストックがあれば、常時、屋根の外まで突き出すようにしておくといい。

「雪は故障した車の金属よりもはるかに断熱性に優れている」

道具

低温下では素手を保護する必要があるので、雪を掘るためには熱を奪われないような道具が不可欠だ。鋤《すき》や鋸《のこぎり》、ピッケルの代用になるものであればなんでもいい。工夫しよう。パラコードで鋸のように雪を切ることもできる。私はパラシュート備品袋を手袋代わりにして、パラシュート・ハーネスの背面プロテクターを使って雪を掘ったことがある。鋭い氷の角や固まった雪で手を切ることがあるが、手が凍えていると怪我《けが》に気づきにくいので注意しよう。

◉ シェルターの種類：短期用

雪の塹壕

雪が硬く凍った開けた場所にいるときや、早急にシェルターが必要とされる緊急時には、雪の塹壕《ざんごう》を掘るとよい。もっとも簡単でかつ時間がかからないのは、風から身を守れる深さと、体のまわりで空気が循環できる広さのある穴だ。掘り出した雪は穴の両脇に積みあげて押し固め、防水布かパラシュートのキャノピイ（傘体）をかぶせて屋根にする。その上にまた雪が積

もる可能性があるので、重みで崩れないようにしっかりと固定しておくこと。塹壕の一方の端は入口として開けておき、もういっぽうの端はリュックサックや雪でふさぐ。

雪が十分に押し固められているか、あるいは氷床を見つけたときは、厚い舗装板のように（六〇センチ以上の厚さが必要）雪を切り出して、もっと堅固なシェルターを作れる。塹壕の上に屋根代わりに平らな雪の板をわたすか、あるいは頭上の空間を広くしたければ、Aフレームになるように左右から差しかけてもいい。

防水布や頭上を覆うものがなく、雪の硬さも十分ではない場合は、直径一メートルほどの雪玉を作ろう。半分に切ったその雪玉を、細い溝にかぶせて屋根にする。一方の隙間からその溝にはいり、体を押し入れながら穴を広げていくとよい。

木の枝の下にできた雪の洞

自然が提供してくれるものを利用すれば、もっとも効率よく、かつ短時間でシェルターを作れる場合が多い。たとえば、針葉樹の森のなかには、シェルターにできるような場所がたくさんある。クロスカントリーをする人や雪のなかを歩く人たちは経験から知っていることだが、密集した枝のせいで雪が落ちてこないため、針葉樹の幹のまわりにぽっかりと雪の洞ができていることが多い。少しだけ穴を掘り、上の枝を慎重に補強すれば、この空間はすばらしいシェルターになる。

より快適なシェルターを作れる木を探そう。高い場所にあり、枝がしっかりと張った木のほうが暖かいシェルターができる。まず、風下に当たる場所に自分自身と焚き火用の場所を確保したら、木の下の空間まで雪を掘り進め、下のほうの枝をはらって入口にする。入口のまわりに円錐形のテントのように枝を立てて補強するとよい。固めた雪をさらにかぶせて断熱材にしよう。

私はアルプス山脈でこういう枝の木の

シェルターを使ったことがある。氷に囲まれた場所から木があるところまでおりてきたときには、胸をなでおろしたものだ。密集したトウヒの森のおかげで、ゆっくり体を休められるすばらしいシェルターを作ることができた。断熱のために、雪の地面には柔らかなトウヒの枝を六〇センチの厚さに敷きつめた。枝の向きを考えて並べることで、弾力のあるマットレスにもなる。覚えておこう。サバイバルとは、置かれた状況のなかでできるかぎり快適に過ごすことなのだ。

　雪が深く、しっかりしている場合は、少し掘り進めれば地下の寝床になる。雪が少なければ、風よけに雪の壁をつくるとよい。すべてが完成したら、丸太焚き火（32ページ参照）と熱反射器の準備をしよう。あとは目の前の自然のテレビを眺めながら、焚き火がトウヒの絨毯《じゅうたん》を敷いた寝床を温めてくれるのを待つだけだ！

◉――シェルターの種類：長期用

かまくらと雪の塚

ドーム型テントの雪バージョンは、大きな雪の塚を作り、それをくりぬいて作ることができる。もっとも手早く作れるのが〝かまくら《クインジー》〟と呼ばれるものだ。雪の塚は、リュックサックなどある程度の大きさがあるものを芯にして、そこに雪をかぶせることで作っていく。雪がもっとも深く積もっている場所を選ぼう。そうすればあとで床を掘ってさげることができるので、雪の塚が小さくてすむ。雪がしみこまないように、荷物の山は防水布かパラシュートであらかじめ覆っておくとよい。雪の塚は、そのなかで動くのに必要だと思われるサイズよりいくらか大きめにすること。

　さらさらした雪を荷物の山にかぶせていこう。いずれ固まって半分の厚さになるので、最低でも六〇センチの厚さにかぶせること。雪をかぶせる際には、あらかじめ同じ長さになるように印をつけた多数の棒を全体に差しておく。その印を目安にすれば、なかをくり抜くときに、ドームの屋根の厚さを同じにすることができる。シェルターがヤマアラシのようになるが、こうすることで内側から掘りすぎて屋根に穴を開けてしまうといった事態を防げる。

できるかぎり異なる場所の異なる質の雪を使うとよい。押し固めるのではなく、ふんわりとかぶせること。わずかに温度のちがう雪を混ぜることで〝焼結〟と呼ばれる反応が起こり、粉雪が凍ってより硬くなる。だがそれには時間がかかるので、固まるのを数時間待たなければならない。この作り方はとても優れているので、あせらないことだ。だが、時間に余裕を持たせて作業を開始しよう。

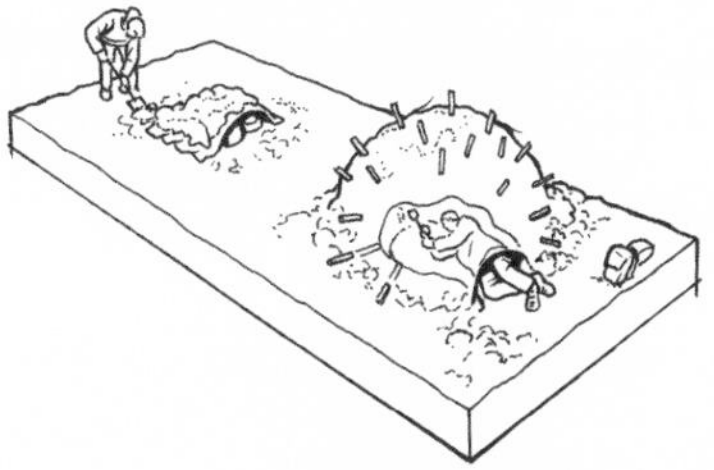

雪山が固まったら入口の場所を決め(卓越風に対して九〇度にすることを忘れないように)、掘りはじめよう。かまくらの壁の下をくぐるような、湾曲したトンネルを掘るとよい。隙間風だけでなく、冷たい空気がトンネルの底にはいるのも防いでくれる(冷たい空気は重いので、トンネルの底にたまる)。この入口をトイレのU字管だと思えばいい! かまくらのなかまで掘り進んだら、荷物の山を移動させる。作業を効率よく進めるために、反対側の壁に臨時の入口を作って、荷物を外に出してもいいだろう。そこはあとでふさぐこと。

内側の荷物の山を作る材料がない場合は、巨大な雪の山を作ってその内側を掘り抜いていく。こちらは作るのに時間がかかるうえ、はるかに多くの雪とエネルギーを必要とする。

「かまくらの壁の下をくぐるような、湾曲したトンネルを掘るとよい。隙間風だけでなく、冷たい空気がトンネルの底にはいるのも防いでくれる」

雪洞と雪穴

地吹雪に見舞われたときや樹木限界線より上の斜面にいるとき、雪洞を掘ろうとするのはウサギが穴を掘ったり、アナグマが巣を作ったりするのと同じくらい、本能的なものだろう。実際、嵐に見舞われたときに雪に穴を掘ることで、命が助かった登山家は大勢いる。

だが雪洞を作る場所を選ぶ際には、本能に従うわけにはいかない。雪洞に最適な場所は、風下ではなく、風上だからだ。雪の吹きだまりは斜面の風下にできるので、激しい雪が長時間降り続くと、なかに閉じこめられてしまうおそれがある。雪洞を出入りする際の風よけとして、入口の外に雪の壁を作るとよい。

雪洞を作るには、しっかり押し固められてはいるけれど、掘ることができるくらい柔らかな雪と斜面が必要だ。せっかく掘った努力が無駄にならないように、作業にかかる前に、まず棒を使って雪の下に岩や木の切り株がないことを確かめよう。雪が十分積もっていることを確認したら、斜面を上向きに掘っていく。そうすることで入口（と冷たい空気）を床と寝台よりも低くすることができる。寝台は入口にたまった冷たい空気より高い位置に作り、パラシュートやリュックサックで断熱するとよい。

雪洞ではこのような冷気をためておく場所が不可欠である。居心地のいい洞穴になるか冷たい墓になるかは、こういった場所があるかどうかで決まる。冷たい空気はつねに下にたまる。洞穴の床に掘ったただの穴でも十分に冷気を捕らえることができるうえ、掘るのにはほんの数秒しかからない。

火をおこす場合は、換気の仕組みをととのえたうえで、高い位置で小さな焚き火をおこすとよい。

屋根の内側は丸くして、溶けた水が天井から壁を伝い落ちるようにし、その水を受け止めるための溝を壁の下に沿って作っておく。水は気温の低い入口のほうへと流れていき、そこで再び凍るはずだ。最後に、固まった雪の薄い塊を切り出してドアにしよう。凍りついてしまわないように、雪洞の内側に置くとよい。

雪洞の天井を手でならし、尖った部分をなくしておくことを忘れないようにしよう。溶けた水がそこにたまり、一晩中きみの上に滴り落ちてくるかもしれない。ほんの数秒できることだが、忘れがちなので注意しよう。私はアルプス山脈で雪洞を作ったことがあるが、作業を終えるころには日が暮れかかっていたせいか、天井をきれいにならすことを怠ってしまった。おかげで水がぽたぽたと落ちてきて、服が濡れた。翌朝、太陽が顔を出していなければ、サバイバル状況は一段と悪化していたかもしれない。こういう過ちを普通は繰り返さない。私のミスから学んでほしい。

寝台は冷たい床から離し、雪洞の壁に棚のような形状で作るとよい。雪が固まると小さくなることを計算したうえで、体温を失わないためにもできるかぎり居心地のいいものを作ろう。

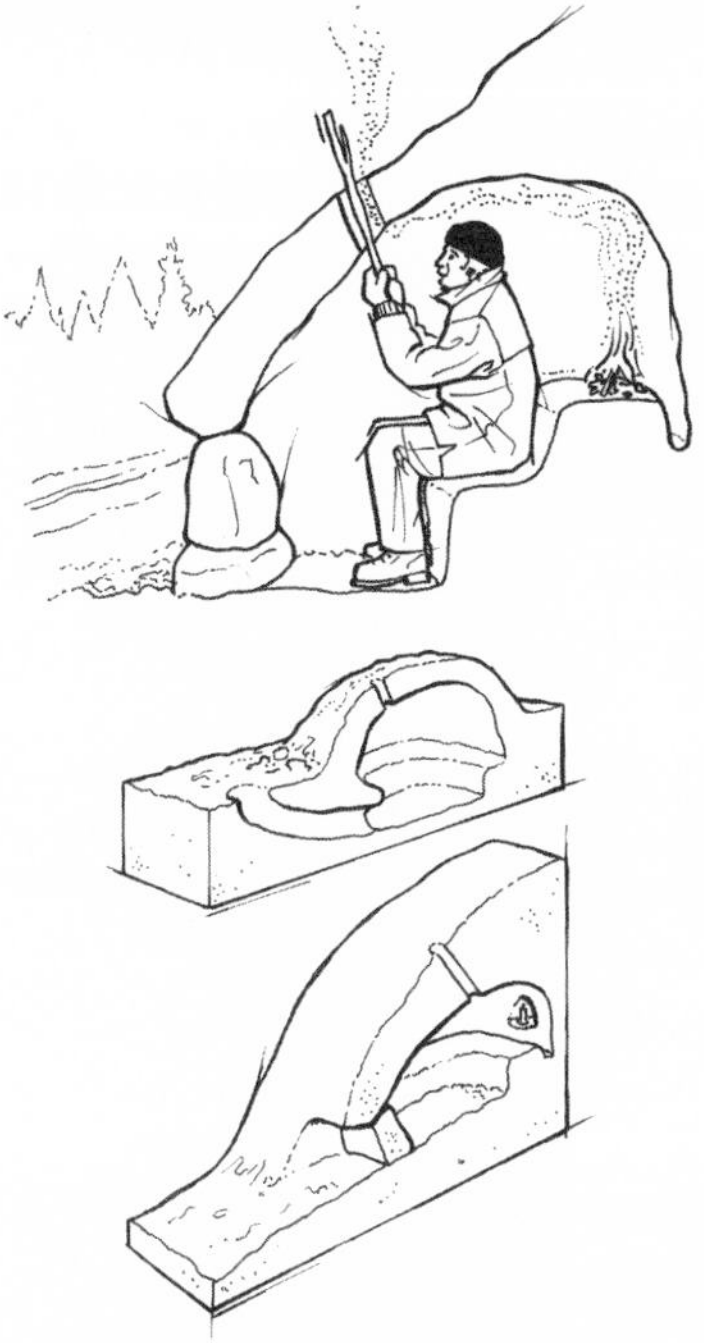

いっぽう雪穴は、おおむね雪洞と同じだが、平らな場所に作る。直径一・五メートルないし二メートルの穴を掘ってその上を覆い、一・五メートルないし二メートル離れた場所から掘ったトンネルをその穴につなげる。換気、冷気をためる穴、屋根、寝台は雪洞と同じ原理に従って作ればよい。

イグルー

イグルーは厳しい自然から身を守るためには非常に効果的だが、専門家、つまりはカナダ北部に暮らすイヌイット以外の人間は作ろうと思わないほうがいい。雪のブロックを作るのは、いまのきみのサバイバル状況にはまったくそぐわない。雪は一定条件を満たしてなければならないし、それを切るためには氷用の鋸が必要だ。さらさらした雪はイグルーを作るには役に立たないうえ、それ以外のさまざまな問題を考えれば、雪を押し固めるのは現実的とはいえない。

忘れてはいけない……

異なるタイプのシェルターにはそれぞれ異なる性質があるが、以下のルールはすべてに当てはまる。

⦿汗をかかない

シェルターを作るときには汗をかかないようにして、服が濡れないように注意しよう。その汗があとで凍り、さらに脱水が進む。低体温症は最大の敵である。作業をするあいだは、何枚か服を脱ぐようにしよう。

⦿小さいことはいいこと

必要以上に大きいシェルターは作らない。きみの体の三倍が一番いいサイズだ。暖めるべき空間はできるだけ減らそう。寒冷地におけるシェルター作成でよくある失敗が、大きすぎるシェルターを作ってしまうことだ。大きすぎるシェルターは体温を保つどころか、逆に奪ってしまう。

⦿縮む雪

雪は縮むので、雪洞の屋根はかなり低くなることを覚えておこう。だがそれは崩れる前兆ではなく、シェルターが固まって役立つものになってきたことを意味している。だが、生き埋めにならないように、雪が縮むことをあらかじめ計算しておこう！

⦿ぐあいのいい入口を作る

吹きだまりの雪でふさがれないように、入口は風上に向けて作ること。だが出入りできる程度に小さくして、内側からふたをしておけば、内部の温度を保つことができる。

⦿眠る前に断熱

眠るときには、雪と自分のあいだに必ず断熱材を敷くようにしよう。手にはいるものならなんでもいい。木の枝や木の葉はうってつけだし、リュックサックやパラシュートの傘体があればなおさら好都合だ。体温の大部分は地面と接しているところから奪われるので、絶対にじかに寝ないようにする。

⦿呼吸テスト

シェルターでもっとも避けたいのは、内側の壁が溶けてぽたぽたと滴ってくることだ。それを防ぐために、内部の気温は〇度以下に保つようにしよう。吐く息が白くなければ、それは暖かすぎるということだ。

⦿水を滴らせない

シェルター内部の空気は外よりもはるかに暖かくなっている。溶けた雪が壁を伝って落ちるように、天井はなめらかにしておこう。壁の根本に沿って溝を掘っておけば水はそこにたまり、きみは濡れずにすむ。

⦿脱出方法

雪のシェルターはどんなものであれ、崩壊する危険があるので、最悪の場合に備えて雪を掘る道具を手元に置いておくか、なにかほかの脱出方法を考えておくこと。

⦿用を足す

夜のあいだにトイレに行きたくなっても、外に出てはいけない。シェルター内部の床の上で用を足そう。尿は雪が吸い取ってくれる。いま重要なのはサバイバルであることを忘れてはいけない。ただ用を足したいがために、わざわざ外に出てせっかく温まった体をまた冷やすのはやめよう。

「雪洞の天井を手でならし、尖った部分をなくしておくことを忘れないようにしよう。溶けた水がそこにたまり、一晩中きみの上に滴り落ちてくるかもしれない」

水を手に入れる

雪と氷に覆われた場所で脱水にならないようにするのは、乾いた砂漠にいる場合よりはるかに簡単なことに思えるだろう。凍っているとはいえ、どこにでも水はあるときみは考えるかもしれない。確かにそれは事実だが、楽観してはいけない。水分を補給するのは思ったほど簡単ではないし、寒さのなかでは脱水症状の兆候がわかりにくい。水を飲み続けなければいけない。それも、渇きを感じる前に飲むほうがいい。

砂漠にいるときほど急激に水分が失われているわけではないが、それでも最低一日一リットルの水分を補う必要がある。寒冷地であっても、皮膚から大量の水分が失われていることを忘れてはいけない。それどころか、寒さのせいで分泌されるストレス・ホルモンは尿の排出を促進するので、より多くの水分が失われている。第2章（90〜95ページ参照）で述べた水を手に入れるためのテクニックは氷点下の環境でも応用できるが、たいがいの場合、水源を見つけること自体は問題ではない。難しいのは、飲用に適した状態――体温に近い、きれいな水――にすることだ。

雪や氷をそのまま食べるのは、あまりいいことではない。雪や氷を溶かすために熱が奪われるマイナス面のほうが、水分を摂取する利点より大きいからだ。唯一の例外は、雪のなかを移動するなど激しく肉体を使っているときで、口のなかに雪を少し入れておくと体温の上昇が抑えられて、不要な汗をかかずにすむ。

氷や雪を溶かす前に、別の水源を探してみよう。見えない亀裂に水が流れていたり、雪や氷の下に細流があったりするかもしれない。自然の雪溶け水が手にはいるのであれば、体温や燃料を無駄にする必要はない。

北極圏や亜北極帯の水源は、水を汚染する腐敗した有機物が少ないことと寒さのおかげで、概してほかのどこよりもきれいだ。だが注意するに越《こ》したことはない。雪と氷は、その元となっている水ほど清潔ではないからだ。

どうしても雪を食べなければいけなくなり、あらかじめ溶かすこともできない場合は、飲みこむ前に口のなかで溶かすようにしよう。だが、そのうちに口のなかが痛みはじめるので、最後の手段だと考えてほしい。また、雪と氷は雨水が凍ったものにすぎない。渓流の水のようにミネラルや塩分は含まれていないので、補給のための水分としては効果がやや薄い。可能であれば、トウヒの葉や根、ベリーなどを溶かした水に加え、栄養分を補うとよい。

雪と氷

雪は水分よりもはるかに多い空気を含んでいるので、すばらしい断熱材になる反面、氷点下における水源としてはもっとも効率が悪い。海水が凍ったものでさえなければ、氷のほうが雪より水源としては優れている。三〇ミリリットルの雪を水にするには、同じ量の氷の一・五倍のエネルギーが必要となる。
ほかの水源を見つけることができず、氷か雪を溶かさなければならないときは、それぞれ異なる種類のものがあることを覚えておこう。たとえば、表層より少し下の雪は――よりざらざらしている――、表層の雪よりはるかに多く水を作ることができる。海水が凍った氷はざらざらした感触で崩れやすく、灰色がかっていたり乳白色だったりするのでそれとわかるが、二年以上たったものでないかぎり、まったく飲むことができない。二年たてば、塩分はほとんどなくなっている。

「砂漠にいるときほど急激に水分が失われているわけではないが、それでも最低一日一リットルの水分を補う必要がある」

何年も前に凍った海水の氷は表面がなめらかで、明らかに青みがかっている。溶かして飲むことができるが、表面に新たな海水がついていないかどうかを確認すること。

火を使って溶かす

火をおこすことができれば、飲み水の確保は簡単だ。間に合わせの鍋に雪を入れてとかせばいい。だが鍋いっぱいに雪を入れて、溶けるのを待っていてはいけない。鍋に雪を詰めこみすぎると、加熱しても底に隙間を残して蒸発してしまうので、貴重な鍋を焦がす恐れがある。ひと口サイズの雪の塊を鍋に入れてゆっくり暖め、それが溶けたら次の雪を加えていくとよい。熱した岩や小石を鍋に入れると、早く溶かすことができる。
大きな雪玉――〝マシュマロ〟とか〝雪だるまの頭〟などと呼ばれる――を作って棒の先に刺し、焚き火の上でじっくり暖めるという方法もある。溶けた水がたまるように、

下に鍋を置いておく。鍋代わりになるものがなにもない場合は、靴を使おう。雪玉を焚き火に近づけすぎると棒からはずれて落ちてしまうので、注意すること。私はアルプス山脈でこの方法を非常に効果的に使ったことがある。いくつかの大きな雪玉に棒を刺し、焚き火のまわりに置いた熱反射器から突き出すようにして置いた。やがて雪玉から滴った水がコップにたまり、私は簡単に水を手にすることができた。

雪がさらさらしていて雪玉を作ることができない場合は、シャツや靴下など水を通しやすい素材のものに入れて焚き火のそばに吊《つ》るし、下に容器を置いて溶けた水をためるとよい。袋代わりに使った布が濡れてしまうのが、この方法の欠点である。

そのほかの熱源

火を使えない場合は、はるかに時間はかかるものの、移動したりなにか作業をしたりする際の体温を使うという方法がある。雪か氷を袋に入れ、服と服のあいだにはさむ(肌に直接つけないこと)。一番いいのは血流が多く、皮膚近くを流れている場所だが(頭部、鼠蹊部《そけいぶ》、脇の下など)、眠っているときや、休憩しているときは、この方法を使ってはいけない。

寒冷地では、眠る前は大量の水を飲まないようにしよう。用を足すために、せっかく温まった間に合わせのベッドから夜中に這《は》い出たりすると、体を休める時間が減るうえに、余計に寒さにさらされることになる。

食料を手に入れる

一年のどの時期であれ、氷点下環境で食料を見つけるのは難しい。自然は厳しく、その地に住む動物たちの食料が乏しいので、必然的にきみが食べられるものも乏しいことになる。だがそれはまったく手に入らないという意味ではない。

食料を見つけられるかどうかは、場所と時期に大きく左右される。海や川や湖の近くであれば、氷に穴を開けなければならないとしても、魚を獲《と》ることができるだろう。極地に近い場所なら、アザラシやペンギンや海鳥を捕まえることができるかもしれない。また苔《こけ》や地衣類は、一年を通じて極地の探検家の主食となっている。

◉――氷上での釣り

山岳地帯や海の近くでは、魚が一番手に入りやすい。川のある山では、第2章（100〜103ページ参照）で述べたテクニックを使うことができるが、川や湖が凍りつく冬の最中には氷に穴を開けるイヌイット方式が必要になるかもしれない。

ロマンチックで勇猛果敢に思えるかもしれない――なにか捕まえることができれば、そのとおりだろう――だが、この方法で食料を手に入れるのはなかなかに難しい。まず、氷の厚さが三〇センチ以上ある場所を探そう。穴を開けるとその周辺の氷全体の強度がさがるので、十分な厚さがあることが絶対条件だ。その反面、専用の道具なしでも穴が開けられるくらい薄くなくてはならない。

釣り用の穴を開けるのは容易ではない。氷を溶かすのが、もっともたやすい方法だろう。大きな石を台にして、その上で火をおこすとよい（爆発するかもしれないので、石が水浸しになっていないことを確認しよう）。熱で徐々に水が溶け、やがて穴が開く。無駄な労力を使わずにすむように、十分な量の枝や石が近くにある場所を選ぶこと。

私が一度アルプス山脈で成功した方法は、厚い氷の先端近くで氷が薄くなっている箇所を見つけ、長い棒でそこを叩《たた》くというものだった。表面の氷を少し削ることができれば、周辺の氷がいくらか溶けるので、その水をかきまぜるようにして穴を開けていった。

釣り道具には次の物が必要だ。氷に穴を開けるのであれば、足と膝の下に敷く断熱材（トウヒの枝は断熱材として最適であるだけでなく、朝まで穴から離れている場合は、目印にすることができる）、先端を尖らした棒、火がない場合は穴を開けるための石かナイフ、まっすぐな木の枝が二本、釣り糸になるものと間に合わせの釣り針と餌。

穴を横切るように一本の枝を置き、〝釣り竿《ざお》〟になるもう一本をその枝と直角に結びつける。釣り竿の先には、餌つきの釣り針のついた仕掛けを取りつける。異なる深さにくるように複数の釣り針をつけておけば、なにかがかかる確率がそれだけ高くなる。凍った湖にいる魚はたいがい腹を減らしているので、キラキラ光る小さな金属製のルアー(疑似餌)で釣りあげることができる。手元にある針金か、動物の骨を削ったものやとげで釣り針を作るとよい。

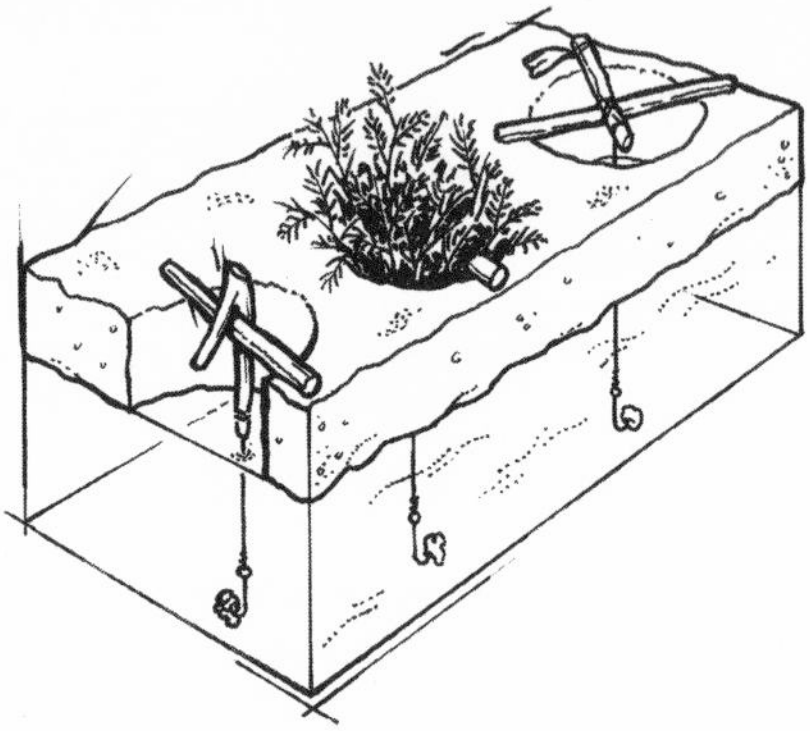

氷に開けた穴を翌朝までそのままにしておく場合は（凍死したくなければ、もちろんそうするべきだろう）葉がたっぷりついたトウヒの枝を穴に入れておくとよい。できるだけ深く、そして穴いっぱいに詰めておくこと。そうすることで穴が再び凍るのを防ぐだけでなく、夜間に雪が降った場合でも、翌日その場所を見つけるのが容易になる。せっかく開けた穴も凍ってしまえばそれまでだ。このテクニックを使うことで、それまでの時間とエネルギーを無駄にしなくてすむ。

釣り竿の反対側の端に旗のようなものをつけておくとよい。魚がかかれば糸が引っ張られ、釣り竿が傾く。旗のついた側が宙に持ちあがって、魚がかかったことを教えてくれる。

動物

冬山で鹿のような大型動物を罠《わな》で捕らえるのは、非常に難しい。従って、リスやウサギ、キツネ、マーモット、ユキウサギ、ビーバー、ミンク、イタチといった小型哺乳類を狙ったほうがいい。雪崩が起きたばかりの場所は、ぜひ調べてみるべきだ。動物も人間と同じように、この圧倒的な自然の脅威の犠牲になるからだ。私はかつてアルプス山脈の雪崩が起きた場所で、三〇センチの雪の下に埋まっている腐りかけのシャモア（訳注　ヨーロッパの高山域に分布するシャモア属のカモシカ）を見つけたことがある。肉は腐敗していたが、ウジは栄養満点なうえに新鮮だった。

私はその一部を餌にし、一部を自分用のおやつにした。

極地では、狩りの対象はアザラシかペンギンぐらいのものだが、海中のプランクトンやオキアミが豊富なので、どちらも十分な数が生息している。繁殖期のアシカとその子どもは格好の獲物で、簡単に捕まえることができる（アシカの子どもが撲殺される様を撮影した、アザラシ狩りのあの悲しい映像はこの時期のものだ）。

だが繁殖期以外の時期の狩りは非常に難しく、不意をついて捕まえるには相当な技術が必要になる。一番いいのは、呼吸をするため氷に開いた穴からあがってきたときか、あるいは眠っているあいだに槍《やり》で突くことだ。だがあとの方法も簡単ではない。彼らはほぼ一分おきに目を開けて、白熊やそのほかの敵——たとえば人間のような——が近くにいないかどうかを確かめるように、進化の過程でプログラムされているからだ。

イヌイットは風下から近づき、氷の上に腹ばいになってアザラシの動きをまねながらすぐそばまでにじり寄っていくという技術を習得しているが、素人が簡単にできることではない。また北極圏では、北極グマもアザラシを狙っていることを忘れてはいけない。彼らにとってはアザラシを狩ろうとする人間も、メニューの一つにすぎないのだ。

だがもしアザラシを仕留めることができたなら、これほど役に立つものはない。皮は服や靴になり、脂肪は燃やすことができる。だがアザラシの肉には、筋肉内に侵入して病気を引き起こす旋毛虫という寄生虫がいるおそれがあるので、十分に火を通す必要がある。また、アザラシの肝臓は北極グマのものと同じく、致死量のビタミンAを含んでいることがあるので食べてはいけない。

一九一六年、エレファント島のワイルド岬で野営せざるを得なくなったシャクルトンをはじめとする隊員たちは、愛するハスキー犬を食べるという心の張り裂けるような決断をし、その後はアザラシとペンギンの肉で命をつないだ。だが、南極大陸を目指したエンデュアランス号が氷塊に阻まれて身動きが取れなくなり、その後崩壊したのち、二八名の乗組員全員が二年近くを生き延び、無事生還したという驚くべき物語のなかでは、それも一つのエピソードにすぎない。

「アザラシの肝臓は北極グマのものと同じく、致死量のビタミンAを含んでいることがあるので食べてはいけない」

サバイバル状況では、普段の先入観を捨てることを要求される。双子《ふたご》の息子と共に帆船の一種であるスクーナーで太平洋を航海中、クジラと衝突して漂流したドゥーガル・ロバートソンを例にあげよう。はじめのうち彼は、秩序と礼節を失わないように心がけていた。だが状況が深刻になるにつれ、食料を取るための手立ても次第に捨て身になっていき、やがて彼はただ待つだけの被害者から、積極果敢な捕食者へと変貌する。彼は錨《いかり》に絡まった亀を捕まえ、口をつかんで甲板に叩きつけ、喉をかき切った。あたり一面に血を飛び散らせながら、甲羅を叩き割って中身をひきずり出した。生肉を息子たちに手渡したときには、頭のてっぺんから爪先まで全身温かな血にまみれていたという。だがまさにこのとき、彼はなんとしても生き延びようと心を決めたのだ。生き続けるためには、こういった殺害本能を呼び覚ます必要があるかもしれない。

◉——植物

山岳地帯や北極のツンドラ地帯を含め、一部の氷点下の地域では木や植物やベリー（96〜99ページ参照）を食料にできるはずだ。その多くがビタミンCを豊富に含んでいる。トウヒの樹皮はゆでれば食べられるし、針状葉でお茶をいれることができる。アークティック・ウィローと呼ばれる低木の新芽、樹皮、葉、根はすべて、ゆでて食べることができる。トウヒのお茶は大変美味であり、栄養に富んでいるだけでなく、体を温めてくれるので、私は幾度となく気持ちを奮い立たせてもらった。

地衣類もまた栄養豊富であり食べることができるが、有機酸の含有量が多いので、一二時間以上水に浸したあと、きれいな水でゆでるとよい。

食べられる地衣類には以下のようなものがある。

・北極圏でよく見られるアイスランド苔。
・岩に生えるイワタケ。大変酸っぱく、革でできたレタスのようにも見える。
・ナガサルオガセは乾燥したものが針葉樹の枝から垂れさがっていることが多い。火口《ほくち》として使うことをお勧めするが、事態が深刻になってきた場合には食用にできる。
・ハナゴケはトナカイの枝角のような形をしていて、イヌイットにとっての珍味とされている。

トナカイの死骸を見つけたら、躊躇《ちゅうちょ》せず腹を切り裂こう。胃のなかに消化しかかった地衣類が残っている可能性がおおいにある。イヌイットが食用にしているのだから、きみも食べられるはずだ。

だが地衣類を食べるのは最後の手段だ。はっきり言って、かなりまずい。まだ段ボールのほうがましなくらいだが、残念ながら段ボールに栄養はない。

◉鳥類

ペンギンは物見高いうえに、大きな集団を作るので、捕まえるのは簡単だ。北極圏では冬に羽根の色を白く変えるライチョウが手頃な猟鳥だが、見つけるのも捕まえるのも容易ではない。夏のあいだ、北極圏にいる鳥はすべて羽根が生え変わるので、飛ぶことができない。従って、換羽期の三週間ほどは獲物に不自由することはないだろう。

山岳地帯では、好奇心が強く死体やごみなどを食べるカラスを捕まえることができるかもしれないが、そのためには餌と罠が必要だ（52～55ページ参照）。丈夫で乾いた〝釣り糸〟に餌のついた釣り針をつけ、枝からぶらさげるか、あるいは岩の上に置き、もう一方の端を杭《くい》か岩に結びつけるとよい。洞窟のなかは罠を仕かけるのに適しているが、それなりの数の罠を準備すること（一〇個前後）。かかるのはその四分の一程度だと考えよう。

「ペンギンは物見高いうえに、大きな集団を作るので、捕まえるのは簡単だ」

ナビゲーションと移動

雪と氷のなかでのナビゲーション（経路誘導）と移動は、危険を伴う。地形と季節によって、直面する問題は異なるが、いずれも困難なものであるうえ、ナビゲーションの基本的スキルと素早くかつ余裕を持って移動できる能力が試されることになるだろう。

寒さは、方角について有効な決断をするのに必要な知力の働きを鈍くすると同時に、肉体の機能も衰えさせるので、暖かな環境下にいるときと同じようには動けなくなる。シエルターをあとにして山をくだったり、同じ景色が続く極地を横断したりする前に、入念な計画を立てるようにしよう。

原則

かんじき

腰までである雪をかきわけて歩くのは体力を消耗するうえ、体が濡《ぬ》れるし、危険でもある。何度も経験のある私が言うのだからまちがいない！　サバイバルで重要なのは抜け目なく考えることだ。ただ汗まみれで体を動かすだけではだめだ。足の裏できみの全体重を受け止めるのではなく、より大きな面積に分散させる方法を考えよう。

たとえば、しなやかな枝――柳が最適だ――といった比較的手にはいりやすい材料でも、簡単にかんじき《スノーシュー》を作ることができる。テニスのラケットのように枝を曲げ、両端を合わせて縛る。長さは一メートルくらいにするとよい。

「寒さは、方角について有効な決断をするのに必要な知力の働きを鈍くする」

この木枠に網を取りつけよう（キャンバス地、革、アシの繊維、細く裂いた樹皮でも可）。これがスノーシューのベースとなる。足の重さを支えるため、中央部分は十字に筋かいをして補強する必要がある。どのようなものにするかは手にはいる材料次第だが、基本は強度と重さのバランスを取ることだ。

パラコードのような紐《ひも》を足首に巻きつけてから、スノーシューの支柱部分にくくりつける。こうすることで、かかとは上下に動かせるようにしておきつつ、靴を固定することができる。

森林地帯でより簡単な間に合わせのスノーシューを作るには、一メートルほどの長さの葉の茂った常緑樹の枝を折り、茎のほうを前にして靴に縛りつけるとよい。歩くときには、足をおろしたときにつまずかないように、足の裏が地面と平行になるように膝から足を持ちあげるようにしよう。

一八四六年から四七年にかけての冬、ドナー隊として知られている八〇人あまりのアメリカ人開拓者が、シエラ・ネバダ山脈を横断中に雪で動けなくなった。一行のなかに、バーモント州出身で若いころ、山で暮らしたことのあるF・W・グレイブスという男がいて、唯一スノーシューの作り方を知っていた彼が一四足のスノーシューを作った。それが、生き残った者たちの命を救う大きな要因になったという。

私もアルプス山脈でこの方法でスノーシューを作り、深い雪のなかを安全かつ素早く移動することができた。私は靴職人ではないが、三時間ほどで完成させることができた。

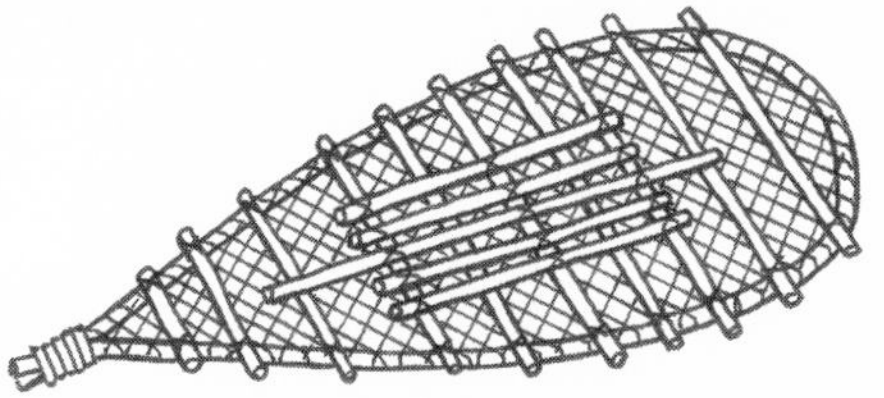

氷上の移動

氷点下の地域では、たびたび氷の塊の上を横断することがあるだろう。山中や南極では氷河を、山岳地帯の川や湖を、北極の海を歩かなくてはならないことがある。雪と同様、氷にもいろいろな形態があり、厚さもさまざまだ。命にかかわるので、後者はより重要である。だが北極圏では厚さがわずか数センチの氷の上を歩くこともまれではなく、山中ではそうせざるを得ないこともあるかもしれない。

氷の種類とどれくらいの重さに耐えられるかを見分けるのは、必ず学ばなければならないスキルの一つだ。誤った判断をしたら、命を落とすことになるかもしれない。氷の穴から抜け出すのは非常に難しい。ひとりのときはなおさらだ。おおまかにいって、厚さ五センチ以下の氷の上を歩こうと思ってはならない。黒っぽく濁った氷はたいてい薄く、灰色がかった明るい色のもののほうが厚く、古いことが多い。雪が断熱材の役割を果たすため、氷が厚くなりにくいので、たいていの場合、雪をかぶった氷は、表面が見えている氷よりも薄い。氷を渡る前に棒かナイフを準備し、氷に三回突き立ててから歩き出すようにしよう。万一割れて落ちたときには、この棒かナイフを支えにしてよじのぼることができる。

川の氷は岸に近いほうがはるかに丈夫だ。表面から突き出している岩やそのほかの物体のまわりでは常に水が渦を巻くので、氷は薄くなっているから注意しよう。また川の水位が最近になってさがったように思われるときは、とりわけ気をつけること。水面と氷のあいだに空間があると、氷はかなり不安定になり、割れたときに命を落とす危険が大きくなる。

「サバイバルで重要なのは抜け目なく考えることだ。ただ汗まみれで体を動かすだけではだめだ」

冬季における山中の移動

⦿くだり

深い雪のなかで斜面をおりるときには、〝キックステップ〟と呼ばれる、体重をかかとに残すようにして、大股でおりていく方法を使う。足にいつもより力を入れて、軽く前かがみになれば、体の重みで自然と足場ができる。足場が浅すぎる場合は、下向きの力がさらに加わるように歩幅を広げるとよい。雪がぬかるんでいて体が沈みすぎるときは、逆に歩幅を狭める。斜面が非常に急な場合は、うしろ向きになって、雪に爪先を突き立てるようにしながら、うしろ向きにおりるとよい。

⦿のぼり

雪を蹴るようにして爪先を突き立て、足の重みで足場を作る。雪は下向きに蹴り、ジグザグにのぼっていくこと。急斜面をのぼる場合は、ジグザグの幅を広げよう。木の枝で作ったストックは、ピッケルと同じように使うことができる。目的の方向にまずストックを突き立て、それから足を動かすようにすれば、体重を移動する前にある程度体を支えることができる。

◉落下防止

ストックを使って体を支えるようにしよう。可能であれば、ストックは紐などで手首に縛りつけておくとよい。体重をかける前に、必ず雪の固さを確かめること。上からの落石と雪崩（149〜151ページ参照）には細心の注意を払い、進む先の雪の形や質、色をよく観察しよう。

くぼみの下にはクレバスが隠れていることが多いので、色が黒っぽくなっている箇所は疑ってかかろう。雪のわずかな沈下が作る影がその存在を教えてくれるから、できるだけ日があるうちに行動するとよい。また、雪崩の起こりそうな斜面やクレバスを覆っている雪を日光が温めないうちに、可能なかぎり朝早く行動を開始すること。

「転ばぬ先の杖《つえ》」という言葉があるが、転んでしまったら両手でストックの根本をつかみ、腹這いになろう。ストックを雪に突き立て、全身の体重をかけて落下を阻止すべし。ストックがない場合は、両手両足を広げて大の字になり、斜面と接している面積をできるかぎり大きくするとよい。

極地でのナビゲーション

太陽を使う

作動しているGPSがあればこのうえなく便利だが、たとえ簡単なコンパス（方位磁石）だろうと、極地でのナビゲーションでは、口惜しい思いをするおそれがある。磁極に近いため、このナビゲーション用の貴重な道具は、ぐるぐる回転するプロペラと化し、ほとんど役に立たない。

それとは逆に、顔を見せているときの太陽は、きわめて正確なナビゲーション用の道具になる。太陽によるナビゲーションの基本原理は、地球が二四時間で三六〇度回転することに基づいている。つまり一時間に一五度移動する、逆にいえば一度移動するのに四分かかるということだ。

〝基本原理〟から（38〜39ページ参照）、太陽は午前六時にほぼ東の位置にあり、影が西に伸びることがわかっている。北極圏では太陽は正午に南にあり、影は北に伸びる（南極圏では逆になる）。午後六時になると太陽は西にあって、影は東に伸びる。

従って、太陽が一時間に一五度移動することがわかっていれば、だいたいの方角を知ることができる。たとえば午後三時には、北極圏では影は北東を（四五度）、南極圏では南西を指している。ただ、極地のなかでも東や西のはずれにいるときは、その経度によっていくらかの調整が必要となるので注意しよう。

まっすぐに移動する

方角を見定めたら、そこから逸《そ》れないようにすることが重要だ。そのためにはまっすぐに歩く必要があるが、猛吹雪のなかやなんの目印もない氷の世界では、思った以上に難しい。

雪や砂を吹き渡る風は、サスツルギと呼ばれる独特の丘脈を作る。卓越風はだいたいいつも同じ方向から吹いているし、この模様で風向きがわかるだろう。正しい方角を見定めたら、自分の進む方向がサスツルギに対して作る角度を覚えておき、その角度を常に保ちながら前進すればよい。

北極圏VS南極圏

たいていの場合、南極よりも北極のほうが方角を見定めるのが容易である。海の氷は常にぶつかりあい、しなって氷脈や積氷という氷の山ができているので、北極の景色のほうが識別しやすいからだ。

だが反面、海面の氷の変化のせいで方向感覚を失いやすい。シェルターを出る前に、できるかぎり高い地点に立ち、目印になりそうな周辺の特徴をつかんでおくといい。近くに割れた氷の山があれば、見晴らし台としておおいに役立つだろう。危険な地点を見て取ることもできるはずだ。行く方向を決めたら、その方角にある特徴を目印に進んでいこう。

一方の南極では、夏のあいだ四日のうち三日は太陽が出るので、太陽を使ったナビゲーションはコンパスを使うよりもはるかに簡単だ。

「雪崩の起こりそうな斜面やクレバスを覆っている雪を日光が温めないうちに、可能なかぎり朝早く行動を開始すること」

また氷河の上の岩の様子からも方角を知ることができる。岩が日光を遮るので、影になった部分以外の氷が長いあいだに溶け、岩が小さな台の上に立っているような格好になる。南極圏では日光は主に北から射《さ》すので、そちらの方に倒れることが多い。一個の岩が倒れているだけでは断言できないが、近くにある岩がいくつも同じ方向に倒れていれば、そちらが北である可能性は高い。

氷点下を移動する際にやるべきこと、やってはいけないこと

⦿やるべきこと

・早朝か、あるいは昼間に雪が溶けた場合は、午後遅くに行動する。その時間は気温が低いため、雪が固くなってい

る。地面が氷に覆われている場合は、滑りにくい午後の半ばに出発するとよい。

・登攀《とうはん》の安全と、危険を左右する、大きな気温の変化に注意する。

・山岳地帯では雪崩の危険がある（149〜151ページ参照）。巻きこまれないようにするには、朝のうちに行動すること。雪が太陽に暖められると、雪崩の危険が増す。

・起伏のある地形を進む際には、体を支えるためにストックを使うとよい。見えない障害物や薄い氷、隠れた渓流などを見つけやすい。氷が割れて落ちてしまったときには、穴から這いあがるのに役立つ。

・つねに天候には注意すること。悪天候の兆しが見えたらすぐに雪穴を掘るか、シェルターを作ろう。特に昼間が短い冬季は、手遅れにならないうちに早めに野営の準備をすること。一度手遅れになったらおしまいだ。

・あらゆる手段を使って、体が濡れないようにすること。氷点下で命を脅かすのは寒さだが、皮膚が濡れるとその危険性ははるかに大きくなる。湿った衣類は、乾いたものより五〇倍も早く体温を奪う。

・足を濡らさないようにすること。体のほかの部分が乾いていても、足をおろそかにしてはいけない。濡れていたら、すぐに乾かそう。高山の登山者は、足が凍傷にかかることが多いが、その足が再び温まったときの痛みは強烈だ。凍傷がひどいときは、安全な場所にたどり着くまで足を温めないほうがいい場合もある。少なくとも、凍った棒のような足で歩き続けることができるからだ。

・薄い氷には細心の注意を払おう。できるかぎり避けるようにし、やむを得ない場合は、しゃがみこむか四つん這いになって体重を分散させる。原則として、ストックで三回強く突いても割れなければ、大丈夫だ。二度目までで割れたときは、そこから離れよう。

・川を使って進むべき方角を定めるとよい。冬のあいだ、川の水が数十センチの厚さに凍りつく地域では、川を脱出ルートにすることができる。

「凍傷がひどいときは、安全な場所にたどり着くまで足を温めないほうがいい場合もある。少なくとも、凍った棒のような足で歩き続けることができるからだ」

⦿やってはいけないこと

・移動の際に、あまり汗をかかないようにしよう。必要な水分が失われるだけでなく、湿った衣類があとで凍りついて体温を奪い、低体温症の原因となる。
・冬山の尾根の風下側を歩いてはいけない。雪庇《せっぴ》と呼ばれる、大きく張り出した雪の塊のアーチは、振動によって足の下で崩壊する危険がある。
・猛吹雪のなかを移動しないこと。白一面の景色のなかでは、基本方位どころか、のぼっているかくだっているかすらわからなくなる。クレバスに落ちたり、氷を踏み抜いたりする危険が増すうえ、地形を読み取ることもほぼ不可能になる。
・雪に覆われた渓流を渡ってはいけない。
・氷山にはのぼらないこと。見えているのはほんの一部で、氷の大部分が水中にあり、溶けはじめるとひっくり返ることがある。

「厚さ五センチ以下の氷の上を歩こうと思ってはならない」

自然の危険要因——冬山

◉——雪崩

雪崩はしばしば命を脅かす。それを避けるためには、雪崩が起きそうな状況に通じていなければならない。雪崩はたいがい、傾斜が三〇度ないし五〇度、もしくはそれ以上の斜面で二四時間以内に一二センチ以上の積雪があった場合に起きる。高い山の上で大雪のために動けなくなったときは、雪がやむまで一日待ったほうが——それが可能であれば——いいかもしれない。

これまでに雪崩があったことを示す痕跡や、これから雪崩が起こりそうな場所の兆候を見逃さないようにしよう。上のほうの木の枝が引きちぎれているのは過去に雪崩に遭ったことを示しているので、大雪のあとはその近辺は避けたほうがいい。尾根の風下側に凍った波のように突き出している雪庇も非常に危険だ。雪が深く積もった凸型斜面（中腹が膨らんでくる斜面）は、雪を支える岩や木がほとんどない急な傾斜の雨裂（訳注　雨水に浸食されてでき、通常は水が涸《か》れている）や斜面と同じくらい、雪崩が起きる可能性が高い。雪崩が頻発するとされる北側の急斜面にも注意しよう。降った雪がすぐに崩れる恐れがある。

　足を置いたとき雪にひびがはいったら、その雪の塊には張力がかかっていて、崩れる可能性があることを意味している。昼間、雪崩が起きる可能性のある場所に日光が直接当たっているときには、その付近には近づかないこと。雪崩が起きても巻きこまれない高い場所に移動し、その地域が影になるまで待つほうが賢明だ。

雪崩を生き延びる

　雪崩に巻きこまれたら、流れてくる雪の右か左の端をどうにかして目指そう。雪崩の進行方向に逃げて競争しても勝ち目はない。口を覆うこと。雪崩の犠牲者の多くは、粉雪を吸いこんだせいで窒息死している。両腕を顔の前に持ってきて、雪が凍る前にできるかぎり大きな空間を確保するとよい。上下がわからなくなり、まちがった方に雪を掘って力尽きてしまう犠牲者も多い。どちらが上かを確かめるには、唾を吐くか小便をすればよい。液体は下に流れるからだ。必死の速さで上に向かって雪を掘ろう。雪崩の雪はすぐに圧縮され、コンクリートのように固くなってしまう。

　私がアルプス山脈で見た雪崩の跡は、これまでに見たものとは比べものにならないくらいの規模だった。数百エーカーにわたって、がっしりした大木がマッチ棒のように叩き折られ、樹皮は削り取られ、あたり一面の雪は岩のように固くなっていた。あのような雪崩に巻きこまれたら、生き延びるチャンスはほぼないといっていい。また雪崩より先に空気の衝撃がやってくるので、それによってダメージを受けることも多い。

　エベレストでは、雪崩はまるで生活の一部のように、高い尾根の一部が毎日私たちのまわりに崩れてきていた。下山する最後の日、私たちはほんの数分の差で、危うく巨大な雪崩に呑《の》みこまれるところだった。世界の最高峰で九一日間を過ごした最後の朝、私たちは足の凍傷と疲労困憊《こんぱい》した体で奮闘していた。予定の午前六時ちょうどではなく、六時五分にベースキャンプに向かって出発した。五分の遅れ——たいしたことではない。だが下山を開始して数時間後、巨大な雪崩が私たちの目前の氷河を襲った。仮に時間通りに出発していたなら、仮に数百メートル先を歩いていたなら、巻きこまれていたはずだった。こうやって荷物の上に腰をおろし、周辺の景色を巨大な白い塊が呑みこんでいくありさまを眺めていることはできなかったはずだ。

雪崩の危険のある場所を移動するときには、偶然という要素があることは否定できないが、注意すべき予兆を知り、移動する時間を選ぶことで、巻きこまれる可能性を大きく減らすことができる。

だが万一巻きこまれたときには、次のことを覚えておこう。斜面を横に移動する、素早く行動する、顔を覆う、上に向かって泳ぐよう雪を掘る、そして神に祈る!

◉——氷河とクレバス

氷河をひとりで移動する際の基本ルールは、命にかかわる事態でないかぎり横断しないことだ。氷河は文字通り、氷の川だ。あたりまえの川と同じように、非常にゆっくりした速度ではあるが下に向かって〝流れて〟いる。その下の地形は平坦《へいたん》ではないため、大きな圧力がかかった氷は曲がったりたわんだりし、クレバスと呼ばれる亀裂ができる。ときには数百メートルの深さになることもある。

つねに移動していることと繰り返し降る雪のせいで、クレバスはしばしば雪の橋のようになっていて、人間ひとりの重さで簡単に崩落する。万一だれかがクレバスに落ちても、うしろにいる人間が助けられるように、登山隊はつねにロープで互いをつないでいる。

私はエベレストの悪名高きクンブ氷瀑《ひょうばく》——巨大なクレバスの穴がハチの巣のように開いた、大聖堂ほどの大きさの氷の滝——で、クレバスに落ちたことがある。朝の早い時間だった。私たちは高度五八〇〇メートルのところにいて、私は硬い氷だと思ったところに足を乗せた。体重をかけたとたん、足の下にひびがはいったのがわかった。一瞬の間のあと、私がいるあたりの氷全体が崩れた。私は落ちただけでなく、いっしょに落ちてきた氷の直撃を受けて気絶した。気がついたときには、ロープの先でゆっくりと体が揺れていた。左右には数百メートルもの高さの真っ黒な氷の壁があった。命が助かったのは、仲間とロープでつながっていたからだ。クレバスがどれほど危険で、そして恐ろしいものかを見くびってはいけない。回り道をしよう！

　だが、どうしても氷河を横断しなければならないときは、まず全体の形と特徴をよく観察しよう。同じ氷河は二つとないが、クレバスができやすい場所がある。氷河の端（引っ張られたりこすれたりするため、氷の裂け目が大きくなりやすい）、氷河が谷を蛇行しているところの外側（もっとも強く引っ張られて、張力がかかるのがここ）、くぼんだ斜面の上でこぶのように盛りあがっているところ（下からの圧力）などだ。氷河の上部三分の一ほどは雪がもっとも積もるところなので、クレバスが隠れていることが多い。クレバスはしばしば、平行な線とそこから放射状に広がる短い線を地表にこしらえる。表面から見えているよりもはるかに範囲が広いことが多い。

　雪の橋を通ってクレバスを渡るリスクを考えるときには、季節と気温と明るさを考慮しなければならない。冬の最中には気温が低いので、雪の橋はより堅固になっているはずだ。一方で、春になって気温が上がるとクレバスを見つけやすくなるが、渡るのははるかに危険である。

「万一だれかがクレバスに落ちても、うしろにいる人間が助けられるように、登山隊はつねにロープで互いをつないでいる」

クレバスを渡る

⦿雪と氷の柱

ロープが手元にあるのなら、氷か雪で係船柱の形のものを作るとよい。雪か氷をしっかりと押し固めてキノコの形にする。クレバスに落ちたとき、きみの体重がかかったロープを支えられるくらい、硬く固めること。通常、雪の柱は直径一・五メートル（雪が柔らかい場合は、この倍）、柱から張り出した部分の外径と柱の直径の差が四五センチ、氷の場合は直径三〇センチ以上、同様の差が一五センチ以上でなければならない。

なにか布切れがあれば、体重がかかる側のロープと柱のあいだにはさむとよい。これでロープにかかる圧力が分散されるので、氷や雪が削れるのを防ぐことができる。柱は、小さいよりは大きすぎるほうがいい。ロープが雪の柱を分断してしまうことを考えれば、慎重になりすぎるほうがましだ。また、ロープを巻きつけた丈夫な数本の棒を雪に埋めて、錨の代わりにすることもできる。可能であれば、なにか布を使ってここも負荷を分散させるとよい。

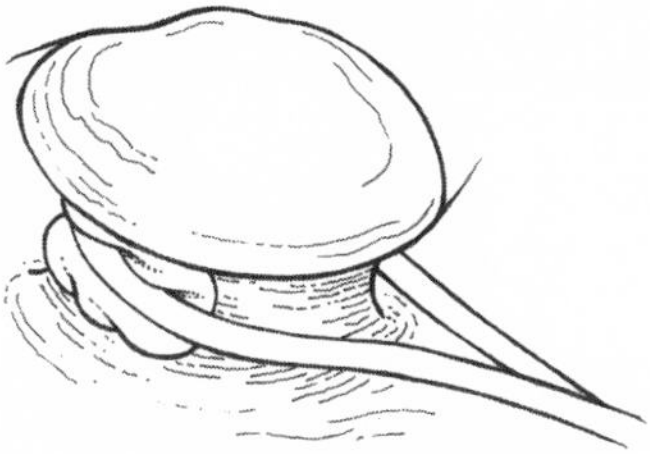

◉結んだロープを使ったテクニック

私は、アルプスの山岳ガイドが最近になって開発したテクニックを試してみた。これはロープ（私の場合は予備パラシュートの索具だった）にいくつもの結び目を作り、そのロープをひきずりながら氷河を横断するというものだ。このロープの先端には、体重に見合う重りをつけておかなければならない。私は雪を入れたパラシュートの一部を使った。平らな地面を歩いているときには、結び目と重りは雪の上をこすりながらついてくるが、クレバスに落ちるとたんに雪に引っかかり、それ以上の落下を防止する。このテクニックが有効であることを私は自ら確かめた。

クレバスから脱出する

現実を認識しよう。深いクレバスに落ち、ロープでつながれてもおらず、自分以外にだれもいないとしたら、脱出できる可能性はごく小さい。落下を生き延びたものの、クレバスをのぼる手段がない場合は、下へおりてみよう。なにもせず、ただ死を待つよりはましだ。運がよければ、ずっと先のほうに出口があるかもしれないし、低い場所の氷河に通じる道があるかもしれない。暗く深い穴におりていくのは恐ろしいだろうが、ほかに方法はない。「運命を分

けたザイル」（訳注　二〇〇三年のイギリス映画）という映画にもなったシウラ・グランデ峰からの脱出の際、ジョー・シンプソンはこの方法で助かっている。

役に立つ豆知識

準備を怠らないこと。クレバスのある地帯を移動する際は、自分で滑落を停止するのであれ、仲間がいるときであれ、プルージック・ノット（50ページ参照）ができるように何本かの短いロープを必ず携行しよう。落ちたときに、脱出を助けてくれる。一本の細いロープをただよじのぼるのはほぼ不可能だが、プルージック・ノットを使うことで、ずりおちることなくロープをのぼれるので、命が助かるかもしれない。そのためのロープがない場合は、靴紐を使ってプルージック・ノットを結ぶとよい。

◉覚えておこう……

・その必要がないかぎり、決してクレバスを横断しないこと。一つの過ちが旅の永遠の終わりを意味することになる。

・可能であれば、気温が低い早朝に移動しよう。太陽が低い位置にあると、クレバスの兆候である色と質感が黒ずんで見える雪のくぼみも、より簡単に見つけることができる。

・氷の橋を見つけたときは、まず棒を使って強度を確かめよう。わずかでも不安があるときは、渡らないこと。

・氷の橋を渡る際は、四つん這いになってできるかぎり体重を分散させよう。クレバスに対し、九〇度の角度で横断すること。

・クレバスを飛び越えるのは、両側の端の位置が確実にわかっている場合にかぎる。

・クレバスに落ちたときは両手両足を広げよう。壁に引っかかって落下を阻止できるかもしれない。

自然の脅威——北極圏

◉——薄い氷

〝薄氷を踏む〟という言い方は、意味もなく使われるようになったわけではない。犬ぞり乗りならだれでも知っているとおり、薄い氷は惨事を意味している。氷を踏み抜いたら、乾いた場所に戻るのは難しく、もし戻れなければ数分のうちに低体温症で死に至る。とりわけ北極の氷は厚さがさまざまに異なるので、割れやすい。割れた氷の隙間は水路と呼ばれ、ここに落ちると非常に危険だ。

氷を踏み抜いたときには、落ちたところまで泳いでいき、アザラシのように氷棚の上に体を引きあげよう。つまり、重心を低くして、体重を分散させるということだ。穴の周辺の氷は薄くてすべりやすく、体を引きあげようとして圧力をかけるとさらに割れる可能性がある。その場合は、氷が体重を支えられるくらい厚くなっている場所まで、奥へ奥へと氷を割りながら進んでいく。

私は氷の穴に落ちるという災難をこれまで四回経験している。高い山にある凍った湖に落ちると、非常に危険だ。必ず回り道できるはずなので、そういうルートを見つけて迂回《うかい》しよう。氷点下で水に落ちると、人間はそのショックでまず反射的に息を呑む。そのため水を肺に吸いこんでしまい、結果として溺れることになる。つぎに、水の冷たさによって心不全が引き起こされる可能性がある。最後がもっとも大きな問題で、寒さのせいで体が麻痺《まひ》して無力になる。一、二分もすると全身の感覚がなくなり、体をうまく動かせなくなり、氷の上に這いあがるだけの力も奪われてしまう。

凍った湖に落ちたときに生き延びるコツは、アドレナリンが作用しているあいだに素早く行動することだ。冷静さを保ち（言うは易《やす》く、行うは難し）、呼吸をコントロールする。リュックサックを背負っている場合ははずし、向きを変えて落ちた場所に戻る——きみの体重を支えられるくらい厚い氷が確実にあることがわかっているのはそこだけだからだ。次になにか鋭いもの（ナイフかストックの先端など）を氷に突き立て、じりじりと体を引きあげるとよい。安全な場所にたどり着くまで、重心は低くしておくこと。私は素手だけで穴から這いあがったことがあるが、かなり大変だった。

次にするべきことは、濡れた服を脱いで乾かすことだ。着替えの服がないときは、着ているものを脱いで粉雪のなかで転がし、水分を吸収させてから雪を振り払うとよい。再びその服を身につけ、体が温まるように動きまわろう。温まったらシェルターを探し、服が乾くまで動き続けよう。長い時間がかかるだろう。私がアルプスで氷の穴に落ちたときは、たまたまその前に焚き火をおこしていたので、穴からあがってすぐに服を乾かすことができた。火がない場合は、服を〝フリーズドライ〟することもできる。脱いだ服を凍らせ、ぱりぱりになったところで氷を振り払う。

シャクルトン探険隊の隊員のひとりはある夜眠っていたときに氷盤から落ち、その後一二時間、凍死を免れるために、小さな氷の塊の上でひたすら歩き続けたという。だが彼は生き延びた。

◉——積氷と氷脈

北極圏には、巨大な氷や雪の塊が積み重なり、まるで放棄された建築現場のような積氷の山があちこちに見られる。大きな氷盤がぶつかりあってできたもので、それまで平らだったところに、なんの前触れもなく現われることもある。どこかでキャンプをし、目覚めてみると巨大な積氷の山に囲まれているといったことは、北極では珍しくない。

氷脈も似たようなものだが、こちらは水路が閉じ、両側の氷の一方がもう一方の上に押しあげられてできる。その圧力によって、氷の塊が宙に持ちあげられるのだ。でこぼこした地形を歩くと、足首をひねったり、もっと大きな怪我をしたりする危険があるので、こういった場所は極力避け、より平坦なところを歩くようにしよう。ほかのルートがない場合は、時間をかけて慎重に進むこと。

霧

北極はよく霧が出る。春にはことに悩まされる。浮氷群の端のほうの水路が広くなると、霧が出やすくなる。開水面が広いと、南からの温かな空気と海面の温度のあいだで気温勾配が大きくなり、それが凝結して霧になる。このような状況では、実際に足を乗せるまで水路と薄い氷を見分けるのは難しい。霧が出ているときは、さらなる用心が必要である。

「高い山にある凍った湖では、命を落とす危険がある。必ず回り道ができるはずなので、そういうルートを見つけて迂回しよう」

自然の脅威――南極圏

南極圏には、北極圏と氷点下の山岳地帯と同じ危険がほとんどある。だが、この地域にはとりわけ危険な要素が一つある。体感温度だ。地形学的な条件のせいで、南極大陸は大きく異なる二つの気候帯に分かれている。比較的穏やかな気候の内陸部とそれ以外の場所だ。後者は、地球上でもっとも風が強い地域の一つで、コモンウェルス湾にあるデニソン岬の年間平均風速は、秒速二二メートルに達する。この地を旅する際は、必要なときに風を避けられるかどうかが問題となる。

健康の問題

どのような環境下であれ、サバイバルの最大の敵は寒さだ。低体温症は、体から失われる熱のほうが作り出される熱より多くなり、深部体温が通常の摂氏三七度よりさがって摂氏三五度以下になると発症する。高地になるほど寒さの影響が大きいので、登山者は特に注意が必要だが、気温が〇度以上の場所でも発症することはしばしばある。つねに氷点下の地域では、危険性はさらに増す。

寒さは命を脅かす敵であり、支配される前にその影響を最小限にとどめる必要がある。寒冷地で生き残るためには、手遅れになる前に問題を解決することが大きな鍵となる。体を温かく保つことはときに重労働で、凍傷にかからないようにするには、爪先を動かしたり、指を曲げ伸ばししたりといった動きをずっと続けていなければならない。体の先端を温かく保つことは、意志の戦いにほかならない。すべてをあきらめ、感覚がなくなっていくのに任せてしまえばいいという弱気と戦い、足や手を動かし続けなければならない。

もう一度言おう。重要なのは、兆候に気づき、手遅れになる前——暖めることが不可能になる前——に行動を起こすことだ。手が冷たくなりはじめているのがわかったら、ズボンのなかや脇の下に入れる。だれかがいっしょにいるのなら、その腹に足を乗せる。私は自分の腹を貸してやったことがあるが、それでその相手は足の指を失わずにすんだ。気づいたらすぐに行動しよう。必要に迫られる前に。

「体の先端を温かく保つことは、意志の戦いにほかならない。すべてをあきらめ、感覚がなくなっていくのに任せてしまえばいいという弱気と戦い、足や手を動かし続けなければならない」

低体温症

熱を保つには、まずそれが失われないようにするのが最良の方策だ。従って、体温が奪われる原因を知っておくことが重要になる。その原因は五つ、放熱、伝導、対流、蒸発、そして呼吸だ。つまり私たちは、周辺の空気を温めるヒーターのように熱を失い（放熱）、雪のような冷たい物体にじかに触れることで熱を失い（伝導）、周辺の冷たい空気と熱を交換することで失い（対流）、汗をかくことで熱を失い（蒸発）、冷たい空気を体内に取りこんで、水分と共に吐き出すことで熱を失っている（呼吸）。

低体温症の大きな原因は周囲の気温だが、水と風によってその影響が大きくなる。前に述べたとおり、水は空気より五〇倍も早く体温を奪うので、低体温症にならない一番の方法は濡れないようにすることだ。川にはいらないようにするのはもちろんのこと、汗をかくことも同じくらい危険だと考えよう。汗が冷えて凍りはじめると、急速に体温が奪われる。体が温まってきたら着るものを減らし、冷えてきたらまた着るようにしよう。自分の体温を意識し、コントロールすることが大切だ。寒冷地では、その意識が生死を分ける。

体温が真っ先に奪われる場所は、周辺の環境に直接触れ、もっとも多くの量の血液が体表近くを流れている四肢だ。脳には大量の血液が流れこんでいるので、体温の三〇％は頭と首から失われる。だからこの部分はしっかりと保護しなければならない。

深部体温がさがると、体内のセンサーが働いて、手を温かく保つ努力を放棄する。手は、生命維持に不可欠ではないからだ。だが脳がなくては生きていくことができないので、頭部は最後まで温かく保とうとする。頭部の熱が失われ続けると、やがて意識を失い、死に至ることになる。従って、頭には常になにかをかぶって保護すること。

脱水、空腹、及び睡眠不足によって体温を保つ能力が衰えるので、つねに注意を払う。脱水を起こすと、手足の指を温めるための血液の量が減るので、凍傷にかかる危険性が大きくなる。

低体温症の兆候

体が急速に冷えていることを示す最初の兆候が震えだ。これは、筋肉の収縮と弛緩《しかん》を素早く繰り返すことで熱を発生させようとする、生命維持のための体の自動メカニズムである。このままなにもせずにいると、震えはひどくなり、皮膚は青ざめ、脳はまともにものが考えられなくなる。暖かいと錯覚することもある。やがて意識を失い、昏睡《こんすい》に陥って、心臓が動きを止める。精神状態の混乱が低体温症の最初の確かな兆しだが、ひとりで行動している場合、この症状に気づくためには脳が正常に働いている必要がある。従って、この初期の兆候に気づいて、素早く行動することが重要である。

凍傷

凍傷は、深部体温を保つために体の先端部分（まずは足と手だ）に送られる血液が減り、その結果細胞が凍ることで起きる。凍傷にかかった箇所はまずしびれてちくちくしはじめ、皮膚が白っぽく蝋《ろう》のようになる。やがて皮膚が赤みを帯びて腫れ、濃い色の斑点ができ、最後は黒くなる。血液の通わなくなった手足が敗血症を起こし、全身に影響が及ぶこともある。

表皮だけの軽い凍傷（しもやけ）は、早く処置をすればなんの悪影響も残すことなく治癒するが、より深い部分の細胞が凍ってしまうと事態は深刻だ。サバイバル状況で重症の凍傷にかかった場合は、前述のとおり、救助が来るまでそのままにしておいたほうがいい。凍った手足で何日も歩き続けて助かった人間は大勢いるが、凍ったところが溶けていたら、歩くことはできなかっただろう。彼らは手足や、ときには鼻も失ったが、命は助かった。

「凍傷は、深部体温を保つために体の先端部分に送られる血液が減ることで起きる」

標高八〇〇〇メートルのエベレストに取り残された登山家ベック・ウェザーズの例を取りあげよう。瀕死《ひんし》の状態で座っていた彼は、目を閉じてしまえば、二度と目覚めないことを悟った。腫れあがったまぶたのあいだからまたたく光を見て取り、もう一度家族に会うためには、立ち上がって歩かなければならないことを知った。彼は凍った肉の塊と化した足でよろめきながら立ち上がり、歩きはじめた。テントを見つけるか、山の斜面から足を踏みはずすまで歩き続けるつもりだったと、のちに彼は語ったが、見つけたのはテントだった。彼の意志と気力が凍った足に打ち勝ったのだ。両手と両足、そして鼻を失ったが、彼は人生を取り戻した。

凍傷を避けるには

どれほど上等の衣類であっても、濡れていると体温を奪う。なにをおいても、道具と服は濡らさないようにしよう。

靴はつねに雪に触れているので、とりわけ足は寒さと湿気にさらされやすい。たとえ定期的に靴下を履き替えなければならないとしても、靴下と靴の内側を乾いた状態に保てるように、あらゆる手立てを尽くそう。SAS（英国陸軍特殊部隊）では、履き替えた靴下をズボンに吊るして乾かした。靴がきつすぎると、なかで空気が循環せず、足が凍えやすくなるから注意する。

夜には、靴を外気にさらないようにしよう。靴を脱いで眠るなら、シェルターのなかに持ってはいり、体の脇に置いておくとよい。手袋はつねにはめ、濡らさないようにする。皮膚が凍った表面に貼りついてしまうので、マグカップ、アイゼン、テントのペグなどの金属に素手で触ってはいけない。

服に雪をつけたままシェルターにはいらないこと。シェルター内部の暖かな空気で雪が溶け、服を濡らしてしまう。はいる前によくはらっておこう。草や下生えなど手にはいるものを使って、服とシェルターを断熱するとよい。ワラビ、松葉、ブナの葉などはいずれも上等の断熱材になる。

きみの目的は、体を暖かく、乾いた状態に保つことと、血液をうまく循環させることだ。魚に多く含まれるオメガ3脂肪酸は血液をさらさらにする効果があるので、循環を助ける。数分おきに手足を動かすようにしよう。酷寒の地では厳しく自分を律し、手足だけでなく動かせるあらゆる部分を定期的に動かすことが重要だ。

雪眼炎

雪に反射した日光は有害な影響が増幅されて、雪眼炎を引き起こすことがある。紫外線が角膜を焼いてしまうことが原因だ。症状としては目の充血、炎症、黄色い目やに、頭痛、目のかすみのあとに続く一時的な視界不良などがある。私はヒマラヤのローツェ山の上で、雪眼炎で目が焼けるのと同時に低温のせいで凍ってしまい、失明した登山者を見たことがある。

ごく細い切りこみを入れた樹皮や布で、ゴーグルは簡単に作ることができるし、目の下に炭を塗ると、反射を減らすこともできる。必要ないように思える曇天の際も対処は怠らないこと。保護はつねに必要で、油断したせいで雪眼炎になることがしばしばある。

「皮膚が凍った表面に貼りついてしまうので、マグカップ、アイゼン、テントのペグなどの金属に素手で触ってはいけない」

ベアの必須要件

氷点下でのサバイバル

ルール1▼暖かく、乾いた状態を保つ

低体温症は氷点下で命を奪う原因の第一位である。だが外気温が死に直結するわけではなく、風と水分によってその影響が増幅されることが大きな要因となる。従って、風を避け、乾いた状態を保つようにしよう。手足と頭部に注意をはらい、子どものようにいたわってやろう。

ルール2▼雪のシェルターを作る

身を守るために、まわりにあるものを利用しよう。雪を最悪の敵ではなく、一番の友人にしなくてはいけない。もっとも基本的な雪のシェルターは、手早く簡単に作ることができる。雪は自然界で一番の断熱材であることを覚えておこう。熊はそのなかで冬眠するのだから、居心地が悪いはずがない！

ルール3▼ストックを作る

雪と氷に囲まれた環境では、体を支え、保護し、突き刺すための道具はなくてはならないものだ。薄い氷の穴やクレバスに落ちるのを防いでくれ、滑落を阻止してくれ、山岳地帯をより速く、楽に移動する手助けをしてくれる。

ルール4▼かんじきを作る

深い雪の上を移動する際は、体重を分散する必要がある。丈夫でしなやかな素材から作ったかんじきを、足の裏にくくりつけるとよい。想像するより、実際に作るほうが簡単だ！

ルール5▼決してあきらめない

すべてをあきらめ、丸くなって横たわっていたいという誘惑は、断固として退けなければならない。酷寒でのサバイバルには強い意志が欠かせない。だがきみのなかには、そのために必要なものが備わっている。きみがこの世に生まれてくるためには、五億の競争相手を負かさなければならなかったことを思い出してほしい。きみは本質的に勝者なのだ。信じよう。そうすれば必ず生き延びることができるだろう。

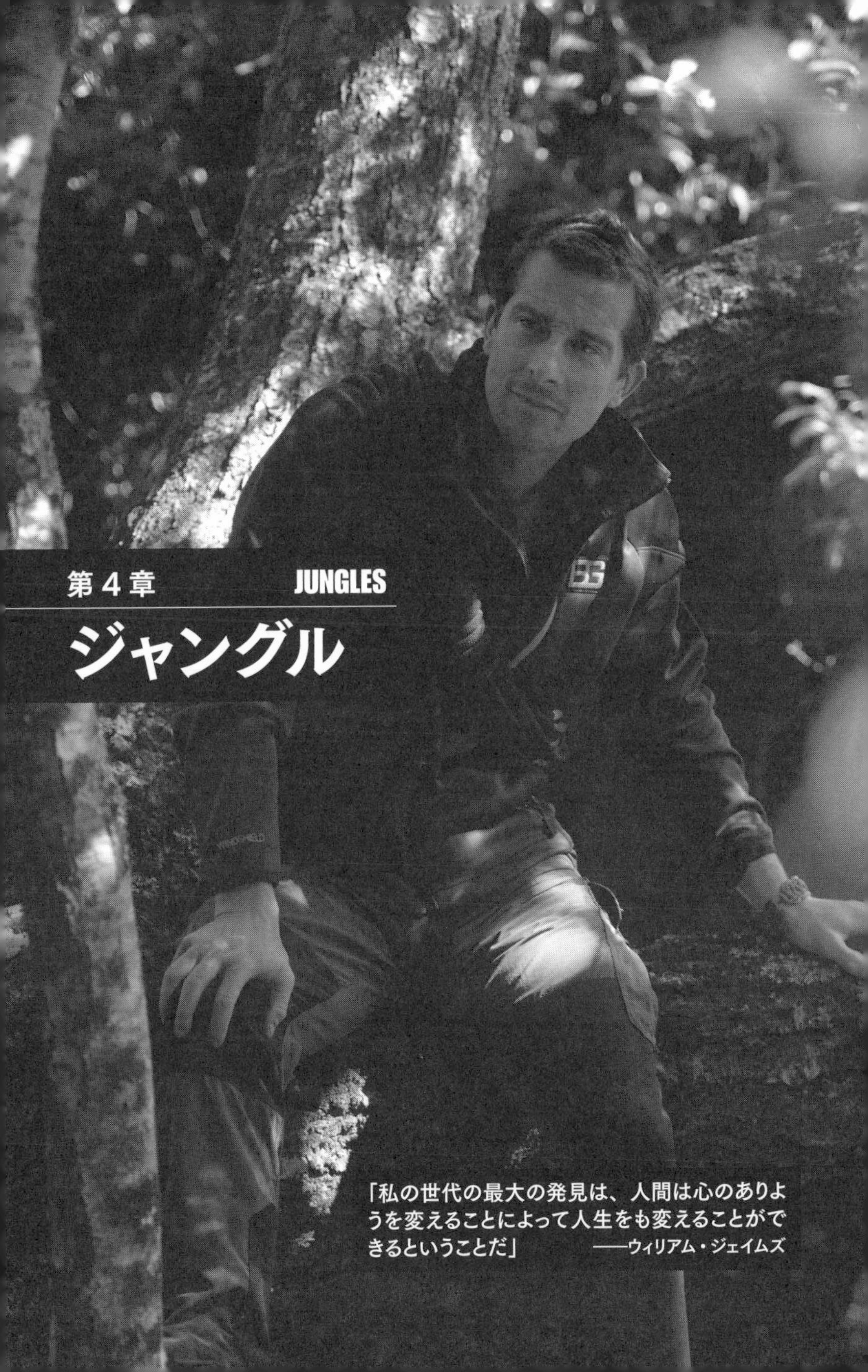

第４章　JUNGLES

ジャングル

「私の世代の最大の発見は、人間は心のありようを変えることによって人生をも変えることができるということだ」
——ウィリアム・ジェイムズ

〝ジャングル〟という言葉には、危険をにおわす不吉な響きがある。ひとりの人間が必要とする物事など歯牙にもかけない、はるかに大きくて複雑で時に邪悪な力、無力感に呑《の》みこまれるとき、人は都会をジャングルと呼ぶ。

自分の〝快適域〟を創ることも、制御することもできない私たちが、地球上でもっとも複雑な生態系の一つに突然放り込まれるわけだから、本物のジャングルにひとり取り残された人間は、こんなふうに感じるにちがいない。

◉

ジャングルは、熱帯地方にある人跡未踏の森だと定義できる場合もある。緯度や高度、地形によって気候条件が異なるため、生態系も多種多様だ。南アメリカのアマゾンやアフリカのコンゴなど、赤道付近の熱帯雨林もあれば、赤道をはさんで南北一〇度ずつの地域にある亜熱帯性熱帯雨林もある。中央及び南アメリカと東南アジアのかなりの部分が、この地域に含まれる。

こういったジャングルの特徴は、高温と多雨とうだるような蒸し暑さだ。雨はしばしば雷を伴う豪雨となり、洪水を引き起こすことがある。温帯地域では夏と冬のあいだにいくつもの季節があるが、ジャングルでは雨季と乾季が交互にあるだけだ。乾季であっても雨は降り、雨季には豪雨になる。嵐は突如としてやってきて、そして去っていく。昼と夜の長さは同じで、夕方には闇が一気に広がり、朝はいきなり夜が明ける。

命を育むための重要な要素（つまり水、安定した高温、日光）の組み合わせが理想的なため、一平方センチあたりに存在する生命体の数は、地球上のどの地域よりも多い。人間がジャングルを怖がるのはそのせいだ。ジャングルは文字通り、想像し得るかぎりの動物や昆虫の温床であり、人間がいまだ発見していない生物も数多い。

私たちの祖先が何千年も前に見捨てたその場所で生き延びるためには、この豊かな自然と共に生きる術《すべ》を学ばなければならない。そこはもはや私たちのテリトリーではなくなっているから、ほかの生き物たちのルールをできるだけ早く学ぶ必要がある。

ジャングルで生き延びる最大のコツは、ものの考え方をそこに適応させることだ。ゆっくりと行動し、あれこれと悩むのはやめる。最初のうち、汗まみれになって体中を虫に刺されたときには、ここは毒のある怪物と汚泥のたまり場だと思うかもしれないが、ほかでは経験できないすばらしい日々なのだというように考える。

ジャングルにはサバイバルに必要なものが、すべてそろっている。食料、シェルター、水、火、道具。戦うのではなく、順応するのだ。いまのきみは、ジャングルの食物連鎖の一部だ。だが頭とスキルと強さを正しく使えば、食物連鎖の頂点に立つことができる。

ジャングルに住む恐ろしいヘビや肉食のジャガーでさえ、自分がなにを食べるべきなのかを知っていて、それ以外のものは食べない。驚いたり追いつめられたりしなければ、ヘビが攻撃してくることはない。そういった習性を知り、利用し、恐れなければ、きみはジャングルの王になれる。その考え方を忘れなければ、きっと生き延びて、再び家に帰れる日がくるだろう。

最初は、野生生物や這《は》いまわる虫や樹液が滴る巨大な木などの大きさや迫力に圧倒されるかもしれない。それどころか、そのせいで気が変になりかけた兵士たちを私は見ている。そんなときは、二〇〇三年、コスタリカにあるコルコバード国立公園で叔父《おじ》とはぐれた、一七歳のマルコス・マルティネス・エレーラのことを思い出すといい。マルコスはその後一三日間、ひとりでジャングルをさまよった。四〇キロメートル以上離れた場所で救出されたときにマルコスは、野生動物がたてる物音に怯《おび》えながら、眠ることもできずに過ごした夜の恐怖を語った。赤十字の救助隊員ですら、生き延びたのは奇跡だと評した。だが、マルコスの内にあるなにかが、生きようとする気力の火を燃やし続けた。マルコスは祈り、本能に従い、決して希望を捨てなかった。

マルコスには、つらさや不快な環境を改善する手立てが、いくらでもあったはずだ。しかし、極限の状態を生き延びるためにもっとも重要なものが知識ではないことを、この経験が物語っている。サバイバルの知識は非常に役立つが、最後は生きようとする意思と精神的姿勢を適応させる能力が、物事を決定的に左右するのだ。

マルコス・マルティネス・エレーラ同様、はじめてジャングルに足を踏み入れた人間にとって、恐怖はごくあたりまえの反応だ。だが恐怖はなんの助けにもならない。役立つのは警戒を怠らないことと、注意深さだ。なにか行動を起こす前に、もう一度よく考えよう。丸太に座る前には、そのまわりを確認する。横になる前に、地面になにもないことを棒で確かめる。川で用を足す前に、木の枝にもたれかかる前に、もう一度考え、観察する。たちの悪い生き物に一度嚙《か》まれただけで、命取りになることもあるのだ。ジャングルではあらゆる行動が、なにかの動物や植物、あるいはきみに影響を及ぼすことを忘れてはいけない。

ジャングルは大好きになるか、大嫌いかのどちらかだという。だがサバイバル状況においては、選択肢はない。大好きになろう。ジャングルに順応し、この章に記されているすべてのテクニックを駆使すれば、必ず生きて脱出できる。

「マルコス・マルティネス・エレーラ同様、はじめてジャングルに足を踏み入れた人間にとって、恐怖はごくあたりまえの反応だ。だが恐怖はなんの助けにもならない。役立つのは警戒を怠らないことと、注意深さだ」

シェルターを作る

最初にすべきことは、シェルター作りだ。シェルターを作ることで気持ちが落ち着き、気力も回復するだろう。暑さや湿気だけでなく、嚙んだり、もぞもぞと這いまわったり、のたくったりする生き物の攻撃にさらされる環境なので、シェルターを作れば、自分はジャングルにコントロールされているのではなく、状況をコントロールしていると思えるようになるはずだ。

シェルターはまた、第1章（16～21ページ参照）で述べた精神的な葛藤に勝つ手助けをしてくれる。サバイバルに必要な日々の仕事に集中できるようになるだけでなく、どんな困難でも乗り越えるという決意を持ち続けるのに役立つのだ。

地形を知る

熱帯地方では突然夜がやってくるので、昼間を有効に使うことが重要だ。調べられるあいだに、あたりの地形を調べておこう。貴重な時間と労力を使ってシェルターを作ったにもかかわらず、その場所がまちがっていたことにあとになって気づくと、膨大な気力とエネルギーが奪われる。ジャングルのシェルターは立地がすべてだ。

シェルターの場所は慎重に考える必要がある。ジャングルの地形を最大限に利用しよう。高い場所を選び、あらゆる水源から十分な距離（少なくとも数百メートル）を置く。そうすることで、突然の豪雨による洪水から身を守ることができる。洪水に呑みこまれれば、きみもきみのシェルターもあっという間に流されてしまう。〝熱帯雨林〟の雨は激しく降る。豪雨に慣れ、対策を練ろう。雨を嘆くのではなく、のんびりと眺めるのもいいものだ。

高い場所のシェルターは、水飲み場への動物の通り道をふさぐおそれが小さいという利点もある。蚊が寄ってくるような水たまりもできにくい。

シェルターには、体を濡《ぬ》らさないことにくわえ、這ったり、のたくったり、行進したり、噛んだりするあらゆる生き物の攻撃から身を守る目的もある。だから、シェルターを作る際の最初の仕事は、そういった生き物が極力いない場所を見つけることだ。

ダニが群れを成しているかもしれないので、草の多い場所は避けよう。また、シェルターの候補地をアリが横切っていないかどうかは、必ず確認すること。アリはもうひとりのジャングルのジャングルの王だ。それどころか、アリがいなければ、ジャングルは半年もしないうちに落ちた葉で窒息死してしまうだろう。アリは一年中、夜となく昼となく働き続け、群れが移動するときには、途中にあるものすべてをきれいさっぱり片付けてしまう。きみの野営地が片付けられないようにしよう。

野営するときには、大きな木の枝が頭上に張り出している樹冠に注意しよう。枯れた枝やココナッツやヒルなどが落ちてくる可能性があるし、実際しきりに落ちてくる。ジャングルでは、落ちてきた枝が当たっただけで命を落とす人間がかなり多い。私はその話を信じていなかった――実際にジャングルに行ってみるまでは。ジャングルを移動していると、サルが物音を聞きつけて様子を見にやってくる。蔓《つる》植物を伝ってくるので、枯れた枝がつぎつぎに降ってくるという寸法だ。落ちてくる丸太にはなにより気をつけよう……これほどみっともない死に方はない！　最後に長い棒を使って、地面を覆っている木の葉や堆積物を片付けるとよい。

「〝熱帯雨林〟の雨は激しく降る。豪雨に慣れ、対策を練ろう。雨を嘆くのではなく、のんびりと眺めるのもいいものだ」

材料

木、蔓、竹

ジャングルでは、シェルターの材料は豊富にある。しなやかな若木は見つけるのが簡単なうえ、シェルターとベッドの柱として使うことができる。ほとんどのジャングルで、校長先生の杖《つえ》ほどのものから二五メートルもの高さにそびえる巨大なものまで、あらゆるサイズの竹が見つかるはずだ。

また、手近なところにターザンが移動するときに使っていたような蔓があるはずなので、材料となる木を結んでシェルターの枠組みを作るとよい。大きな葉は屋根ふき材になるし、苔《こけ》やそのほかの地面に生える植物は、ベッドの詰め物に最適だ。

役に立つ豆知識

強く、軽く、そのうえしなやかなので、竹は建築材料として重宝されている。だが、切り倒すときには慎重に行おう。竹は密集して生えることが多く、いきなり裂けて怪我《けが》をすることがある。また根本の鋭いひげは皮膚を刺激するので、それにも注意が必要だ。

葉

ジャングルには、想像し得るあらゆる形状、大きさ、質感の葉もまた、ふんだんに用意されている。若木を格子に組んだものに葉をからませて（必ず下から重ねていくこと）屋根や壁を作ると、すばらしい雨よけになる。ニッパヤシの葉——先端が針のように曲がった葉が服に引っかかり、歩く邪魔をするので〝ちょっと待って草〟とも呼ばれる

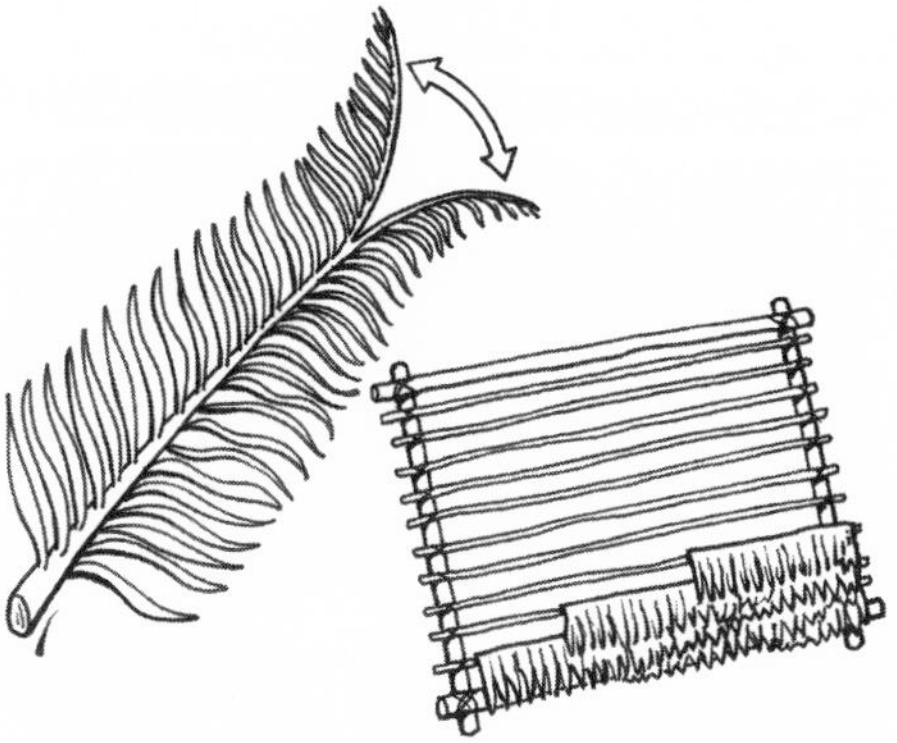

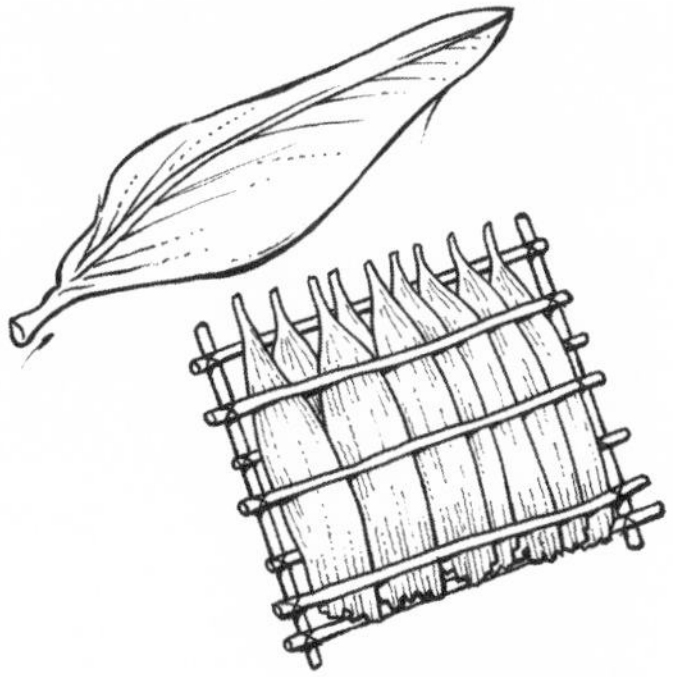

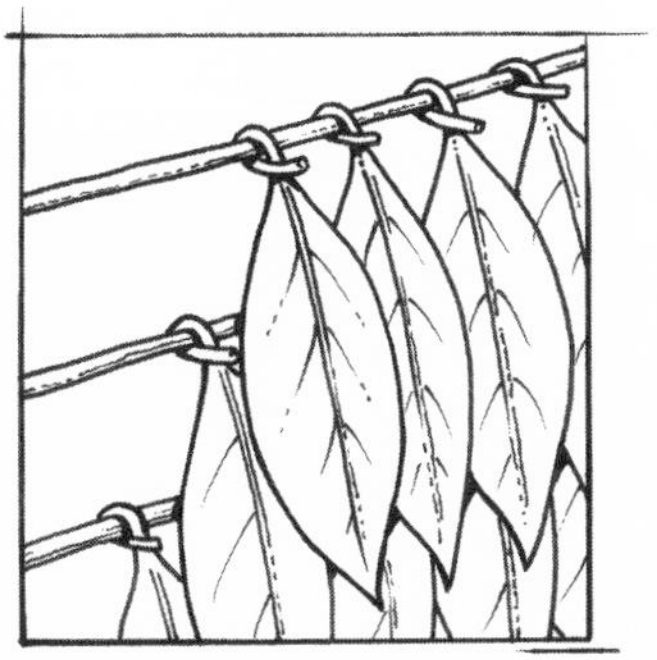

——は、原住民の人々が屋根を葺《ふ》く際にもっともよく使われている。ニッパヤシは長い茎の両側にたくさんの葉がついた、巨大な羽根のような形状をしている。茎を先端から根本に向かって半分に裂くと、屋根や壁の枠に簡単に編みこんでいくことができる。葉の先端は非常に鋭いので注意すること。シェルターの屋根を覆うのに、三〇分もかからないはずだ。葉が大きければ大きいほど、作業は簡単になる。

エレファント・グラスとヤシの葉

大型植物の長くて幅のある葉は、木で作った格子に編みこんで壁や天井、熱反射器などを作るのに重宝する。たとえば、細い竹のような茎を持ち、四メートルほどの高さになるエレファント・グラスもその一つだ。茎の長いヤシの葉も優れた材料であり、葉に切れこみがはいっているようなジャングルの植物（観賞用になっているホウライショウなど）は、格子に編みこみやすい。

シェルターの種類

どういうシェルターを作るかは、だいたいの場合、そこにどれぐらいとどまるつもりなのかと手にはいる材料に左右される。ジャングルは湿度が高く、強風が吹くことはめったにないので、第一に考えなければならないのは雨への備えだ。

シェルターを作るときは、防水布やビニールシート、紐《ひも》やナイフといった道具があれば役立つ。雨を避けられ、なおかつ風が通るような間に合わせのシェルターを作るのに、理想的な材料になる。

私は何度か、一本のナイフと水筒だけを持ってジャングルに踏み入ったことがある。山刀も、蚊帳《かや》も、ハンモックも、防水布もなく、普段なら常に持ち歩いている火打ち道具すらなかった。なにもかもが非常に困難で、とりわけ火をおこすのが大変だったが、蔓と木の枝と葉だけでかなり居心地のいいシェルターを作ることができた。ここでも工夫が大事だ。どこを探せばいいのかがわかっていて、想像力を働かせることさえできれば、ほかのどの地域よりも、ジャングルには必要なものがそろっている。

有機物が堆積したジャングルの地面はふわふわかもしれないが、そこには虫やなにかほかの生き物がたくさん潜んでいる。惨めな思いをせずにぐっすり眠りたければ、どのようなシェルターであれ、地面と接触しないようにして、きみを噛む生き物には近づかないことだ。

木や竹の土台に柔らかなヤシや木の葉を敷くだけで、簡単なシェルターを手早く作ることができるが、高さのある寝台にすれば地面に触れずにすむだけでなく、風通しがさらによくなる。

「惨めな思いをせずにぐっすり眠りたければ、どのようなシェルターであれ、地面と接触しないようにして、きみを噛む生き物には近づかないことだ」

仮のシェルター：ひと晩だけのベッド&ブレックファスト

簡単なシェルターはほんの数分で作ることができ、なにもないよりははるかにいい。また、熱帯特有の激しい豪雨からもそれなりに守ってくれる。だが、暗くなる前に取りかかろう。頭上四五メートルのところにジャングルの林冠があると、日が陰りはじめたら、あっという間に暗くなる。準備をしておこう。

シーツのシェルター

二本の木のあいだに紐か蔓を張る。手頃な木がない場合は、二メートル間隔でまっすぐな棒か枝を地面に立てる。防水布かシーツを紐にかけ、一方の端を地面に敷いて、ベッドの下敷きにする。これで床と天井となる覆いができたので、地面に敷いたシーツの両側に石を並べて重石《おもし》にする。もういっぽうの端が地面に届くだけの長さがない場合は、両角に紐をつけ、支え綱になるように地面に打った杭《くい》に結びつける。最後に、屋根の両端に紐をつけ、たるまないように柱代わりの木にしっかりと結べば完成だ。

この簡単なシェルターは、雨を避けられるうえ、湿度の高い場所でも空気を循環させることができる。オーストラリア軍はいまでもジャングルでの作戦には、基本的にはこれと同じ構造の〝おうち《フーチー》〟を使っている。

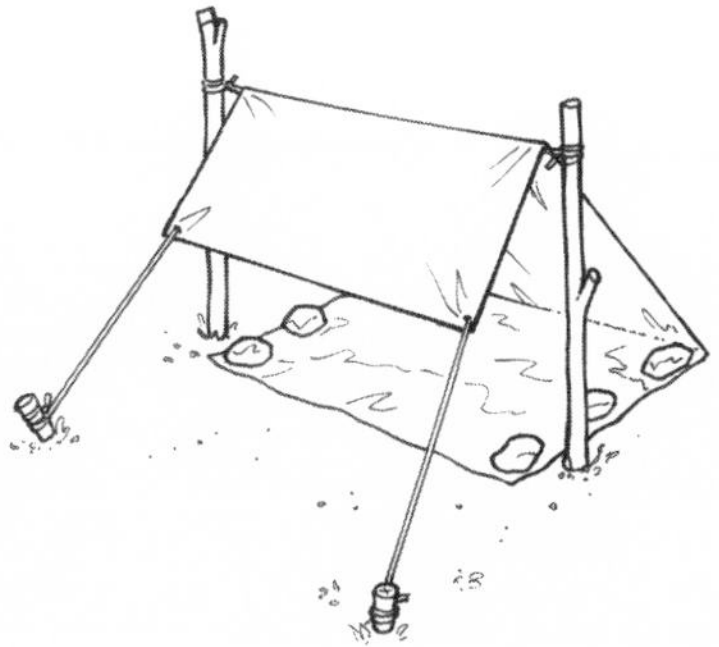

役に立つ豆知識

シェルターのシーツはつねにぴんと張り、地面に対し鋭角を保つこと。雨が速く流れ、生地にしみ込みにくくなる。

倒木のシェルター

倒れて、腐った木の幹の周辺の地面をきれいに片付け、その風下で眠ってもよい。幹の下の浅いくぼみをきれいにして、寝床にしよう。雨水が流れこんでこないように、まわりに排水溝代わりの溝を忘れずに掘ること。

倒れて腐った大木の幹は簡単にくり抜けるので、雨よけには最適のシェルターとなる。どちらの場合でも、同じように倒木を避難所にしているヘビやサソリには注意しよう。まず棒を使って入念に付近を調べ、可能であれば丸太焚《た》き火（32ページ参照）を燃やし続けるとよい。幹に数本の枝をもたせかけて木の葉で覆えば、さらにしっかりと雨を防ぐことができる。

役に立つ豆知識

どちらのシェルターの場合も、弾力性と防御のためにヤシの枝を組み合わせたものを敷くようにしよう。あるいは竹の上に柔らかな枝を乗せ、寝床の位置を高くしてもよい。

愛しの我が家：長持ちするシェルター

Aフレームのベッド

Aフレームは手早く作ることができるだけでなく、少し手を加えることで長期用のシェルターにもなる。まず、二本の棒を逆V字形に結び合わせたものを作って、地面に立てる。これがベッドの片方のフレームになる。まったく同じものをもう一つ作り、一本の棒で二つをつなぐ。これでフレームは完成だ。つぎに、二本の棒のあいだに植物素材（樹皮や蔓）でネットをこしらえて、担架のような寝台をつくり、Aフレームの中央あたりに両端を縛りつける。寝台がAの文字の横棒になる。

できあがったシェルターの上に防水布を広げ、雨がかからないようにする。あるいは、Aフレームに枝を差し掛け、

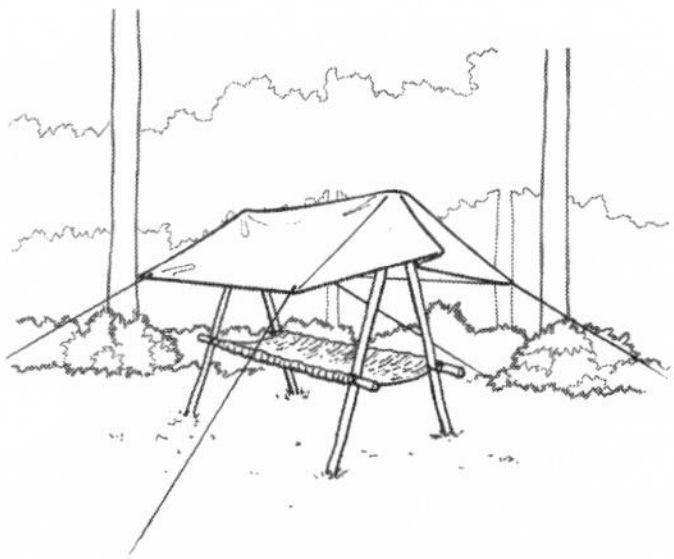

木の葉をかぶせてもよい。

役に立つ豆知識

寝台の軸は、Ａフレームの両側から外に突き出すように固定しよう。夜のあいだ、衣類や靴が地面に触れないようにその部分に吊《つ》るしておけるし、小さなテーブルをそこに置くこともできる。

差し掛け式

長い棒の端を肩の高さで木に結びつけ、もういっぽうの端は地面に置く。二メートル離れたところにある別の木に、最初の棒と平行になるように二本目の棒を結びつけ、その二本をつなぎ横木を取りつける。つづいてイラストのように、枠を補強する棒を何本も結びつけ、屋根と壁の枠組みをこしらえる。手にはいるもっとも大きな葉をその上からかぶせていこう。

シェルターの内側には、竹や木を並べ、柔らかなヤシや木の葉を敷いて、高くなった寝台を作るとよい。ほかの差し掛け式のシェルター同様、このタイプは熱反射器と丸太焚き火（23〜24ページと32ペー

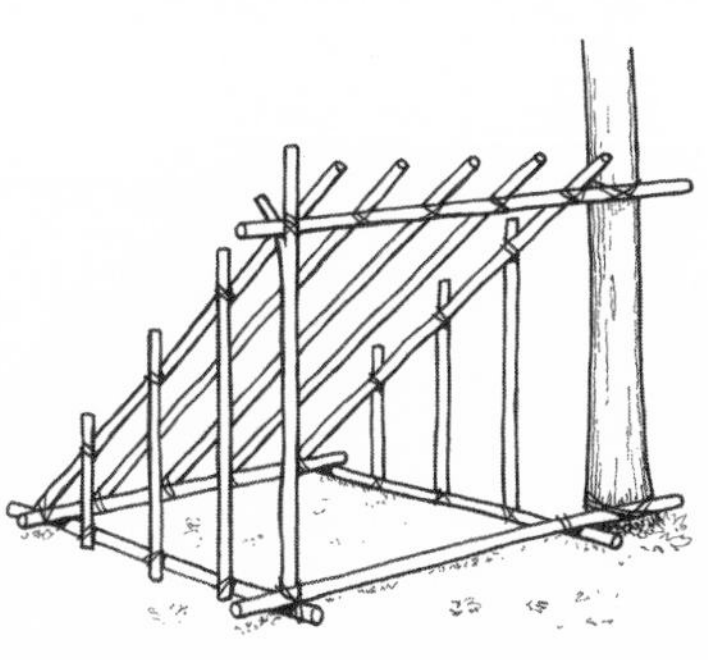

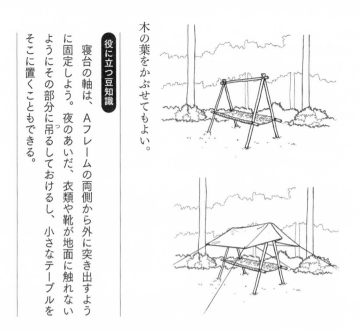

ジ参照）を使うのに適している。

私はこのタイプのシェルターをジャングルで何度も使ってきたが、これがもっとも作るのが簡単だと考えている。一時しのぎのものを作ることもできれば、より手のこんだシェルターにすることもできるが、仕組みは単純だ。サバイバルの世界において、単純であることはなににも勝る。

役に立つ豆知識

手元に竹があるのなら、竹を縦に半分に割り、上下の向きを変えて互い違いに重ねていけば、雨樋《あまどい》つきのすばらしい屋根ができあがる。

ジャングルのシェルターの知恵

- 作業をはじめる前に服を一枚脱いでおくようにすれば、シェルターを作り終えたとき、乾いた服を着ることができる（私は、ジャングルで雨が続き、乾いた服が一枚もなかったという経験をしたことがある。毎晩、焚き火でからだを乾かすようにはしていたが、数日たつ頃には体中がひどくただれた）。健康面だけでなく、士気を保つためにも、できるかぎり衣類は乾いた状態を保つようにしよう（兵士たちは、乾いた服はあらゆる手段を使って乾いたままにしておき、しっかり防水しておくようにと教わる。シェルターができあがったらそれを着て、夜を過ごす。朝には再び湿った服を着て、一日をはじめる）。
- 修理や追加のための材料——たとえば屋根を葺くための木の葉など——は、余分に手元に置いておく。
- 作業をはじめる前に虫やヘビがいないことを入念に確認し、地面の上にじかに寝ないようにする。高くなったベッドを作る時間がないときは、竹や枝を地面に並べ、苔や木の葉で覆うとよい。
- シェルターは乾いた地面の上に作ろう。雨が降っても水が流れこんでこないような手段を講じること。
- 水を飲むために頻繁に使われている可能性があるので、けもの道の近くは避けること。
- 上を見よう。枯れた枝やありがたくない生き物などが、ジャングルの樹冠から落ちてこないことを確認する。

●夜は残り火の上に苔などの燃えにくいものを乗せて、火をくすぶらせておこう。近くに十分な量の薪《まき》を用意しておくとよい。
●シロアリの塚は夜に燃やすには最適だ。私は蚊帳を持っていなかったとき、これのおかげで虫に刺されずにすんだ。長時間燃えているうえ、虫よけの効果がある。
●焚き火の上までシェルターの屋根が届くようにしよう。焚き火と薪にも雨がかからないようにしておく。しばしば忘れがちだが、嵐のなかで火をおこすのは大変だ!
●蔓や紐をずれないようにシーツや防水布に結びつけるには、最初に小さな石を包み、そのまわりに巻きつけるとよい。こうすることで、結び目がずれるのを防ぐことができる。
●地面に近い枝や茂みにぶらさがっている枯れ枝は落ちている枝よりも乾燥しているので、——火口《ほくち》としても使える——材料としては好ましい。
●最後に、氷点下や砂漠地帯とはちがい、ジャングルの大きな利点の一つが、夜が一二時間あるということだ。シェルターを正しく作っていれば、少なくとも睡眠は十分にとることができる。昼間にしっかり働いて、夜はたっぷりと休もう!

水を手に入れる

ジャングルでは、雨と湿気が大きな敵となる。豪雨は前触れもなく突然襲ってきて、ようやくあがったあとは、あまりの湿気に全身汗みずくになる。昼間の湿度は八〇%前後だが、夜にはこれが九五%まであがることがある。毎日、計ったように同じ時刻に(夕暮れ時が多い)、同じ時間だけ雨が降ることも多い。その地の天候のパターンを知り、その予測に従ってシェルターを作ったり、移動したりするようにしよう。

ジャングルで水を見つけるのは、その水を飲めるようにすることに比べればさほど大変ではない。この環境下では、生命体は恐ろしい速さで繁殖する。毒素、ウイルス、嚢胞《のうほう》、バクテリア、寄生虫といったものも例外ではない。従って、水がふんだんにあるからといって、それだけで安心してはいけない。新鮮な雨水か、種類を確実に判別できる植物や木から取ったものでないかぎり、水はすべて汚染されていると仮定するのが、ジャングルにおけるルールだ。

水があるしるし

ジャングルでの主な水源は川と雨水だが、それだけに頼ることはできない。季節や場所、さらにはきみがいるジャングルの地形によっては、数日もしくは数週間も雨が降らないこともあるし、川や干上がった流れすら何日も見つけられないこともあるだろう。そういう場合は自然の手がかりを探すといい。水を探しているのがきみだけではないことを覚えておこう。見上げるような大きな木から、ちっぽけな虫まで、きみのまわりの生態系の生き物すべてが同じように水を求めているのだ。競争相手がなにをしているかをよく観察すれば、そこに手がかりがあるはずだ。

あるいはただ低いほうへ歩いていってもいい。いずれは水の流れにたどり着くだろう。

動物と鳥

動物と鳥は人間と同じように一定量以上の水を必要とするので、彼らが水を飲みたがる朝か夕方の行動を観察することで、しばしば水のある場所がわかる。密集した下生えのせいで、彼らの姿が見えなかったり、あとを追うことができなかったりする場合は、足跡をたどっていけば、やがて水場にたどり着く。複数の足跡が合流していれば、さらにその可能性は高い。

虫

ジャングルにいるあらゆる虫は近くに水飲み場を持っているので、木の裂け目に向かって行進していくアリや、木の穴にはいっていくハチや（巣が近くにないことを確認しよう）、群れているハエなどを探そう。その先に水が見つかる可能性がある。

「新鮮な雨水か、種類を確実に判別できる植物や木から取ったものでないかぎり、水はすべて汚染されていると仮定しよう」

◉水源：雨水をためる

防水布

雨水を集めるのはもっとも楽で手っ取り早く、ジャングルで飲用水を手に入れる最適の方法だ。防水布があれば、中央をたるませて四隅を木に結びつけるだけでいい。激しい雨が数分も続けばかなりの量の雨がたまるので、その水を水筒かコップに移す。容器がない場合は、頭を使おう。大きな葉を丸めれば、夜のあいだに飲む水をためておくコップになる。通常雨水は、浄化しなくても飲むことができる。

木の葉

ジャングルの木の大きな葉を丸めてじょうごにし、雨水が容器にたまるようにするとよい。大きく広げるほど、多くの雨水を集めることができる。

水の穴

以前に水があった地面には、それほど深くないところにまだ水が残っていることが多い。期待の持てそうな場所を見つけたら、

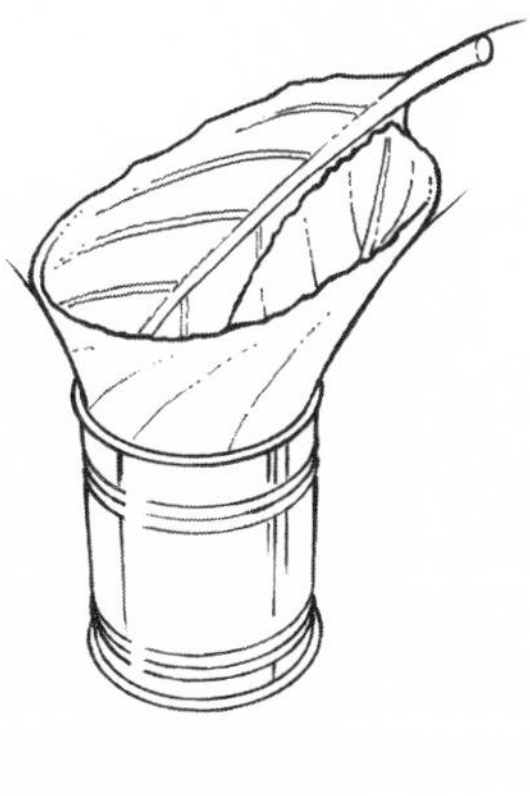

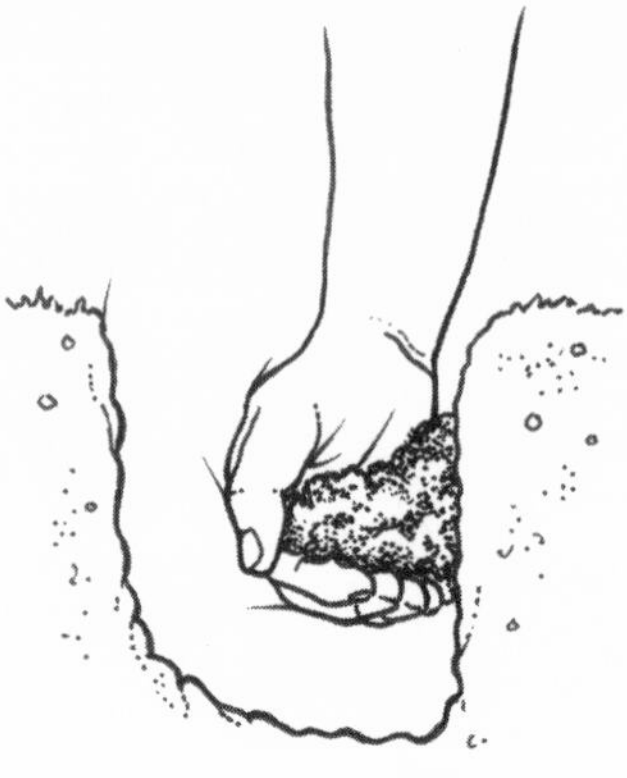

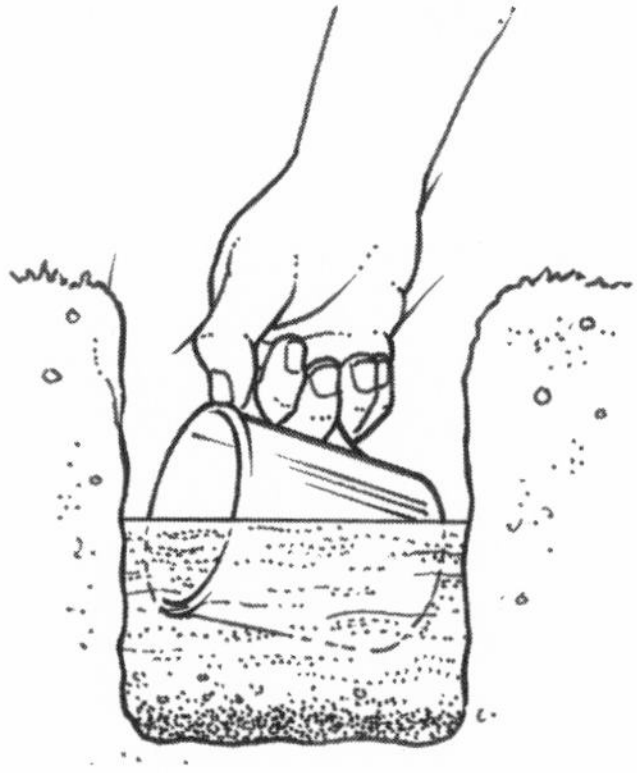

土が湿っているか、あるいは水がにじみ出てくるあたりまで掘り、ひと晩そのままにしておけば、朝には水がたまっているはずだ。この方法で集めた水は濾過《ろか》したのち、煮沸して浄化する必要がある。雨で火をおこせない場合は、焚き火のあとの炭を入れた靴下で濾《こ》すとよい。

蒸散

ビニールの袋を使って、熱帯植物の葉が〝吐き出した〟少量の水を集めることができる（94～95ページと232ページ参照）。

水源：植物

あらゆる生物同様、ジャングルの植物も大部分が水からできている。雨がしばらく降らないときは、植物や木は貴重な水源になる。

蔓植物

蔓植物の多くは水を含んでいるが、飲んでいいものと飲むべきではないものを慎重に見分けることが重要だ。蔓は毛細管現象によって根から水を吸いあげ、光を求めて上へと伸びている先端へと運んでいく。蔓の先と根本を切ることで、毛細管内部の水を手に入れることができる。もっとも大量の水を得られるのは、成長している先端が水を一番必要とする昼間だ。

まず蔓の先端に近い部分に深い切れ目を入れてから、根に近いところで切断する。これで水を吸い上げていた毛細管現象が止まるので、内部の水は重力によって下へと落ちてくる。蔓を口の上で持ち、滴ってきた水がきれいなことを確かめてから、飲むようにしよう。

肌に刺激を与える恐れがあるので、蔓が口に触れないようにすること。水が滴ってこなくなったら、先端の切れ目の五センチほど上をもう一度切って、同じことを繰り返してみよう。樹液が赤や黄色がかっていたり、べたついていたり、白く濁っていたり、苦かったりしたら、すぐに吐き出すこと。私はジャングルで移動中に、しばしば蔓の水を飲んだ。安全であることがわかっていたし、見つけるのも簡単なので、移動中に水分を補給するには最適だ。

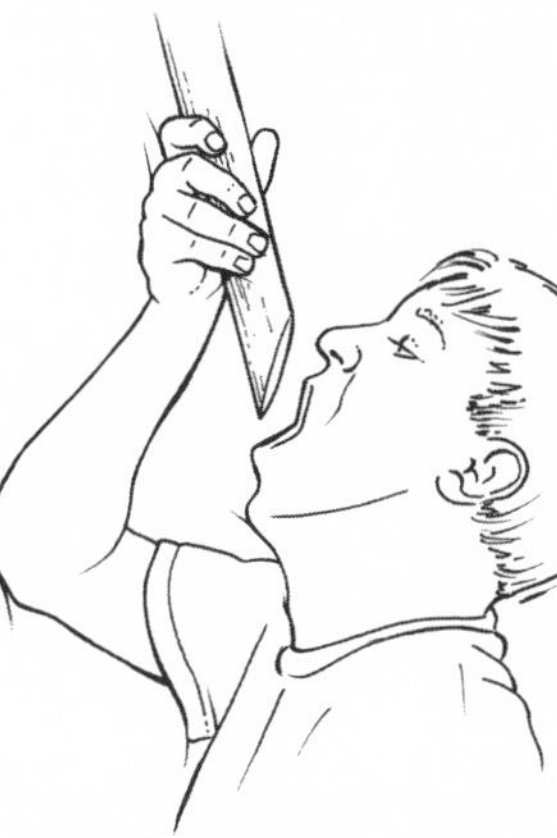

「蔓植物の多くは水を含んでいるが、飲んでいいものと飲むべきではないものを慎重に見分けることが重要だ」

バナナ、プランテン、イチジク

これらはどれも優れた水源である。バナナとプランテンは切り倒し、幹をくりぬくだけで、根が吸いあげた水がそこにたまる。最初の水は苦味があるので飲みにくいかもしれないが、いずれ苦味はなくなる。この幹は四日ほど水を供給してくれるが、虫がやってくるので忘れずになにかで覆っておこう。イチジクの木

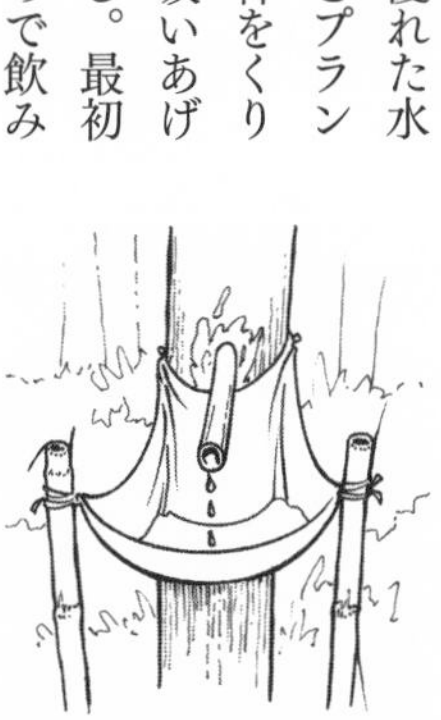

——何リットルもの水を供給してくれる——には切れ目を入れて、そこに蛇口となるチューブを差しこむとよい。細い竹の筒が適している。

竹

黄色くなった大きく古い竹には、水がたまっていることがしばしばある。揺すったり叩《たた》いたりして水の音が聞こえたら、節で区切られた部屋のそれぞれに穴を開けて水を手にいれよう。節を上下に残して切り取れば、水筒代わりに水を持ち歩くこともできる。

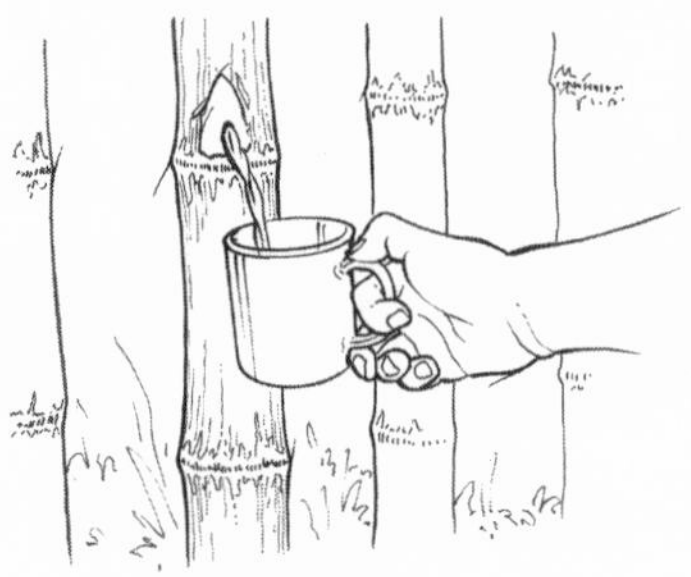

食虫植物

東南アジアのジャングルは、食虫植物があることで知られている。しばしば花にまちがえられる葉はつぼのような形をしていて、水がたまっていることがある。この葉は本来、虫などの栄養物を捕らえるものなので、虫の死骸には注意し、なかの水は煮沸しよう。

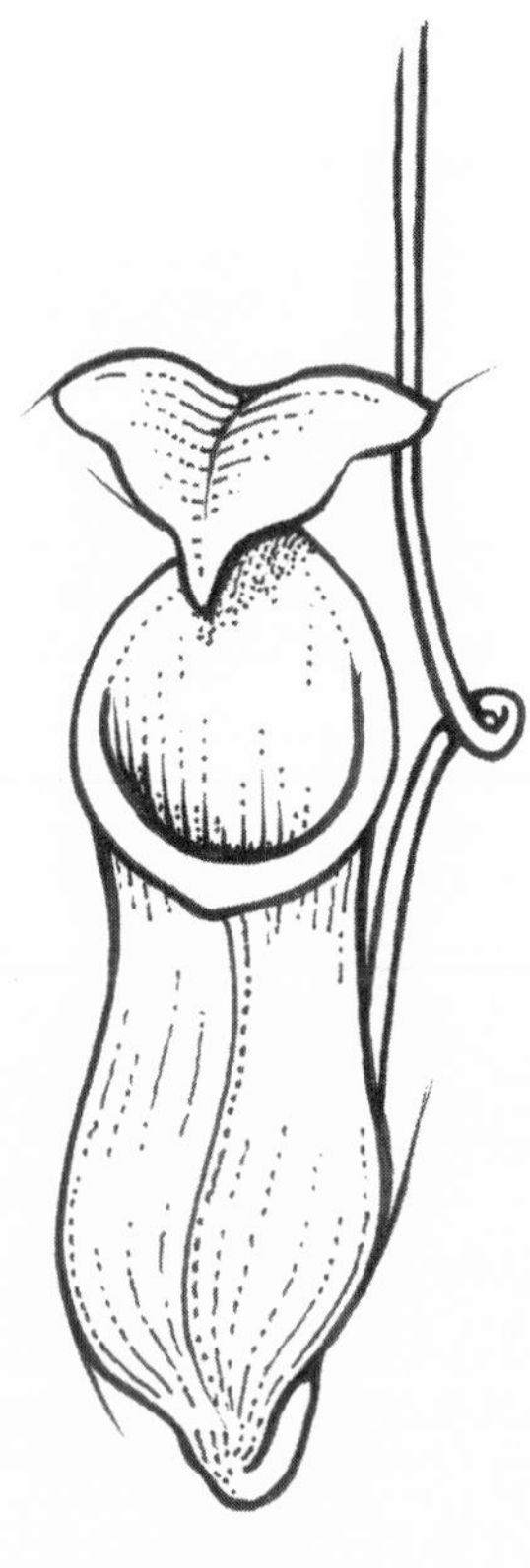

根

水を見つけるのが難しいときは、根が植物と木の貯水池であることを思い出そう。抽出するのは難しいが、根は優れた水源だ。根をどろどろになるまで叩きつぶし、水分をしぼり出そう。植物の茎にも水分が含まれているので、根と同じようにして水を取り出すとよい。

象の糞

象の糞《ふん》は大部分が未消化の植物だ。アフリカのサバンナやジャングルの奥にいまだ象が住むウガンダの森では、象の糞は大変役立つ水源となる。私はケニヤで、象の糞を絞った水を繰り返し飲んだ。象の消化器官は大変効率が悪く、新鮮な彼らの糞は絞った水を飲めるほど、菌が少ない。ひどく乾燥した地域では糞が乾いていることもあるが、たいていは絞れる程度の水分を含んでいる。決しておいしいものではないが、象の糞で命が助かるかもしれない。鼻をつまむと、飲みこむのが楽だった！

水源：木

ヤシ

タラバヤシとニッパヤシから出る乳白色の液体は、甘くておいしい。花の咲いている茎の先のほうを切り、樹液が流れ出るように下向きに曲げるとよい。一日に二回行うことができ、二四時間で一リットルほど手に入れることができる。その木によるが、花の咲いている茎は地面近くにあることもあれば、木にのぼらなければならないこともある。

ココナツの実からはおいしい水が取れるだけでなく、栄養的にも優れている。熟した実は緩下剤作用があり、逆に脱水を起こしてしまうので、緑色の（熟していない）実を選ぶようにしよう。

バオバブの木

この特徴的な木は、北オーストラリアとアフリカの砂原で見ることができる。雨季には瓶のような幹に水をためるので、乾燥した日が数週間続いたあとでも、幹には新鮮な水が残っていることがある。

◉──浄化と濾過

ジャングルではあらゆる水源を疑ってかかろう。私がコスタリカの熱帯雨林での苦い経験から学んだとおり、どれほど注意していてもジャングルで下痢を避けるのは難しい。水には十分に気をつけていたにもかかわらず、私はひどい下痢に襲われ、二四時間も苦しんだ。動く力すら残っていないときに、また用を足しに行きたくなるのがどれほどつらいものか、わかってもらえると思う。だからこそ、飲み水には慎重になろう。

水源に少しでも疑わしいところがあるときは、最低でも一〇分は煮沸しよう。これで、ほぼすべての黴菌《ばいきん》は死ぬ。

また、日光に二四時間さらすことで、水はある程度浄化できる。そのあいだに粒子状の物質は沈み、バクテリアの一部は日光の紫外線で死滅するからだ。浄化した水はさらに、Tシャツのような目の細かい生地で作った濾過器を通すとよい。

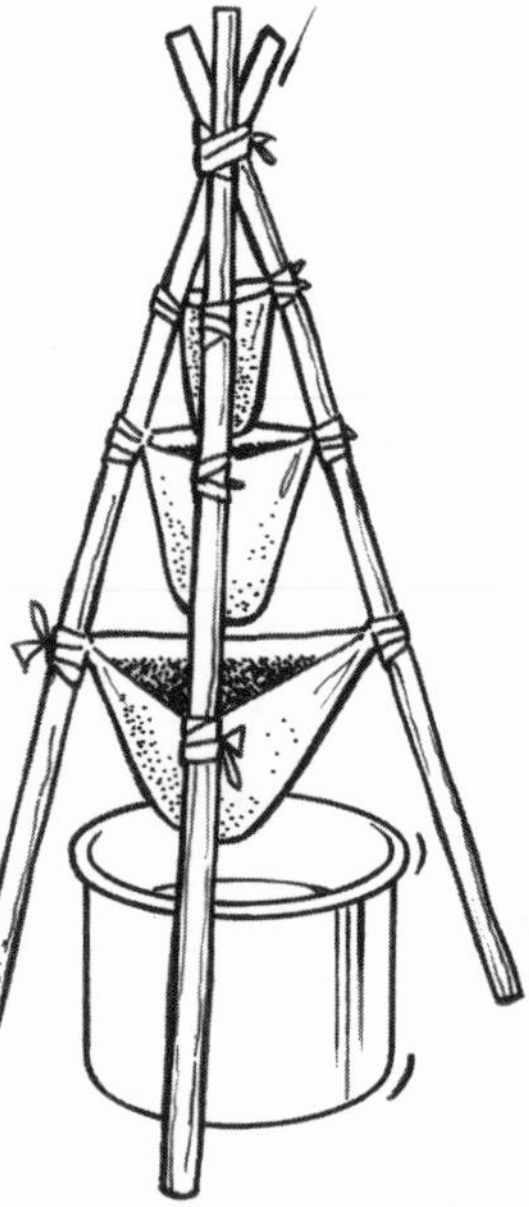

もっと効果的に濾過するには、棒で三角錐《さんかくすい》の枠を作り、そこに三つの濾過器を縦に取りつけよう。一番上は苔、二番目は砂、そして最後は焚き火でできた炭を入れる。上から注いだ水は濾過器を順に滴って、下へと落ちていく。た

だしこの装置は不純物を取り除き、味やにおいをよくするが、微生物を殺すことはできない。塩素やヨウ素といった化学物質がない場合は、煮沸するのがもっとも安全な方法だ。

食料を手に入れる

ジャングルではそう簡単に飢えることはないはずだが、ぜったいにそうならないとはいえない。私はつい最近、アマゾンのある先住民が、墜落した飛行機のパイロット数名の死体を発見したという話を聞いた。彼らは小さな川の砂州にとどまり、持っていたわずかな食料を食べてなんとか命をつないでいたらしい。だがその食料が尽きると、迫りくる死に怯え、苦しまぎれに航空燃料を飲み、座席のクッションを食べた。ふんだんな食料と水に囲まれながら、一行は死体となって発見された。どこを探せばいいのかさえ知っていれば、死ぬことはなかっただろう。

ジャングルには食べるものは豊富に存在する。だが地元の部族にとっては、ネズミや鳥やサルを狩るのは暮らしの一部だろうが、きみがまずすべきことは狩りではない。そういう動物を捕らえるのは難しいし、罠《わな》を作るには多大なエネルギーと時間が必要だ（52～56ページ参照）が、その労力はよりたやすく手に入れることのできる食料——つまりは植物——を探すために使うべきだろう。

植物だけではたんぱく質と炭水化物をバランスよく摂取することはできないが、短期間であれば十分に体力を維持することができる。山岳地帯の章で述べたとおり、ほとんどの果物、木の実、種、根、葉、茎は大変栄養価が高く、その選択肢は無限ともいえるほど多い。高い木にのぼったり、切り倒したりする危険も難しさもなく、地面で収穫できるものがほとんどだが、腐った部分や虫は入念に取り除く必要がある。

重要なのは、食用になるかどうかを見きわめることだ。食料の在庫が乏しくなり、やむを得なくなったら、安全性テストを行うとよい。だがキノコにはこのテストは役に立たないので、手を出さないようにしよう（致死性の毒を持つキノコのなかには、症状が現われるまで四八時間程度かかるものもあるため）。

本来の熱帯雨林では、たいていの果実は高い位置に成るが、なかには低いところに実をつけたり、サルの手を逃れて地面に落ちたりするものもある。探すのにもっとも適した場所は、川や流れの土手だ。木から直接果実をもぐ場合は、必要以上に取らないようにしよう。熱帯地方では食べ物が傷むのが速いので、必要になるまで木に成ったままにしておくほうがよい。そうすれば新鮮なものを食べることができる。

その植物を確実に判別できるのでないかぎり、ヤシや竹やありふれた果実からはじめるのがいいだろう。たとえばサルのような森のほかの住人たちがなにを食べているかを観察しよう。彼らの食料がそのまま人間の食料になるわけではないが、たいていの場合は大丈夫だ。もし不安なときは、安全性テストを行おう。

> 「獲物を捕らえるのは難しいし、罠を作るには多大なエネルギーと時間が必要だ」

ヤシなど

バナナとプランテン

熱帯地方で広く見られ、高さ九メートルに達することもあるこの植物は、水源としても優れている。果実、芽、若茎、幹の中心部はいずれも食用になる。

ヤシ

果実、花、芽、幹などヤシの木の大部分は食べることができるが、火を通したほうが味がよくなる。私はコスタリカのジャングルで、ヤシに似たパナマソウの柔らかい芯をしばしば食べた。ココナツの果肉も、まだ熟していない緑色のものから成熟したものまで、熟成度にかかわらず安全に食べられる。

トウ

茎の先端の外の皮をむき、適当な長さに切って焼くとよい。

パンノキ

ときに観葉植物として栽培される。果実はでんぷんが豊富で、皮をむけば生のまま食べられる。

竹

若竹は栄養豊富だが（パンダに尋ねてみるとよい）、完全に消化するにはゆでる必要がある。

◉――果実とベリー

熱帯地方では、一年を通じて気温がほぼ一定に保たれるので、果実やベリーが豊富である。不安があるときには、以下の安全テストを行うこと。

イチジク

熱帯及び亜熱帯の森には、さまざまな種類のイチジクが自生している。不規則に成長し、幹の根本をぐるりと囲む革のような常緑の葉と気根を持つ。洋梨の形の果実は生のままで食べられる。

安全テスト

ジャングルはしばしば〝世界の薬局〟と呼ばれる。痛みを軽減し、感染を抑え、リウマチを和らげ、下痢や腹痛を治す物質が数多く発見されているが、それと同じくらい、人を死に至らしめるものも存在している。マンチェニールの実は一見おいしそうに見えるが、実は猛毒があり、北米の先住民は魚を殺すために使っているほどだ。その木を燃やしたときの煙にも毒があり、樹液が肌に触れるとかぶれる。

そういう植物も存在するので、無害であることがはっきりするまで、決してどんな食料も口にしてはいけない。ジャングルの食料のテストは、系統立てて慎重に行わなくては意味がない（そのうえ危険でもある）。それぞれの段階で反応があるかどうかを確認することが重要なので、テストには時間が——三六時間ほど——かかる。

テストを行う際は、大量に手にはいり、主食にすることのできる食材を選ぼう。同じものを見つける可能性が低いのなら、その果実が食べられることがわかっても意味はないからだ。

その植物を部位ごとに分け（果実、茎、根など）、それぞれ別にテストを行おう。毒の反応が出たときに備えて、お湯をつねに準備しておくこと。焚き火のあとの炭は強力な吐剤になるので、毒が含まれていると感じたら炭をいくらか飲むとよい。毒を吐き出すのに役立つ。白い木の灰をペースト状に練ったものも、腹痛の軽減に役立つ。

乳白色の樹液を出すものや、古いもの、病気にかかっているものは決して食べたり、飲んだりしてはいけない。

「焚き火のあとの炭は強力な吐剤になるので、毒が含まれていると感じたら炭をいくらか飲むとよい。毒を吐き出すのに役立つ」

⦿安全テストの七つの手順

・その植物のにおいをかぐ。苦そうなにおい、あるいはアーモンドや桃のようなにおいがしたら、処分しよう。たとえば、ストリキニーネの原料となるマチンの木はオレンジのような実をつける。注意すること。

・その植物をつぶし、樹液を皮膚の柔らかな手首の内側に塗る。発疹や痛みが生じたら、即座に廃棄しよう。

・なにも問題がなければ、少量の樹液を唇の内側と歯茎に塗る。なにか不快な反応が起きないかどうか、五分様子を見る。

・ごく少量の植物を口に入れて噛み、樹液だけを飲んで、果肉部分は吐き出す。八時間様子を見るが、因果関係がわからなくなるので、そのあいだはほかのものを一切食べたり、飲んだりしてはいけない。

・なにも問題がなければ、量を増やして同様のことを繰り返し、五時間様子を見る。
・その植物をひとつかみ分食べ、二四時間様子を見る。
・それでも問題がなければ、その植物は食用になる。

虫

地虫

巨大なウジを思わせるむちむちした大きな白い地虫が、サゴヤシをはじめとするヤシの木の腐った幹のなかにいることがある。この地虫は、多くの部族民にとっての珍味である。私は、はじめてこの虫を食べたときのことを決して忘れないだろう。小さなリンゴほどの大きさがあって、口のなかにどろりとしたものが広がったものだ。柔らかなヤシの幹から引っ張り出した地虫は、生で食べても火を通してもよい。大変栄養価が高く、消化もよく、たんぱく質も豊富だ。餌にするために余分に取っておくとよい。

シロアリ

重さで比較すると、シロアリは植物よりも栄養に富み、牛肉や魚よりもたんぱく質と脂肪分を多く含んでいる。ナツメグに似た味がするので、運よくシロアリの塚を見つけたら素通りしてはいけない。わたしはコスタリカのジャングルで一時間あまりも座りこみ、巣から出てくる何百というシロアリを黙って食べ続けたことがある。シロアリはとても小さいので、地虫を食べるときのように吐き気を催すことはないはずだ！

魚

ベジタリアンの食生活からの息抜きに魚はうってつけで、

山岳地帯の章（100～103ページ参照）で記した方法で捕まえることができる。

ジャングルで私が試したのは、長い枝の先にナイフをくくりつけたもので、夜のあいだ眠っている魚を突くという方法だった。メランチの木から採取した松脂《まつやに》に樹皮の繊維を浸して松明《たいまつ》を作り、その明かりを利用した。川の浅い箇所では、ザリガニやそのほかの魚が上流に頭を向けて眠っていることが多いので、二五センチほどの深さにいるのを見つけたら、頭部をナイフで強く突くとよい。水にはいるときスピードが落ちにくいので山刀が最適だが、私はナイフで魚やザリガニを捕まえることができた。

せっかく捕まえた魚を殺したあと、流れの速い水のなかに落としてしまい、松明の火までが消えたことがある。人生とはそんなものだ。ザリガニは下流から近づき、素早く背中をつかんで素手で捕まえた。すばらしくおいしかった！

ナビゲーションと移動

ジャングルにおけるナビゲーション（経路誘導）は難しい。鬱蒼《うっそう》とした森に目印となるものはほとんどなく、方角を見つけるのは簡単ではない。まっすぐに進めないことが多いため、移動は時間と労力を必要とする。またジャングルの厚い樹冠が視界を遮るので、星を使ったナビゲーション（40～42ページ参照）は役に立たない。

ではどうすればいいだろう？　いつものように、問題に対するきみの姿勢が、解決策を見出《みいだ》してくれるはずだ。まず、ジャングルはきみをどうにかして倒そうとしている敵ではなく、いくらか面倒な癖を持つ友人だと思うようにしよう。そして、ほかのサバイバル状況にいるときと同様、行動する前に考えること。また即座に移動するよりも、水とシェルターを確保するほうがはるかに重要だ。

移動する決断をしたら、急がないことだ。ジャングルにはきみの行く手をさえぎるものが多くあり、無理に進もうとすれば、抵抗が一段と強くなる傾向がある。きみのまわりにある無数の生命体は、それ自身がサバイバルのためにゆったりした時間のなかで戦っているのだ。植物や木は光を得るために、ときにほかの植物を押しのけながら上へ上へと伸びていく。

そのために進化の過程で発達したとげや針や吸枝は、邪魔物であるきみのことも餌食にしようとするだろう。彼らの防衛機能にこちらから突進していって、相手の思い通りになってはいけない。きみの皮膚は人体でもっとも大きな器官であり、ジャングルでは最大の弱点となる。虫を追い払うことができたとしても、下生えはそうはいかない。だから、どんなことをしてでも皮膚を守ろう。

はじめてジャングルにはいったとき、私は幾度となく細い蔓や根に足を取られて苦労したものだ。そのたびに強引に足を引き抜いたり、引っ張ったりしたが、蔓はそのたびに強くからみついた。一本の細い蔓や根を相手に、争ってもしかたがない。ジャングルではエネルギーを節約することを学ばなければいけない——ありったけのエネルギーがいずれ必要になるからだ。

まず受け入れなければならないのは、熱帯のジャングルほど方向感覚を失いやすい場所はないという事実だ。まずは、杖になるものを見つけよう。体を支えるだけでなく、行く手を確かめるために使うことができる。目の不自由な人のように、杖で地面を探りながら歩くことを覚えよう。こうすることで眠っているヘビにきみの存在を教えることもできる。どうせ噛みつかれるなら、足ではなく杖を噛ませたい。つねにこの杖といっしょに行動する。下生えが密集しているときには、とりわけ役に立つ。用心するに越したことはない。

「きみの皮膚は人体でもっとも大きな器官であり、ジャングルでは最大の弱点となる。虫を追い払うことができたとしても、下生えはそうはいかない。だから、どんなことをしてでも皮膚を守ろう」

歩くときには足音を立てるようにしよう。兵士が教わることとは逆だが、ジャングルではこうすることで命が助かるかもしれない。ヘビは振動を感知する。きみから遠ざかることができるように、十分な時間を与えてやろう。また、移動はつねに昼間に行うこと。夜のジャングルはヘビや野生動物が活動的になるので危険だというだけでなく、まったく明かりのない闇のなかでは、移動がほぼ不可能になるからだ。方角がわからなくなるうえに、怪我をする恐れもある。

どちらの方向に進めばいいのか、手がかりがほとんどない場合もあるだろう。そういうときは、もっとも障害物が少ないルートを使って、斜面をくだる方向に進んでいくとよい。その目的は細流を見つけることだ。細流はやがて川となり、川はいずれ人間の住む場所へとたどり着く。

だが、すべての斜面の先に細流や川があるわけではないし、くだっていった先に深い谷があって、再びのぼらなければならないこともあるだろう。従って、可能な場合には、まず尾根や丘に沿ってある程度の高さがあるところまでのぼり、川かあるいは安全な場所にたどり着けそうな道を見つけるとよい。

この原則を実証した、ジャングルにおけるサバイバルの驚くべき実話がある。一九七一年のクリスマスイブ、一〇代のドイツ人少女ジュリアン・コェプケは父に会うため、母といっしょに小型旅客機に乗り、ペルーのアマゾン上空を飛んでいた。激しい嵐のなか落雷にあい、旅客機が墜落した。三時間後彼女は、座席の安全ベルトをしたままジャングルのなかで目を覚ました。九二人の乗客のうち、生存者は彼女ひとりだけだった。

鎖骨を折り、片方の目を失明していたが、彼女は父親の言葉を忘れなかった。斜面をくだって川を目指せ。川の先には人がいる。ジャングルで一一日間過ごしたあと、彼女はペルー人のハンターのグループによって救出された。彼女は、破れたミニスカートと片方のサンダルとおおらかな精神で生き抜いたのだ。

私は中央アメリカのジャングルで彼女と同じことをした。高い木にのぼってあたりの地勢を観察したあと、ジャングルの木々が大きくへこんで見えるあたりに向かって進んだ。川があるにちがいないと考えたのだ。その川は結局、私を海まで連れていってくれた。ジャングルの川は、町の道路と同じ役割を果たしている——それをたどっていけば、たいてい人間の活動の中心地に着く。頭を働かせ、よく観察し、計画を立て、突き進もう！

「細流はやがて川となり、川はいずれ人間の住む場所へとたどり着く」

見ること、行動すること

ジャングルでの移動は、第六感を必要とする。きみがジャングルをどう〝見ている〟かが、助けになることもあれば、妨げになることもある。目の前の障害物ばかりに気を取られていると、全体が見えなくなる。いわゆる〝木を見て森を見ない〟ことになるからだ。そこにある下生えを直視するのではなく、その向こうにあるものを見ようとするといい。そうすることで、土地の形状や下生えの濃さに対する感覚が鋭くなる。動物の足跡も見つけやすくなるはずだ。

がむしゃらに動き回るのではなく、緩やかに踊るダンサーのような動きを身につけよう。酔っ払った兵士のようによろよろと歩いていては、切り傷を作るばかりだ。傷はすぐに膿《う》んでくる。肩の力を抜いて前かがみになり、必要に応じて歩幅を調整しながら、腰を使って歩こう。ヘビの生息地がジャングルだというのは、意外でもなんでもないのかもしれない。彼らの人目を忍ぶようなゆっくりした静かな動きは、こういった環境で行動する際のすばらしい手本だといえるだろう。

傷を作らないために、つねに長袖の服を着るようにしよう。ゆっくり動くことは重要だが、迷いがあってはいけない。ナイフや杖で見境なくあたりの植物をなぎはらっていても、ただ疲れるだけで得るものはあまりない。無駄のない行動を心がけよう。とげが刺さったり、切り傷を作ったりすることになるので、素手で下生えをつかんではいけない。気温が高い日中は十分に休息を取り、一定のペースと体温を保つようにしよう。水ぶくれや傷ができないように、手と足はいたわってやること。自分の身は自分で守ろう。

障害物

繁茂する植物

ジャングルは、プライマリーとセカンダリーに分けることができる。セカンダリー・ジャングルはまさに悪夢だ！ 植物がもっとも繁茂するのがこのタイプで、火事や地滑りといった自然の力や、木の伐採や農地にするといった人工的な理由でプライマリー・ジャングルが取り除かれたあとにできる。理由がどういったものであれ、突如として日光が地面を照らすようになると、数年のうちに下生えや雑草や蔓や根やとげのある植物が暴れはじめる。まさにパーティタイムといったところだ。日光をたっぷり浴びたジャングルは、山火事のようにあっという間に成長する。

セカンダリー・ジャングルのなかを進むのがどういうものなのかを説明するのは難しいが、とてつもなく生い茂ったとげだらけの茂みを想像してほしい。そして、ヘビや蚊でいっぱいのそんな茂みが、数百キロメートルも続く様を。そんななかを進むのはほぼ不可能だ。進んでいくうちにあたりがセカンダリー・ジャングルの様相を呈してきたら引き返し、植物がそれほど密生していないプライマリー・ジャングルまで戻り、別のルートを探そう。

プライマリーであれセカンダリーであれ、ジャングルはどれも際限なく障害物が続く長い道のりのように思えることだろう。それを打破する秘訣《ひけつ》は、遭遇した障害物を乗り越えるのではなく、くぐるのでもなく、中央突破するのでもなく、忍耐強く避けることだ。鬱蒼とした茂みや沼や湖などは、必ず迂回《うかい》するようにしよう。

ジャングルのなかを進むのは、ひどく体力を消耗するものだ。比較的進めたときでも、一日に五キロメートルがせいぜいだろう。だからこそ、前進を助けてくれる動物の足跡や川を見落とさないようにしよう。

沼地や湿地や流砂

こういった障害物は川や海岸線の近く、またジャングルの縁が水と接しているところに見られる。水と泥と植物と砂が入り混じった、体力をひどく消耗させる場所だ。ナビゲーションが困難であるだけでなく、ワニが潜んでいるので命と四肢も危険にさらされる。できるかぎり迂回するようにし、不必要に体を濡らさないように注意しよう。

どうしても横断しなければならない場合は、木の枝や丸太、葉のついた枝などを使って体重を分散させるようにしよう。体が沈んでいることに気づいたら、できるだけ水平な姿勢を取り、平泳ぎで一番近い陸地を目指すとよい。

「とげが刺さったり、切り傷を作ったりすることになるので、素手で下生えをつかんではいけない」

私は対岸に渡れる場所を探して、マングローブの湿地のなかを何時間も歩き続けたことがある。とにかく骨の折れるつらい行程だったが、結局、引き返す羽目になった。沼地に抗おうとする前に、よく考えたほうがいい。無数のワニを眺め、肩までぬるぬるしたものにつかれば、ユーモアのセンスなどあっという間に消えてしまうものだ。別の方法を考えよう。沼地で立ち往生してしまったら、からみあった根や蔓などを利用して水に濡れない場所で眠るようにしよう。

川

横断しようとするか、あるいはそこをくだるかによって、川は障害物にもなれば、好機にもなる。ジャングルではもっとも速く移動できる方法であると同時に、確実なナビゲーションの道具でもある。どこかで海に通じているからだ。何千年ものあいだ、主要な移動手段として利用されてきた川は、だてに〝ジャングルのハイウェイ〟と呼ばれているわけではないのだ。

筏を作る

川をくだるには、二つの方法がある。川に沿って歩くか――時間がかかるうえ、沼地や湿地を避けるために絶えず遠回りしなくてはならない――あるいは筏《いかだ》か小舟を作るかだ。ジャングルにいることの利点の一つが、そのための材料にはことかかないということだ。竹(筏作りには最適の材料だ)、バルサ材、結ぶための蔓、クッション代わりの木の葉、オールにする木の枝。

きみが最初に思い浮かべるのはボートやカヌーのようなものかもしれないが、北極圏のイグルーと同じで見た目よりも作るのが難しいので、あきらめたほうがいい。一方、筏には、表面積が広く、転覆しにくいという利点がある。

筏の種類

筏の形は手にはいる材料次第だ。森の奥から重たい丸太を引きずってくるような、労力の無駄遣いをしてはいけない。川沿いで使える材料を探し、筏を作りはじめる前に、それが水に浮くことを確かめよう。防水布があれば、丸太に巻きつけることで浮力が増す。たとえなくても、ジャングルにある材料で問題はないはずだ。

◎バルサ材の筏

私はバルサで筏を作ったが、この木は大変浮きやすいというだけでなく、とても軽く、加工がしやすいというすばらしい利点がある。樹皮も細い紐状に簡単にはぐことができるので、丈夫な紐として使うことができる。

まず、首程度の太さがある約三メートルの長さの丸太を六本、地面に並べよう。それよりいくらか細い丸太を二本用意し、その上に横向きに乗せる。筏の主体となる六本の丸太と、二本の支柱を、樹皮をロープにして結びつければ完成だ。

◎竹の筏

竹はしなやかで強く、そのうえなかが空洞なので、こちらも筏の材料としては大変優れている。作り方は簡単だ。できるだけ大きい竹を切り、細くなっている部分は切り落とす(三〜三・五メートルあるとよい)。地面に並べてみて、十分にきみを乗せて川をくだれそうな大きさになるまで竹を集めよう。つぎにナイフなど先の鋭いもので、竹に蔓を通すための穴を、両端と中央の三カ所に開けていく。竹を並べたとき、穴が

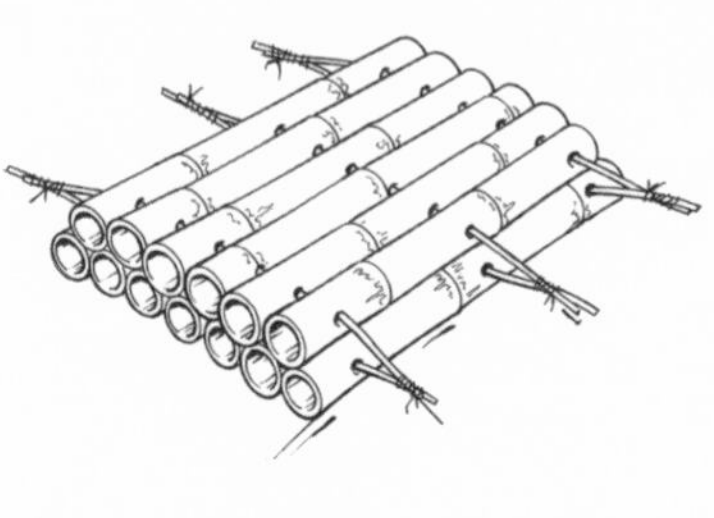

一直線になっているようにすること。片側から太い蔓を穴に通し、竹を結びつけていく。丈夫な筏にするには、少なくとも竹を上下二段にする必要がある。

⊙丸太／安楽椅子の筏

これはもっとも簡単で――かつ効率のいい――浮き道具だ。丸太か若木の幹を二本用意する。できるかぎりまっすぐで、太さが四五センチ以上のものを探そう。その両端を蔓で結び合わせるのだが、丸太のあいだで蔓が六〇センチ程度、たるむようにする。その部分は防水布で覆ってもいいし、安楽椅子に座るように丸太のあいだに直接腰をおろしてもかまわない。長くまっすぐな棒をオールに使う。棹《さお》にもできるし、カヌーのパドルのように漕《こ》ぐこともできる。

筏の技術

筏を操るには舵《かじ》をつけるのが一番いい。まずは、Aフレームを筏の艫《とも》にとりつけよう。A字のてっぺんから水中に向けて長い棒を結びつける。この棒を動かして、筏の向きを調節できる。川の流れが筏を下流に運んでくれるが、流れがなく浅い場合は、棒で水底を突いて進むとよい。ただし、流れの速い場所では筏から振り落とされる恐れがあるので、やめておくこと。深い場所ではパドルを使うとよい。以下のヒントを覚えておこう。

・まず浅いところで筏のテストをしよう。
・頑丈にできていることを確認する。沈んだり、壊れたりしては元も子もない。必要だと思う以上の長さの蔓や樹皮のロープを使い、緩まないように結び目にもロープをかけよう。
・もやい結び（49ページ参照）で、きみと筏をつなぐ。パドルも同様につないでおく。
・うしろになにもひきずらないようにする。
・川がカーブしているところでは、流れの緩やかな側を通る。
・万一のときのために、できるかぎり岸に近いところをくだる。

・早瀬や滝の流れが逆巻く音に注意しよう。危険を察知したら、即座に岸に向かうこと。
・夜間は筏を使わない。
・絶対に早瀬を筏で渡らない。筏が転覆したら、下敷きになる恐れがある。ほかに選択肢がない場合は、筏だけを流れに乗せ、きみは歩いて早瀬を迂回する。

川を渡る

川は、浅いと思っていると急に深くなったり、緩やかな流れの下に速い底流があったり、湾曲部の先で川幅が突然狭くなっていたりする。大きな川を渡る際には、細心の注意が必要だ。急いで川からあがらなければならなくなった場合のことをあらかじめ考えておき、可能であれば荷物は濡れないようにし、役に立つ道具を準備しよう。

川を渡ろうとする前に、まずは入念に観察することだ。水面と流れに投げた棒の動きを見て、流れの速さと深さを推測しよう。高い場所から眺めると、渡るのにもっとも適した場所と障害物になりそうなものが見て取れるので、おおいに役に立つ。

岩や倒木といった障害物は渦をつくり、水面に波を起こす。半分沈んだ木の幹は、水だけを通す〝濾し器〟と化すだろう。きみは木の幹に押しつけられたまま動けなくなり、水に押しつぶされることになる。

こういった障害物から十分な距離を置くだけでなく、流れてくる物体にも注意しよう。渡る際には、半分沈んだ物体の上流側で足を滑らせないように気をつけること。その物体に押しつけられて動けなくなるか、あるいは石と石のあいだに足首をはさまれてしまう恐れがある。水の力をあなどってはいけない。

ジャングルの川は、山の渓流のような透き通った水とはちがい、濁っていることが多い。泥に沈みこむと、大変危険だ。ズボンとソックスは脱ぎ――あとになって、乾いた服があることをおおいに感謝するだろう――火をつけるための道具といったサバイバルに必要なものは、極力濡らさないようにする。ビニールの袋や防水になっているものがあれば、それで荷物を包んで浮きにするとよい。川底の岩から足を守るために靴は履いたままにする。すでに濡れているのであれば、ズボンを脱いで足首の部分を結び、なかに空気を閉じこめて間に合わせの救命具にしよう。

杖で体を支えながら進むとよい。両足と杖の三点で体を支えるので、移動しながら、つねに二点は川底と接していることになる。流れてくる物体が見えるように上流に顔を向け、横向きに移動するのが秘訣だ。深場より流れが速くなり危険が増すことがあるので、浅い箇所には気をつけよう。

流れの速い深い川を泳いで渡るときは、流れに乗って斜めに泳ぐようにしよう。決して抗わないこと。体を水平に保つようにすれば、水中に引きこまれる危険が減る。流れの速い浅い川の場合は、足を下流に向けて仰向《あおむ》けになり、両手を腰の脇にヒレのように広げよう。浮力が増し、障害物を避けるのに役立つ。足を高くあげておけば、岩をよけられるだけでなく、半分沈んだ木や根に引っかからずにすむ。岩のような障害物の下流にできる渦には近づかないこと。障害物の回りで渦巻く水には、きみを簡単に水中に引きこむだけの力がある。水が温かくても、渡り終えたらすぐに火をおこしてからだを乾かそう。

「川を渡るのは危険だ——まず流れを観察し、急流を避けよう」

自然の危険要因

ジャングルはこのうえなく居心地の悪い場所かもしれない。雨が多く、湿度が高く、悪臭がする。ひとりでさまよっていると、耳慣れないジャングルの物音はさぞかし恐ろしく聞こえることだろう。そのうえ、新たに手に入れた家では、さまざまな生き物との同居を強いられる。アリ、ハチ、蚊、ムカデ、サソリといった刺したり噛んだりする生き物が四方からきみを襲い、産みつけられた卵は皮膚の下で孵化《ふか》するかもしれない。

さらにヘビもいる。ほとんどのヘビに毒はなく、人間を襲うことはないが、この生き物に対する恐怖は、きみの精神状態に大きな影響を与えるだろう。被害妄想に陥ることもあるかもしれない。だが、この被害妄想は、無知が生み出したものにすぎない。たいていのヘビは大変おとなしいものだ。ジャングルを恐ろしく感じるのは新参者がその世界を知らないからにすぎない。

ジャングルはサバイバル可能な環境だ。ジャングルの脅威と危険がわかっていれば、生き延びるチャンスは多いにある。いま、きみの身近にある危険のほとんどは、肉体に対するものではなく精神的なものだ。

虫に噛まれたり刺されたりしてできる小さな傷は、長期的な観点からすると、健康を脅かす最大の脅威だが、治療するよりは防ぐほうがはるかに簡単だ。飢えや脱水や野生動物に襲われて死ぬよりも、千もの切り傷で命を落とす可能性のほうがずっと大きい。だから、傷を最小限にとどめるため、いかなるときも皮膚を覆うようにしよう。ジャングルは肥沃《ひよく》な場所なので、あらゆるところで命が育つ。きみの皮膚はあっという間に、バクテリアや菌類や微生物の温床となって、炎症を起こしたり発疹《はっしん》ができたりする。感染症だけは、なんとしても防ぐことだ。熱帯地方では、ほんのわずかな傷が命を脅かすほどの感染症の原因となることがあるのだ。

虫：小さいことが歓迎できない場合

噛んだり、刺したりするだけで健康な成人を死に至らしめることができるほどの毒を持つ虫はごくわずかだが、それが原因となる寄生虫や感染や敗血症やアレルギーは不愉快なものであり、長期的に見れば命にかかわる可能性もある。従って、防止することが重要だ。

「飢えや脱水や野生動物に襲われて死ぬよりも、千もの切り傷で命を落とす可能性のほうがずっと大きい」

衣類

除虫剤や防虫剤はある程度虫を寄せつけないようにすることができるが、どんな化学物質であれ、いずれは人間の汗（塩分を含んでいるため）が虫を引きつける力には及ばなくなる。従って、昼も夜もつねに皮膚を覆うようにしよう。ズボンの裾は靴下のなかに入れ、手首のボタンはちゃんと留める。虫はきみの防衛線のもっとも弱いところを易々《やすやす》と見つけ出す。少なくとも一日一度ははだかになって、ヒルやダニがついていないかどうかを確かめよう（210～211ページ参照）。

頭部用の蚊帳を作る

頭部用の蚊帳のようなものがあると、大変役に立つ。頭をゆったりと覆える大きさがあれば、どんな生地でもかまわない。まず、ある程度の大きさの枝葉か樹皮を見つけよう。これを頭に乗せれば、生地が顔に直接触れないようにできる。目の位置に細い穴を二つ開け、生地の裾を襟の内側にたくしこむ。

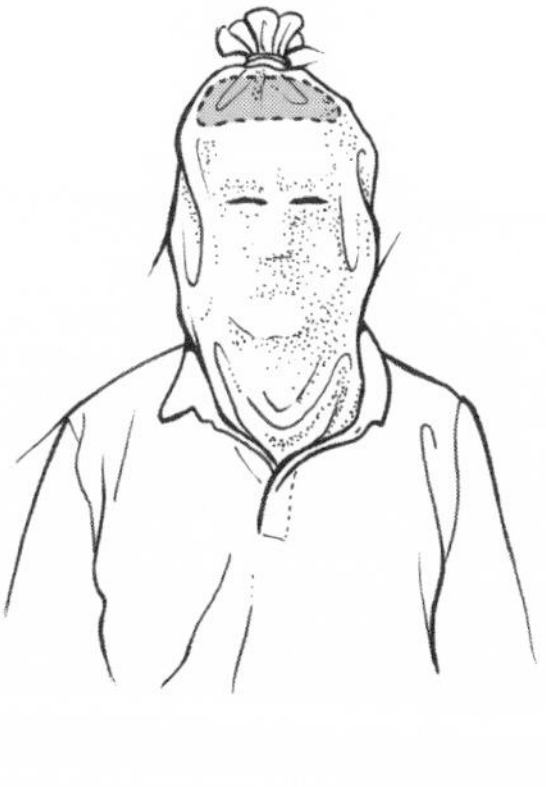

虫を寄せつけないために

・身に着ける前に、服や靴をよくはらうこと。どんな生き物が巣にしているかもわからない。〝靴のチェック〟を習慣にしよう。

・むき出しになっている皮膚にはオイルや泥や脂肪を塗るとよい。不快なうえににおいもするが、嚙まれて死ぬよりはましだ。

・ココナツ・オイル（種にナイフで傷をつけて日向《ひなた》に置いておくと、表面にオイルが浮き出てくる）は、いい虫よけになる。塩水による炎症から皮膚を守るためにも役立つ。
・焚き火の煙で虫を近づけないようにするとよい。シェルターのまわりに灰で円を描いておくと、地面を這う虫が寄ってこない。
・シロアリの塚（乾いた泥のように見えるが、実は消化された木）を燃料にするとひと晩中燃え続けて、虫を近づけない。
・噛まれたところは掻《か》かないようにしよう。一時的にかゆみが治まっても、掻くことで傷ができ、深刻な結果を招きかねない。
・かゆみを抑えるには、冷湿布をするか泥や灰を練ったもので冷やすとよい。

ヘビ

　ヘビを怖がる人間は多い。私自身も、いくらかヘビに慣れ、その習性を知るまではそうだった。根拠のない恐怖を抱くのではなく、扱い方を知ることが、ヘビに対処するコツだ。

　熱帯地方では、ヘビに噛まれて死ぬ人間よりも、落ちてきたココナツが当たって死ぬ人間のほうが多い。ヘビが愛らしい生き物でないことは確かだが、そのほとんどは人間の足音を聞きつけると逃げていく。例外は東南アジアに生息するキングコブラ、中南米のブッシュマスター、フェルドランス、熱帯ガラガラヘビ、そしてアフリカのマンバで、特にマンバは人間を襲うことがあるといわれている。

　きみが考えているよりもヘビに噛まれる可能性は低く、もし噛まれたとしても半分以上は無毒なヘビだと考えていい。仮に毒ヘビであっても、二五％の確率で毒は体内にはいっていない（ドライバイトという）。人間は彼らの獲物ではないので、ヘビが人間に毒を注入するのは最後の手段だ。

　概してヘビは、寒いときには暖かい場所を求め、暑いときには涼しい場所を探す。大部分は夜行性なので、暗くなってからの移動は避けよう。

「熱帯地方では、ヘビに噛まれて死ぬ人間よりも、落ちてきたココナツで死ぬ人間のほうが多い」

毒ヘビの種類

毒ヘビは毒腺と、そこから分泌された毒を注入するための長い牙を持つ。牙の形状によって、その大部分は二種類に分類することができる。

固定された牙を持つヘビは（上顎の前方にある牙がつねに直立している）神経毒を持つことが多い。中枢神経を冒して肺を麻痺《まひ》させ、獲物を窒息死させる。このタイプは前牙類と呼ばれる。

もう一つが折り畳み式の牙を持つタイプで（普段は牙が倒れていて、攻撃するときに直立する）、こちらは出血毒であることが多い。血液に作用して循環系に影響を与え、血液の細胞を破壊し、皮膚組織を傷つけ、内出血を引き起こす。このタイプは管牙類と呼ばれている。

ほとんどの毒ヘビの毒には、神経毒と出血毒の両方の成分が含まれているが、どちらかが主体になっていることが多い。また皮膚組織を攻撃し、壊死《えし》の原因となる、細胞毒と呼ばれる消化酵素を持つものもいる。

毒ヘビに噛まれるのは決していいことではない！　噛まれないようにすることが肝心だ。

ヘビを避ける

・茂みや背の高い草、大きな石、太い木の根の近くで眠らないこと。こういった場所はヘビの隠れ処《が》となっている。
・身に着ける前に、靴と服の内側は必ず確認する。
・岩の割れ目や濃い茂み、木の洞《うろ》などの暗い場所に手を入れる前に、必ず杖や棒で確認する。
・倒木をまたがない。まずその上に乗って、反対側でヘビが眠っていないことを確かめよう（幹の上に、まわりの景色にカムフラージュされたヘビがいるかもしれないので注意しよう！）
・杖を持たずに濃い茂みや背の高い草のなかを歩かない。つねに足元に注意する。
・死んだばかりのヘビは、触る前に頭を切断すること。神経系がまだ生きていて、死んだヘビでも噛むことがある。

・ヘビの気配を感じたら、居場所を特定するまで動かないようにしよう。ヘビの姿が見えたら、ゆっくりとあとずさる。ヘビが襲ってくるかもしれないので、決して背中を向けないこと。

ヘビを殺すには重さのある棒を使うのが一番いい。できるだけ頭に近い部分の背骨を狙おう。まず長い棒で動けないようにしてから殴りつけ、その後、頭部を切断する。

切断した頭部は焼くか埋めるかし、内臓を取り出してから第2章（103〜104ページ参照）に記したように肉を料理しよう。

噛まれた場合の対処

そのヘビが毒を持っているかどうかは、たいていの場合噛み跡で判断できる。毒の有無にかかわらず、ヘビに噛まれると点々と楕円形《だえんけい》のあとが残るが、毒ヘビはそのすぐ上に一本から四本の毒牙の大きな傷を残すのが特徴だ。噛まれてから二時間のうちにひどく腫れあがるのが、はっきりした症状だ。

噛まれたときは、パニックを起こさないようにしよう。心拍数があがると、血液の循環がよくなり、毒がそれだけ早く吸収されてしまうからだ。時計や指輪、ブレスレットといったものははずし、傷口と心臓のあいだに止血帯の代わりになるものを巻こう。ヘビの毒が吸収されるのは非常に速いので、吸い出そうとしても効果はない（そのうえ、口のなかの毛細血管はずっと早く毒を吸収するので、毒を口に入れないほうがいい）。また傷口を強く押すと、毒をさらに体内に押しこむ危険がある。

地面に横になり、傷口を心臓より低く保つようにしよう。できるだけたくさん水を飲むこと。噛まれたところを切ったり、毒を吸い出したりしてはいけない。血が流れると、毒が血流に乗っていっそう速く体内に吸収されてしまうからだ。

「噛まれたときは、パニックを起こさないようにしよう。心拍数があがると、毒がそれだけ早く吸収されてしまうからだ」

毒の影響が消えたあとも、噛まれた傷周辺の組織に損傷が残る可能性がある。爬虫類《はちゅうるい》の口内にいるバクテリアに感染することもあるので、毒を持たないヘビでも危険がないとはいえない。

避けるべきヘビ

◉中南米

ブッシュマスター：色はピンクがかった茶色で、背中に茶色いひし形の模様があり、大きな頭部を持つ。二・五メートル以下。血液毒。

ブッシュマスター

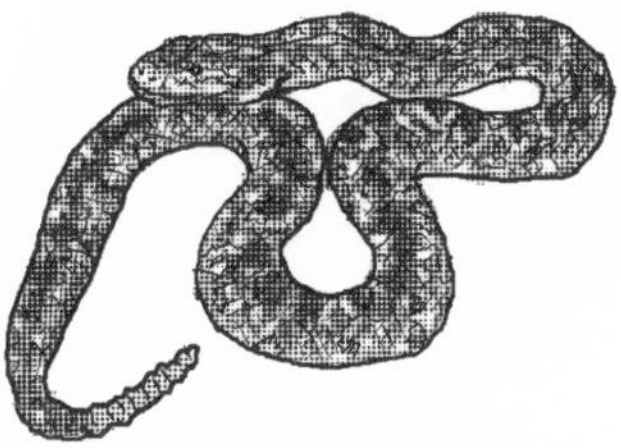

フェルドランス

フェルドランス：茶色と薄茶色の模様。一・八メートル以下。血液毒。

熱帯ガラガラヘビ：色は金色で、ひし形の模様があり、首に二本の黒い横縞《よこじま》がはいっている。特徴的なガラガラという音を立てる。一・八メートル以下。血液毒。

◉アフリカ及びアジア

マンバ：頭が小さく、ほっそりしている。木の上で暮らす種は緑色

熱帯ガラガラヘビ

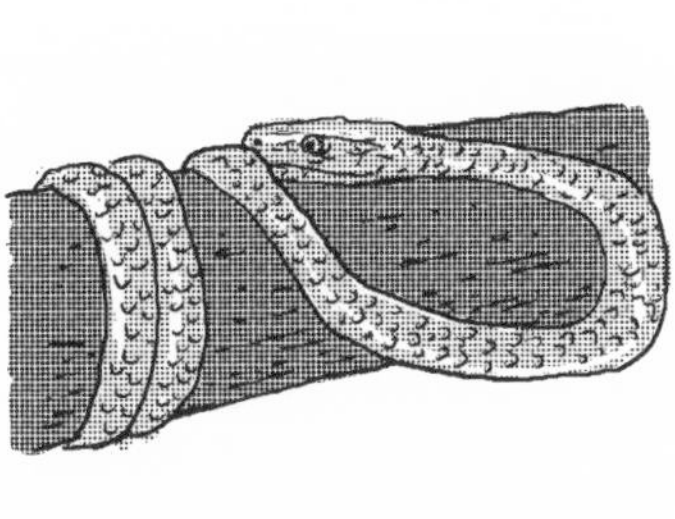

マンバ

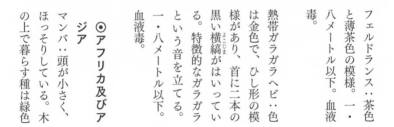

コブラ

サンゴヘビ

をしているが、地面にいるものは黒い。二メートル以下。神経毒。

コブラ：警戒したときに大きく広げる頸部《けいぶ》が特徴的。一・八メートル以下。神経毒。

サンゴヘビ：大きな赤と黒の帯と細い黄色の縞模様が特徴。一メートル以下。神経毒。

⦿オーストラリア

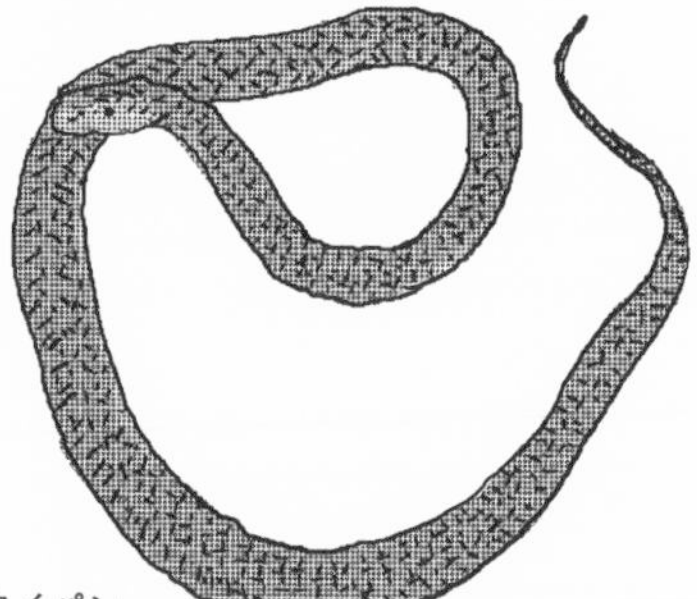

タイパン

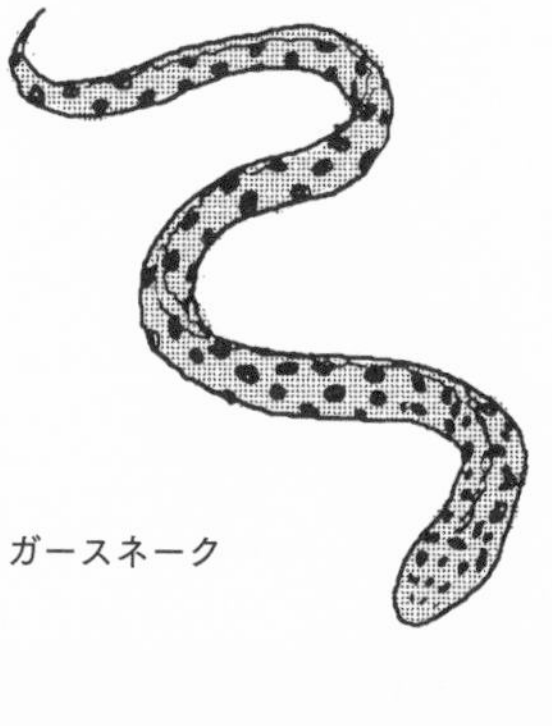

タイガースネーク

オーストラリア・ブラウンスネーク

タイパン：色は淡茶色から濃い茶色で、黄色がかった茶色い腹部を持つ。二・七メートル以下。神経毒。

タイガースネーク：大きな頭部と太い胴体を持ち、茶色がかった緑色と淡い茶色の帯の模様がある。よく見られるヘビで、非常に獰猛《どうもう》。一・八メートル以下。神経毒。

オーストラリア・ブラウンスネーク：色は茶色で腹部は白っぽく、ほっそりしている。一・八メートル以下。神経毒。

「噛まれたところを切ったり、毒を吸い出したりしてはいけない」

◉クモとサソリ

クモの毒に対して、激しいアレルギーを持つ人がいる。クモで命を落とすことはあまりないが、避けるに越したことはない。もっとも注意すべき種類は以下のとおり。

タランチュラ

生息地：中南米の熱帯地方
外見：大きくて、毛が生えていて、色は黒い。
生息場所：穴や木のなか。
症状：タランチュラは大きな牙を持つ。噛まれれば痛みがあり、出血する。感染の恐れは大きい。普通の傷と同じような処置をし（清潔に保ち、なにかで覆う）、感染症を起こさないように注意する。

ジョウゴグモ

生息地：オーストラリア
外見：大きくて、色は茶色か灰色。刺激すると攻撃してくる。
生息場所：森、ジャン

グル、木の茂み。巣がじょうごのような形をしているため、この名がついた。
症状：痛み、脱力感、発熱。健康な大人の命を脅かす唯一のクモ。

クロゴケグモ

生息地：種類によって世界中、どこにでも生息する。クロゴケグモはアメリカ、アカゴケグモは中東などで生息している。ハイイロゴケグモはオーストラリアなど、さまざまな地域で生息している。
外見：色は黒で、雌は神経毒のはいった腹部に砂時計のような形の赤い模様がある。
生息場所：丸太、石、がれきの下。
症状：噛まれた直後の痛みはさほどでもないが、すぐに周辺が激しく痛み出す。痛みはやがて全身に広がり、腹部と脚が最後まで痛む。脱力感、震え、発汗、多量に唾液が分泌されることがある。

サソリ（247～248ページ参照）

生息地：さまざまな高温の土地
外見：カニのような触肢と、いまにも襲いかかってきそうな針のついた尾で、すぐに見分けがつく。
生息場所：熱帯雨林から平原、高山まで多岐にわたる。
症状：サソリに刺されると非常に痛いが、健康な成人の命にかかわることはめったにない。腫れとしびれが数日続くことがある。
ジャングルにいたとき、横になっている私の上をサソリが這っていったことが何度かあ

った。サソリは夜行性なので、夜にもっとも活動的になるのだが、そのときはただ私の上を通りすぎただけだった。なにかしないかぎり、刺すこともなく、いたって無害だ。一般的にいって、小さいサソリほど針は危険だ。捕まえるときは、二本の指で針をはさむようにして尾をつまむといい。私はそうやってサソリを捕まえ、鋏《はさみ》をむしり、残りを食べた。

ハチ

ジャングルでうっかりハチの巣を刺激して一斉攻撃を受け、毒素ショックで命を落とした人間は大勢いる。攻撃的になったハチの群れは非常に危険だ。ハチの群れに襲われないためには、彼らの習性を理解することが重要だ。ハチは動くものや濃い色や明るい色、吐く息の二酸化炭素に反応し、土手や洞穴、サボテンや木の幹の穴、水たまりの近くに巣をつくる。こういった場所では十分に注意し、万一、にハチを刺激してしまった場合はパニックを起こしてむやみにハチをはらってはいけない。かえって群れを興奮させ、一斉に襲いかかられることになる。静かに巣から離れ、追ってこられないように茂みのなかを歩くとよい。

刺されたときは、爪の先かナイフで慎重に針と毒嚢《どくのう》を取り除こう。毒を絞り出そうとすると、逆に針を押しこんでしまうことになるので避ける。感染の危険を減らすために、傷口をよく洗おう。

ハチに刺された痛みは、次のような方法で軽減させることができる。冷湿布、泥や灰をペースト状にしたもの、タンポポの乳液、ココナツの果肉。

蚊

蚊はマラリアやデング熱を媒介するだけでなく、吻《ふん》にウマバエの卵がついていることがあるので、健康を脅かす恐れがある。こういった伝染病の症状としては、突然の高熱、頭痛、節々の痛みといったものがある。サバイバル状況下においては歓迎できるものではないので、刺されないように注意しよう。

毛虫

毒のあるものが多く、発疹ができたり、皮膚にアレルギー反応を起こしたりする。体についているのを見つけたら、頭部に向かってはらうとよい。とげが抜きやすくなる。ジャングルでは思いのほか危険な生き物である。

ウマバエ

蚊によって運ばれたウマバエの幼虫は皮膚に穴を掘ってそこで生活するので、皮膚に腫物ができる。ほじくり出すか、樹液かワセリンで窒息させるとよい。前述したジャングルを生きぬいたドイツ人少女ジュリアン・コェプケは、大量のウマバエの幼虫を皮膚に生みつけられたという。まるで自分の皮膚が生きていて、勝手に動いているような感覚に夜中に目を覚ましたというぞっとするような経験を語っている。ジャングルではゲリラのような精神で、時間のあるかぎり入念に全身を調べよう。

「ハチに刺された痛みは、次のような方法で軽減させることができる。冷湿布、泥や灰をペースト状にしたもの、タンポポの乳液、ココナツの果肉」

ダニ

ダニは八本の脚を持ち、口にあたる部分で皮膚に噛みついて血を吸う。彼らは狡猾《こうかつ》で、手が届きにくく、見つけにくい場所（とりわけ、毛が生えている場所に！）に取りつくので、毎日全身を確認しよう。ライム病のような病気を媒介するので、見つけたらすぐに取り除くこと。取り除く際は、口の部分が切れないように注意しよう。そこから膿んで、感染症にかかる恐れがある。

塩やアルコール、焚き火の燃えさしを近づけると（皮膚に噛みついたまま死んでしまう恐れがあるので、あまり長くあぶらないこと）ダニは離れていく。樹液やオイルを垂らして、窒息させることもできる。ダニの体をつぶさないこと。取り除いたあとはよく手を洗い、傷も繰り返し洗うようにしよう。

ヒル

湿地帯では、どれほどしっかりとからだを覆っていようと、ヒルを避けるのはほぼ不可能だ。彼らは熱を感知するだけでなく、服のほんのわずかな隙間にもはいりこめるという尋常ではない能力を持っている。噛まれても痛くはないが、かゆみをもたらす。天然の反凝固剤を分泌するため、大量の出血をすることがある。

ダニ同様、塩やアルコールや熱を与えると、普通は離れていく。またワセリンや樹液で窒息させることもできる。傷口から必ずといっていいほど感染するので、無理やりむしり取ってはいけない。

ワニ

ワニには海水に生息するものと、淡水に生息するものの二種類がある。前者は後者に比べ、より大きく、強く、はるかに攻撃的だ。問題は、海水のワニは淡水でも生きることができ、しばしば実際に淡水で暮らしているということだ。

なかには体長六メートルにもなる怪物のようなものもいて、一九七〇年代のオーストラリアのノーザンテリトリーには、漁師たちが〝スイートハート〟と名付けて恐れたワニがいたという。またより最近では二〇〇六年、フロリダのエバーグレーズで、人間を襲って食べるようになったワニが報告されている。餌付けされた結果、人間の存在に慣れてしまったらしい。

ワニは、まず獲物を溺れさせ、浮いてこないように岩や水中の倒木の下に置いておき、十分に腐らせてから食べるというやり方を好む。エバーグレーズの沼地で、私は堂々たる大きさのワニ数匹と遭遇したことがある。それどころか、ワニがいる川を渡らなければならなかった。ワニは四五分も潜っていられるので、私は彼らがいないことを確かめるまでじっと座って待ち、それから水中を泳いで渡った(もちろん恐ろしかった!)。水中に体を完全に沈めれば、彼らの主食である亀やカモにまちがえられる危険は減る。肝心なのは、近くにワニがいるときは水辺に近づかないようにし、岸で水をくむときも十分に気を付けることだ。ワニは、獲物がどこに水を飲みにくるかを観察していて、次にその獲物が訪れるまでじっと辛抱強く待っている。きみがその獲物にならないようにしよう。

軍隊アリ

軍隊アリは何百万匹という集団を形成し、あたりのものを食い尽くしてしまうため一カ所に長期間定住できず、つねに移動を繰り返している。彼らは肉食で、虫からワニまで行く手にあるものはなんでも食料にし、ひと口サイズに噛みちぎったものを女王アリがいる巣に運ぶ。軍隊アリはきみやなにかほかの生き物が行く手を遮っていても、迂回しようとはしない。ふさわしい敬意を払うことをお勧めする。

毒を持つカエル

ジャングルの渓流にはしばしば小さなカエルがいる。鮮やかな色をしているものを見かけたら、近づかないことだ。その色は毒を持っていることを表わしていて、天敵を寄せつけない目的がある。命を脅かす場合もあるので、怪しいと思ったときは、鮮やかな色をしたカエルを食料にするのはやめよう。毒矢を作ったり、水中の魚を失神させたりするためにこの毒を使う土着の部族民もいる。

最後に肝心の……カンディル

アマゾンに住むこのナマズの仲間は体長わずか二・五センチ、大きさも形もつまようじそっくりで透明なため、見つけるのは難しい。ほかの魚のえらから血を吸っていることが多いが、流れる尿をさかのぼって尿道に侵入することがある（人間の膀胱《ぼうこう》内の塩分に引き寄せられる）。ひれには矢のような返しがついているので、一度体内に侵入されると外科手術が必要となる。ジャングルの川で用を足すのは控えたほうが賢明だろう。

ペアの必須要件

ジャングルでのサバイバル

ルール1▼敵対するのではなく友になる

これほど異質な環境に適応するのは戦いに等しい。それも決して負けられない戦いだ。ジャングルを敵ではなく、友人だと考えよう。ジャングルは、サバイバルに必要なものすべてを与えてくれる。

ルール2▼ペースを落とす

ジャングルにスピードは必要ない。急げば急ぐほど、失敗する。ゆっくり行動し、障害物は慎重に避け、下生えは入念に調べよう。

ルール3▼体を覆う

ジャングルにおける最大の危険は〝千の切り傷による死〟だ。皮膚は必ず覆い、刺されたり、噛まれたり、引っかかれたりする危険を最小限にしておこう。

ルール4▼高い場所で眠る

ジャングルの地面は虫たちの温床だ。底を高くあげた台か、Aフレームのベッドで眠るようにしよう。

ルール4▼川——ジャングルのハイウェイ

ジャングルから脱出する確実な方法は川を使うことだ。川を探し、川に沿って移動しよう。いずれは人のいる安全な場所にたどり着く。

第 5 章　DESERTS

砂漠

「創造主がわれわれに首をあたえてくれるのに目的があったとするなら、われわれが首を突き出すように仕向ける狙いがあったにちがいない」　――マルティン・ルーサー・キング軍隊にいたときには、北アフリカの砂漠でかなりの月日を送った。当初はＳＡＳ（英国陸軍特殊部隊）で、砂漠地帯に二度派遣され、その後、フランスの外人部隊の基礎訓練をサハラ砂漠西部で行った。それらの経験から、過酷な気温の環境には逆らわないほうがいいという確信が強まった。砂漠はほんとうに敵意に満ちた場所だ。地球上のどんな場所よりも恐ろしいかもしれない。砂漠の最大の特徴は、人間がほかのなによりも必要としている物質——水がまったくないことだ。

◉

砂漠の定義の一つは、降雨がほとんどないことだ——年間二五センチ以下というのが、標準的な定義とされている——なかでもチリ北部のアタカマ砂漠が、もっとも雨が少ない。アタカマ砂漠では、年間降雨量が一センチ以下で、人間の記憶にある限り一滴も雨が降ったことがない地域もある。

砂漠のもう一つの特徴は、火ぶくれができそうな暑さだ。砂漠では夏のあいだに摂氏五〇度に気温が上昇することが珍しくない。ほんのすこし雨が降ったとしても、たちまち蒸発するので、浸食されやすい。かつては海底か山脈だった地形が、数百万年のあいだに風食され、地球上でもっとも壮大なパノラマができあがった。

世界地図で砂漠を見ると、北半球ではほとんどが赤道と北回帰線のあいだにあることがわかる。なかでも最大のサハラ砂漠は、北アフリカにあり、その近くには中東のいくつかの砂漠とアラビア砂漠がある。

南半球では、チリ北部のアタカマ砂漠、南アフリカのナミブ砂漠とカラハリ砂漠、オーストラリアの砂漠などすべてが、南回帰線にある。最後に、中央アジアのゴビ砂漠と北米の**一部の寒い**砂漠が、もっと緯度の高いところにあり、夏には極端な高温になり、冬には厳寒になる。

地球の表面の五分の一が、砂漠とされている。すぐ思い浮かぶのは、果てしなくうねっている砂山だろう。そういう砂漠もあるが、あとはさまざまに異なる地形から成っている。位置や経度や緯度によって、山、岩場の台地、谷、塩漠、砂と砂利の平地などさまざまで、涸《か》れた川や植物がそこに点々とある。

そういった変化に富む地形は、砂漠を経験する旅人の美観や宗教的観念に深遠な影響をあたえるとともに、サバイバル状況を無事に切り抜けられるかどうかにも、重大な影響がある。砂漠といえども、サバイバルの基本方針に変わりはないが、オーストラリアのアボリジニ、サハラのトゥアレグ、アラビア砂漠のベドウィン、ネーティブ・アメリカンのような砂漠の民が、何世代にもわたって伝えてきた知識は、なにものにも代えがたい。そうした知識の恩恵に浴すことなく、また私たちがいつも頼っている現代のテクノロジーが奪われた状態では、二一世紀の冒険家は、そう長くはサバイバルできないだろう。

「砂漠はほんとうに敵意に満ちた場所だ。地球上のどんな場所よりも恐ろしいかもしれない」

◉砂漠の地形

砂もしくは砂丘の砂漠

これは典型的な砂漠の地形だ。風紋が描かれた砂丘が果てしなく続き、ラクダの隊商のシルエットがひどく小さく見える――デービッド・リーン監督の映画「アラビアのロレンス」の不朽の名場面だ。サハラ砂漠とナミブ砂漠の大部分がこの地形で、ナミブ砂漠には高さ三六五メートル、全長三〇キロメートル以上の砂丘がある。

山地の砂漠

山地の砂漠は、谷間（訳注　一般に高地と界する細長い低地を指す）、雨裂、V字谷などがあるのが特徴だ。この種の地形では、千年以上も浸食された山が、風によって異様な形に彫られて、砂漠からそびえ立っている。アメリカのネバダ州とユタ州のグレートベースンの砂漠の大部分がこれにあたる。気温は摂氏五二度にも達する。靴がずっと燃えているように感じられた。

岩場の台地の砂漠

比較的平らなごつごつした地形で、大昔に川が流れていた深い谷がところどころにある。アメリカ西部の砂漠の多くはこういう地形で、グランドキャニオンもそこに含まれる。

塩漠

これは砂漠のなかでももっとも危険でサバイバルが難しい地形だ、塩水が蒸発してアルカリ性の層が残ったためにできた砂漠で、水があっても飲料には適さないし、物を腐食させる。中東にはこういう塩漠が多い。

断続的な砂漠

涸れた水路が迷路のように曲がりくねって通っているのが特徴で、乾燥した土地に尾根、溝、複雑な模様の砂地が点々と入り混じっている。世界中にあり、ほとんどの砂漠の境界をなしている。

シェルターを見つける

日向《ひなた》と日陰の温度差が一七度に達することも多い砂漠環境では、シェルターの第一条件は直射日光を避けられることだ。たいがいの人間は暑さよりも寒さを恐れるが、高体温症は低体温症とおなじように死を招く恐れがある。脱水と日焼けも死因になりかねないし、体の内部の温度が三・五度さがっただけでも、心臓麻痺《まひ》を起こす。

厄介なのは、砂漠では暑さをしのぐシェルターを見つけただけではすまないことだ。寒さからも身を守る必要がある。昼間の気温は摂氏六五度まで上がることもあるのに、夜は氷点下になるかもしれない。寒さにさらされて死ぬことは、砂漠では珍しくない。

体は、熱を失うときとおなじように、伝導（じかに触れる）と対流（空気の流れ）の二つの作用によって熱を帯びる。どういうシェルターでも、この二つの作用をできるだけ減らすことを目的にするべきだ。

だから、最初の仕事は――サバイバル状況ではつねにおなじだが――優先順位を適切に見定めることだ。

◉砂漠用の衣服

まずシェルターの基本といえるのは、着ている衣服だ。頭、首、皮膚、目を、陽射《ひざ》しから守らなければならない。理想的なのはだぶだぶの長袖シャツと、空気は通るが汗があまり早く蒸発しないようなズボンだ。そういう服は、体本来の冷却システムが効果的に機能しやすく、脱水を最小限に抑えられる。口ではなく鼻から呼吸すると、口の広い範囲の湿った組織からの蒸発を減らせるので、脱水をやわらげられる。

砂漠に行くときには、つばの広い帽子か、世界中の砂漠の民をまねて、かぶり物の布をかならず持っていくこと。太陽の熱だけではなく、風や砂をよけるのにも役立つ。きっと嫌がられるだろうが、前に被り物の布に小便をかけて、頭を冷やしたことがあった。何日かたつとひどいにおいになったが、水分が太陽のすさまじい熱と戦ってくれる。サバイバル状況では、自分を救うためには手段を選ぶべきではないし、脳を冷やしておくのはきわめて重要だ――脳はサバイバルにとってもっとも貴重なツールなのだから!

日焼け止めを持っていないときには、焚《た》き火の消し炭か砂漠の泥を顔や手に塗るといい。目の下に炭を塗ると、陽射しで目をやられるのを防げるし、網膜に当たる光を和らげられる(だから、アメリカン・フットボールの選手は、まぶしい光を避けるために、目の下に色のついた日焼け止めを塗る)。サングラスをなくしたか、こわしたときには、被り物の布でできるだけ目を守るようにする。小さな隙間さえあれば、十分に見える。

サングラスの代用品の一つは、ポプラの樹皮を目のまわりに結びつけ、細い隙間から見るというもので、これは実用されているのを見たことがある。イヌイットが昔からや

っていて、結ぶ紐《ひも》にはイトランの葉を使う。

現地で圧倒的に多い黒っぽい服と白っぽい色の服のどちらが、砂漠に適しているかという点については、かなり意見が分かれている。白服派は、白は太陽を反射するが、黒い生地は熱を吸収するから体が熱くなると主張する。この理論には欠陥がある。白服は太陽光を通してしまい、肌を日焼けさせ、体を熱して、汗の蒸発を早めるのだ。黒服は生地そのものは熱を吸収するが、有害な紫外線をあまり通さない。それに、だぶだぶだと、空気が循環しやすく、体本来の冷却システムが効果的に機能する。

昔からの砂漠の民が採用してきた理想的な解決策は、薄手の黒い服の上に薄手の白い服を重ね着するというものだ。


「昼間の気温は摂氏六五度まで上がることもあるのに、夜は氷点下になるかもしれない」

シェルターを見つける

シェルターをこしらえたり、地面の穴を掘ることを考える前に、もっと単純で楽な手段を探そう。結果のほうが手段よりも重要なのだ。丁寧にシェルターをこしらえると、エネルギーを浪費し、体の水分と塩分をかなり失う。

岩棚、岩山、砂山、窪地《くぼち》や、巨大なサボテンでもいいから、砂漠では日陰を見つけることが肝心だ。だが、どの日陰もおなじように太陽から守ってくれるわけではない。

昼間は、熱をためてオーブンみたいに放射する岩よりも、植物（木立や藪《やぶ》）のほうが、シェルターとして適切だ。モアブ砂漠では、岩がものすごく熱くなっていたので、カラスの卵焼きをこしらえた。二秒でジュッという音をたてはじめた！

それに、植物は蒸発作用によってまわりの空気に湿気をあたえる。いっぽう、夜には熱をため込む岩の作用が役立

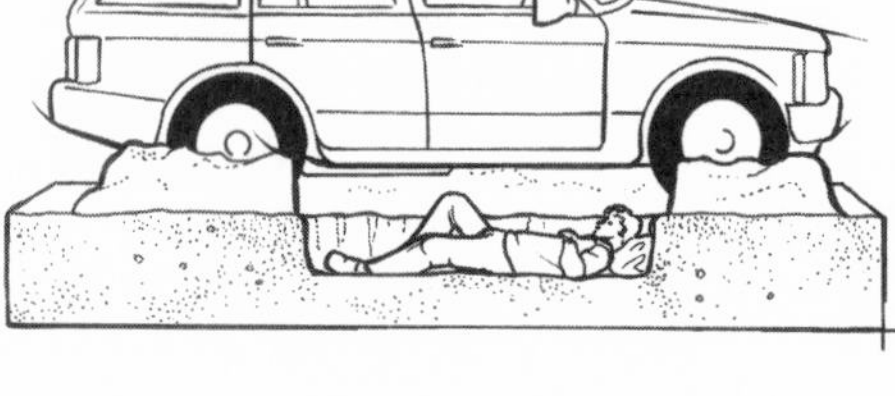

つ。サバイバル・ブランケット、ポンチョ、パラシュートのような布地があれば、岩にかけるか、巻きつけるか、岩のあいだに渡すといい。

　車が故障した場合には、その近くにいるほうが、空と地上から発見してもらう確率が高くなる。しかし、車内にとどまってはいけない。昼間には蒸し焼きになり、夜には凍えてしまう。車体がこしらえる日陰を利用し、地面を掘れば、地表から一五センチ下では一七度涼しくなる。シャシーの脇に砂を盛り上げれば、風よけになるし、シェルターの涼しさが保てる。

　すぐに使えるシェルターである車のそばを離れるのは愚かであるということが、一九八九年のイギリス人夫婦アンドルーとジェーン・ヒューズの悲劇的な事件で実証されている。チュニジアのサハラ砂漠の端にあたる地域へ旅行に行ったふたりは、幼い子どもをふたり連れて、近くのドゥズという市場町へ日帰りの予定で出かけた。

　悪路と道路標識が不備だったために、砂地で車が動かなくなった。町は近いと思い込んでいた四人は、徒歩で出発したが、一時間歩いても、なにも見当たらない。この時点で、アンドルーは妻と子どもたちに、道路に沿ってひきかえすよう指示した。貯水タンクを途中で見かけたし、三人は水を一・五リットル持っていた。いっぽう、アンドルーは、町に向けて歩き続けた。

　すさまじい暑さと水がないために、アンドルーは気絶して、砂漠の地面にひと晩横たわっていた。翌朝、通りすがりの農夫がアンドルーを助けて、車のところまで連れていったが、妻も子どもたちもたどり着けなかったことがわかった。さらに不運だったのは、アンドルーを残して農夫の車が走り去ったことで、アンドルーの車は再び動けなくなり、チュニジア軍のパトロールにようやく救出された。悲しい報《しら》せがアンドルーを襲った。妻ジェーンと子ども二人は、貯水タンクも車も見つけることができなかった。水がなくなり、情け容赦のない陽射しを避ける日陰もなく、二日とたたないうちに死んでいた。せめて日没までで も、車のそばから動かずにいたら、結果はまったくちがっていたはずだ。

シェルターをこしらえる

結果のほうが手段よりも絶対に重要だから、どういうシェルターをこしらえるにせよ、肉体労働が必要な場合には、十分に明かりはあるが、気温がまずまずで脱水を最小限にできる早朝か、日暮れ前にやるのがいい。砂漠で重要なのは、想像力を駆使してその場で工夫することだ。見つかった材料は、なんでも最大限に利用しなければならない。

太陽から身を守るために、シェルターには屋根がなければならない。そもそも、サバイバル・ブランケット、ポンチョ、防水布、あるいは傘でもいいから、緊急時に日よけに使えるものを持たずに砂漠へ行くのは、やめたほうがいい。そもそも、木の葉や枝のような代替品がほとんどない場所なので、使えるのは持っているものだけかもしれない。日よけに使えるようなものがあるなら、半分にたたむ。二重にしたほうが、効果的だからだ。外側の層が日光の直射をとめ、あいだの空気が対流によって熱を拡散しやすくする。

シェルターの種類

植物

地形によっては、ちょっとした木立や藪がかなり役立つ日陰になる。材料が十分にあるときにはAフレームの構造（87〜88ページ参照）で日光をさえぎることができる。根や枝でこしらえる植物の台も、昼間の地面からの熱と夜の寒気から守ってくれる。

岩のオーバーハング、洞窟

こういう地形があり、ある程度の深さがあって、空気が循環し、岩からの熱の

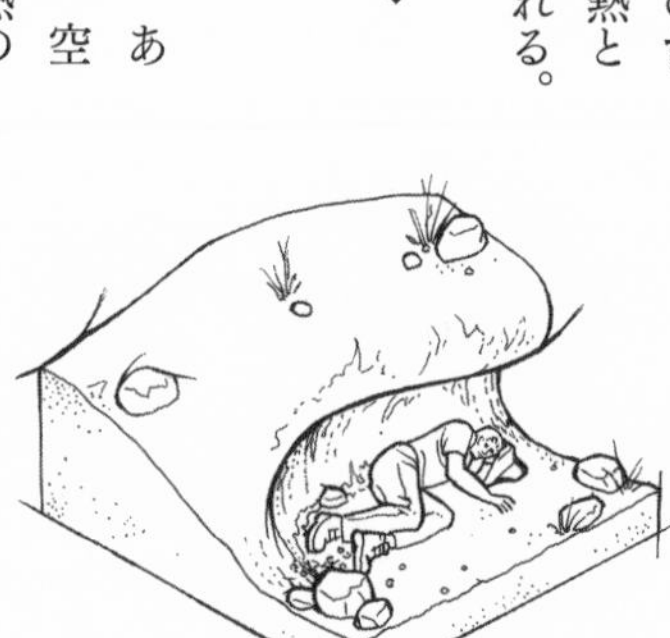

反射を拡散するようであれば、完璧なシェルターになるかもしれない。ヘビ、クモ、サソリには、くれぐれも用心すること。クーガーにも気をつけよう。噛《か》んだり刺したりするさまざまな生き物が、きみとおなじように、昼間の暑さから身を守ろうとして、先にそこを使っているかもしれない(たとえば、昼間の暑さをしのげる日陰がないと、ヘビは一時間で死んでしまう。あらゆる生き物が、日陰を必要としているのだ)。

人工物シェルター

スペース・ブランケット、ポンチョ、防水布のような人工の材料はすべて、日光をさえぎる日陰を提供し、熱を反射するので、砂漠のすさまじい暑さではきわめて貴重だ。極端な環境では地面に敷いてくるまるしかないが、できれば岩や藪にかけて、空気が循環するようにする。二重の屋根の場合、六〇センチないし九〇センチの隙間をこしらえると、その下の温度はかなりさがる。

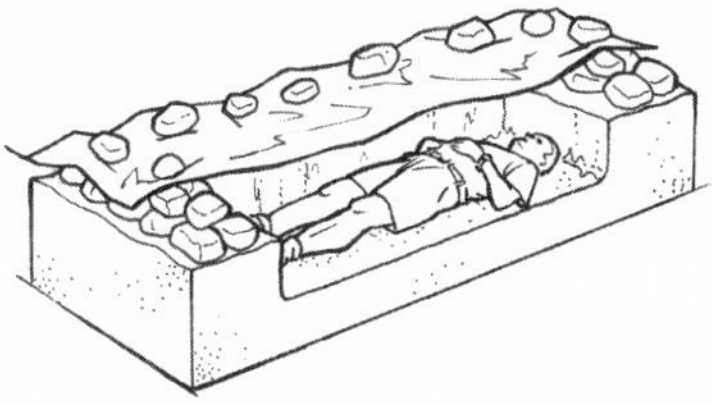

穴掘りシェルター

地面よりも高い自然の地形があって、日陰ができているときには、日陰の側に浅い穴を掘る。穴の広さは六〇センチ以上でなければならない。

掘った土や石はまわりに積んで日よけの壁にする。できるだけ南北にのびたシェルターを見つける。そうすれば、太陽が東から出て西に沈むあいだ、もっとも長時間、日陰が利用できる。穴の上にスペース・ブランケットか防水布をかけて、石で押さえれば、さらに好都合だ。重石《おもし》に使える石がないときには、ピラミッド

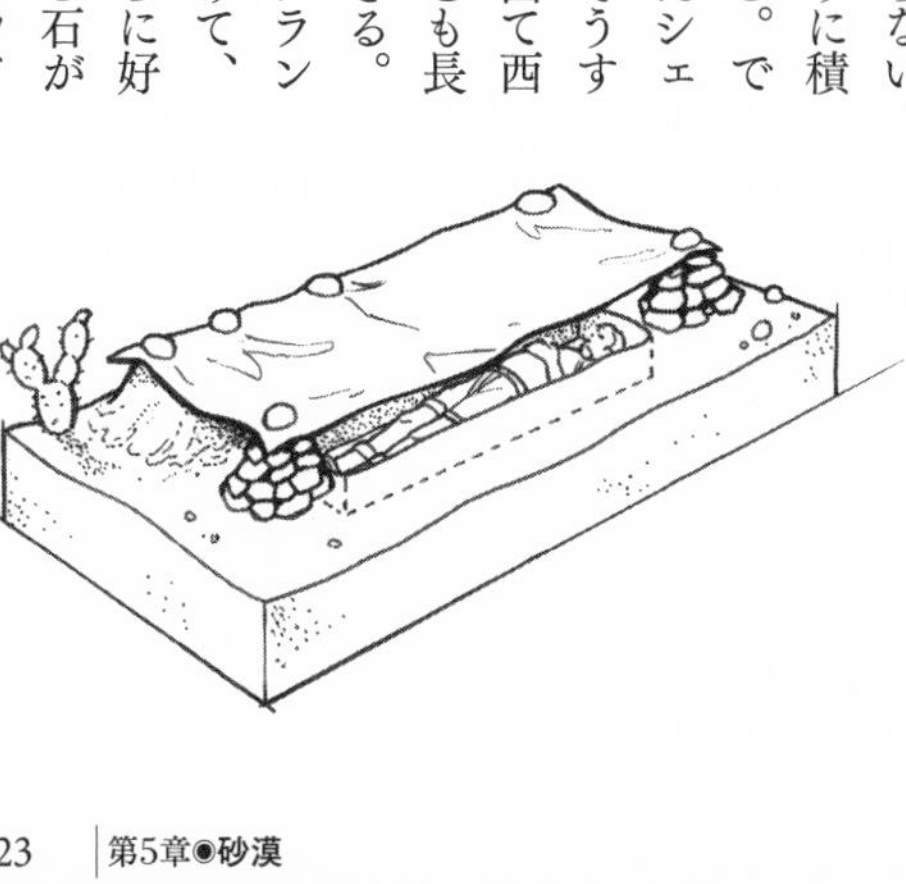

形にかぶせる。穴を掘るには時間とエネルギーを費やすので、まだ涼しい早朝か夜にやる。

水を手に入れる

砂漠では、脱水が最大の敵だ。体の水分が恐ろしい割合で失われるだけではなく（正午の陽射しでは一時間に一リットル）、水分を補給するのに当てにできる水源を何度も見つけられる可能性は低い。人間の体は、食物がなくても三週間もつが、砂漠で水がないと、ヒューズ一家の悲劇でもわかるように、二日生き延びられれば運がいいほうだ。ユタ州で私がいっしょに働いたことがある捜索救難チームでは、水なしで砂漠で遭難したら、「一二時間で倒れ、二四時間で死ぬ」と言い習わしていた。そうならないようにしよう！

水は重くてかさばるので、車もラクダもなしに砂漠へ行こうとした場合、補給なしでは数日しかサバイバルできない分量の水しか持っていけない。だから、砂漠で迷った場合には、町や村へ戻る道を見つけるか、救出されることが、ほかの野生環境とはちがって、一刻を争う問題になる。

つぎの問題をよく考えておいたほうがいい。専門家によれば、摂氏二九度を超える砂漠では、人間が一日に摂取しなければならない水の実質的な量は、最低四・五リットルだという。それも日陰で休憩している場合の話だ。気温が摂氏五〇度以上になり、歩きはじめると、水分の消費は急激に増え、一日一三・五リットルが必要になる。つまり、昼間の熱い時間には、一時間に一リットル飲まなければならない。

ふつうの砂漠気候（雨がなく植物がほとんどない）のとき、砂漠でそれだけの量の水分を見つけられる見込みは、ほとんどないだろう。そのため、水の節約はとにかく一番の優先事項だ。パニックを起こし、考えもなしに水を探そうとすれば、たとえ水が見つけられたとしても、それ以上に汗で水分を失ってしまう。

砂漠のサバイバル状況では、日陰を見つけて、体力をできるだけ使わないようにしなければならない。そこではじめて、水の需要と供給がプラスになる可能性が出てくる。

水がまだ残っていたとして、節約するべきかどうかという点で、専門家の意見は分かれている。小便がまだ多少出るようなら、最後の水を飲み干すべきではないというのが、常識的な意見だ。逆に、まもなく心臓発作を起こして気絶しそうなのに、水を節約するのはバカげている。自分で判断するしかない――ひどい脱水を起こしていたら飲む、そうでなかったら、節約するのが賢明かもしれない。

砂漠の熱い空気が肺に吸い込まれて出るときに、体内の水分を奪うので、呼吸するだけでも体液がかなり失われる。だから、ベドウィンのような砂漠の民は口を覆い、できるだけ鼻で呼吸する。

私はメキシコのタラウマラ族のやり方をまねたことがある。この少数民族は、最低限の水だけで、砂漠の熱気のなかを一日八〇キロメートル走る。口に水を含み、飲み込まずに鼻で呼吸するという方法で、それをやってのける。吸う息がつねに水を含んでいることになる。

このやり方は効果的だが、水を飲み込みたいのを我慢するには、ものすごく強い意志を必要とする。砂糖衣をまぶしたドーナッツを見ながら、舌なめずりしている感じだ！　水を口に含んで、一五分のあいだ飲まずにいるのを目標にした。そうすると、距離がはかどるし、水分補給にも役立つ。

「摂氏二九度を超える砂漠では、人間が一日に摂取しなければならない水の実質的な量は、最低四・五リットルだという」

役に立つ豆知識

ラクダをまねるといい。ラクダは足が長く、空気が循環しやすい（体の下を空気が循環するように、昼間には茂みの上で休む）。ラクダは休むときには尻を太陽に向けて、できるだけ陽射しを浴びないようにする（日よけをかぶるか、日陰を探し、浴びる太陽エネルギーをできるだけ少なくする）。

「自分で判断するしかない――ひどい脱水を起こしていたら飲む、そうでなかったら、節約するのが賢明かもしれない」

水があるしるし

実際に水を探しに行く前に、周囲の砂漠をよく観察し、水がある気配を探す手間をかけたほうがいい。動けば動くほど脱水を起こしやすくなることを、忘れてはならない。熟練者の目は、水の気配を遠くから見つけられる。やみくもに動き回るより、しっかりした知識に基づく推理をするほうがいい。

以下はすべて水が地表か浅い地中にあることを示す、自然の目印だ。

植物

砂漠の乾き切った地形に、植物が繁茂しているところがあれば、かなり遠くから見える。藪やサボテンや草があるから、水が手にはいるとはかぎらないが、地表から四五センチ以内に湿気があるか、あったことを示している。

獣道の交差点

動物は、人間とおなじように水を必要としている。毎日のようにおなじ水場に戻る習性がある。けもの道は水場近くで交差し、もっと広いけもの道になることが多い。動物はたいがい早朝と夜に水を飲むので、その時間の頻繁な動物の動きは、水場のありかを示していることがある。

動物の糞

動物の糞《ふん》が多いのも、けもの道とおなじように、動物が頻繁に集まってくる場所があることを示している。従って、水場が近くにある可能性が高い。

鳥の渡り

鳥も早朝と夕方に水を飲むので、鳥の群れが頭上を飛んでいったときには、水場を目指している場合が多い。ハトが近くにいれば、まずまちがいなく水場がある。ハトもそのほかの鳥も、水場へ向かうときは高く飛び、帰り道は低く飛ぶ。だが、ハゲワシ、ワシ、タカのような肉食性の鳥にはあてはまらない。こうした猛禽類《もうきんるい》は、獲物の肉から水分を得るからだ。

ミツバチや虫の群れ

ミツバチはふつう水場から八〇〇メートル以内にいて、そことの往復は直線に飛ぶ。ただ、群れに刺激をあたえてはいけない（209ページ参照）。ハエも水場近くにいる。蚊がいればまちがいなく目当ての水場が見つかるはずだ。

沿岸部の砂丘

沿岸部の砂漠では、水が内陸部へ染みていき、水面の塩分がなんとか飲用に耐える程度の沼地ができる。砂漠で濾《ろ》過《か》されることもある（231～232ページ参照）。高潮線近くの砂丘にも浅い水だまりがあり、塩分が薄い水面の水が飲めることがある。

「動物はたいがい早朝と夜に水を飲むので、その時間の頻繁な動物の動きは、水場のありかを示していることがある」

水源

水も地球上のすべての物質とおなじように、重力の影響を受け、高低差があると流れ、したたり、斜面を下る。そのため、谷間、涸れた河床、雨裂、峡谷、岩山の崖下のほうが、尾根のてっぺんや砂山よりも見つけられる可能性が高い。砂漠では、多孔性の岩盤が、そうではない岩盤に挟まれているところに泉がある可能性がある。断崖や岩山の下にあることが多い。多孔性の岩を浸透してきた水が、湧き水となって出てくるからだ。

砂漠にも雨季があり、鉄砲水が出たりするが、水路はたいがい涸れている。深さや幅はまちまちだが、その湿った砂の表面の三〇センチ下に、水分がある場合が多い。水路が曲がりくねっているようなら、曲がっている部分の外側のもっとも低い場所で、水が見つかる可能性が高い。満水のときには、そこがもっとも流れが遅く、水がよどみやすいから、川が干上がってもまだ水が残っていることがある。

ぼろきれやバンダナを濡《ぬ》れた砂や土に浸して絞ったり、井戸か蒸留器（231～233ページを参照）をこしらえて、水を取り出す方法もある。鉄砲水が起こりやすい地域へ行くときには、天候に気をつけなければならない。極端な場合、涸れた河床が数分で荒れ狂う本流に変わることがある（241～242ページ参照）。雨裂が数秒で二五メートルの水深になったという話を、聞いたことがある。鉄砲水は非常に危険だ。

砂漠では水が少なく、いつも満々と流れていて汚いものが洗い流されるわけではないので、非常に汚染しやすい。たいがいの水はよどみ、齧歯類《げっしるい》の腐った死骸が浮かんでいることが多い。だから、病気になって体液を余計失うのを避けるために、濾過し、浄化する（184～185ページ参照）方法を知っていなければならない。水が汚染している疑いがあり、煮沸できないときには、蒸留器を作る手もあるが、それにも体力を使うし、失われた水分を補ってプラスになるかどうかはわからない。

自然の水源

サボテン

サボテンは水源としては過大に評価されている。砂漠の民も、その水分を使うのは最後の手段だ。毒ではなく、嘔《おう》吐《と》を催すような味でもないサボテンを見つけるのは難しい。水分を取り出すのも難しい。しかし、アメリカの砂漠では、キンセキリュウというサボテン――樽の形で、釣り針のようなとげがあるので、

見分けやすい――が、非常時にはすばらしい水分の源になる。

ヒラウチワサボテン

ヒラウチワサボテンのたぐいは、つぶして繊維状にすると、汁が出る。茎も水分が豊富だ。だが、汁気が多そうで白っぽいサボテンは、ヒラウチワサボテンではなく毒があるので、飲んではいけない。メキシコのソノラン砂漠南部のオルガンパイプ・サボテン（大王閣。柱サボテンの一種）には、甘くて水分の多い実が生《な》る。

リュウゼツラン

何世紀も前からヨーロッパの熱帯風庭園で栽培されてきたし、とげのある長い波打っている葉が、花がつく茎のまわりに放射状にひろがっている（ロゼットと呼ばれる）ので、すぐに見分けられる。アメリカのアオノリュウゼツランは、巨大な茎が高さ一〇メートルにもなり、遠くから見分けられる。根元に雨水がたまるし、茎と葉から水分が取れる。

木、草、根

アフリカやオーストラリアのバオバブの木の幹、オーストラリアのニードルウッドの木の根、サハラ砂漠のコロシントウリの若木、南米のアタカマ砂漠のさまざまな種類のリュウゼツランやイトランなど、世界各地の砂漠に生える植物は、すべて緊急の場合の水分補給源になる。オーストラリアでは、バオバブ、デザートオーク、モクマオウ、ペイパーバックツリーが、樹皮の下に水分を蓄えるので、それを吸い出すことができる。バオバブ、マルバゴウシュウアオギリ、ワトル（アカシア属）などの木の根や、液の多い部分を短く切って、容器のなかでさかさまに立てると、水分がじわじわと滴る。

役に立つ豆知識

サボテンは一年にごくわずかな水で生き延びるが、タマリスク（紅竜・ギョリュウ科）のような砂漠の小高木は、地下の水源から毎日大量の水を吸い上げる。タマリスクの林を見つけたときには、水が蒸発したことを示す岩の上の塩だまりを探す。この塩だまりは、岩盤から少量の水が**滲出**《しんしゅつ》することによってできる。私はモアブ砂漠でそれを見つけて、ノウゼンカズラの茎をストロー代わりに、ミネラルが豊富で新鮮な水の小さな水たまりから吸った。あっという間にまた水がたまった。

からからに渇いた砂漠でも、自然はたいがいサバイバルに必要なものを供給してくれる。典型的な例はアメリカガマズミで、赤い実はミネラルを含んだ塩分に覆われている。生で食べることができ、ビタミンCが豊富で、失われたミネラルを補うのに役立つ。ネーティブ・アメリカンは砂漠でこれを籠いっぱい採り、料理や移動中の塩分補給に使う。目にはいる汗がしみないようになったら、塩分を補給する必要がある。塩分が少なくなり、ミネラルを必要としている証拠だからだ。

ジプシーの井戸

干上がった水路の近くで水がよどんでいるところを運良く見つけたら、よどみから離れたところに小さな穴を掘り、水がにじみ出てくるのを待つ。水が濁っていたら、排水して、もう一度待つ。涸れた河床の曲がりの外側が理想的だ。せいぜい四〇～五〇センチ掘ればいい。それ以上掘るのは、時間の無駄だ。

凝結による水分

きわめて乾燥した環境にも、水は存在する。目には見えないが、空気中には一定の水蒸気があり、地面も湿気を含んでいるし、植物の葉や根にも水分がある。ただ、それを取り出すための労力で汗によって失われる水分のほうが、そこから取り出せる水分よりも多くなることが多い。

「目にはいる汗がしみないようになったら、塩分を補給する必要がある。塩分が少なくなり、ミネラルを必要としている証拠だからだ」

太陽熱蒸留器・砂漠蒸留器

砂漠蒸留器がどれほど有用かということについては、さまざまな異論がある。穴と透明なビニールシートを使い、地面に閉じ込められている水分を凝結させるというのが、基本的なやり方だ。ビニールシートの面と周囲の温度差で、水分が凝結し、容器に滴るという仕組みになっている。

二四時間で〇・五リットルの水がたまったとする、サバイバルの専門家もいるが、土壌に含まれる水分に万事が左右される。〇・五リットルためるのが可能なのは、ある程度湿った河床で蒸留器をこしらえたときだろう。そこでバンダナを濡らして絞れば、それぐらいの水はすぐに取り出せる。どうせほんのひとすすりの水しかできないから——たとえ涼しい夜にやったとしても——蒸留器をこしらえるために穴を掘る労力は、割に合わない。

そういった理由から、太陽熱《ソーラー》蒸留器のほうが、ほかの水源を補う手段としては優れているといえる。しかしながら、この方法も水が手にはいりやすい場所でないと割に合わないし、汚染した水や黒ずんだ水を浄化する方法だと考えるべきだ。一カ所のベースキャンプに何日もいるような場合には、水を入れる容器がいくつもあって、ビニールシートが何枚もあるようなら、何カ所もこしらえるとおおいに役立つ。

まず、すり鉢状に穴を掘る。深さは六〇ないし一二

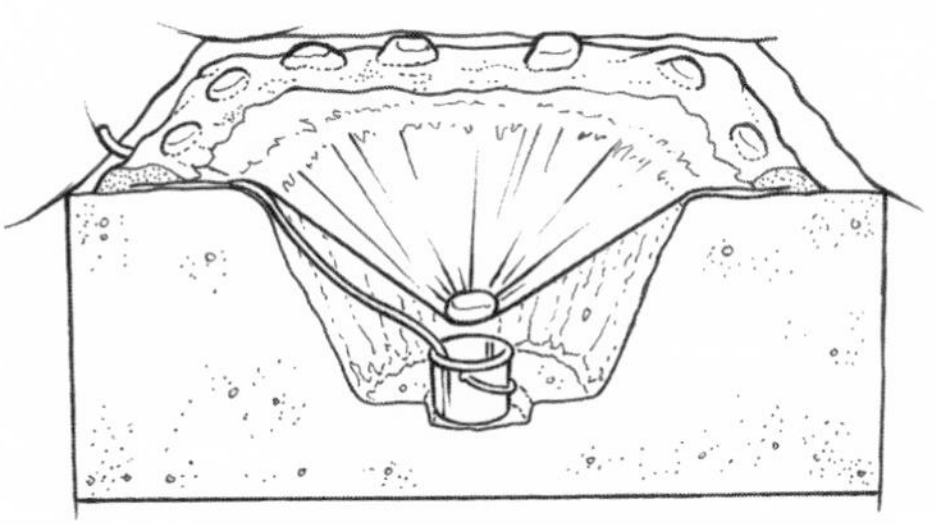

〇センチ、差し渡し九〇センチないし一二〇センチ。斜面は土が崩れ落ちない角度にして、周囲はすべておなじ高さにする。そうしないと、蒸留器がきちんと機能しない。つぎに、水を集める容器を立てるための小さな穴を、穴の底にこしらえる。細いチューブがあれば、容器から穴の外までのばす。こうしておけば、蒸留器を分解しなくても、水を吸える。

つぎに、凝結した水が伝いやすいように、ビニールシートの片面を砂でこすってざらざらにする。ざらざらにしたほうを下にして、穴を覆い、まんなかに重石を置いて、ビニールがじょうご形に垂れさがるようにする。日光で熱せられた石がビニールを溶かしそうな恐れがあるときには、石を布でくるむといい。最後にシートの端を石でしっかりと地面に固定し、穴を密封する。ビニールシートの内側が、穴の面に触れていると、水が容器に流れ落ちるのを妨げるので、そうならないように気をつける。

露だめ

深さ四五センチの穴を掘り、周囲に水が漏れないようなものを詰める。石をいくつも入れておき、夜明け前に降りた露をなめる。ベドウィンは、これと似た原理で、地面に埋もれた石を夜明け前にひっくりかえす。冷たい表面に露が降りているからだ。

役に立つ豆知識

蒸留器にたまる水を増やすには、底に石を敷き、木の葉、サボテン、砂漠の灌木《かんぼく》など、近くにあった植物をかぶせる。そこに尿や汚い水を注いでもいい。こうした蒸留器に尿を注いで、蒸留できる水分を増やしたことがあるが、うまくいった。自分の尿を無駄にしてはいけない。ぼろきれを持っているようなら、そこに小便をする——植物にかけるよりも布を濡らしたほうが、効果的に蒸発するからだ。

蒸発蒸留器

植物が繁茂しているところでは、ソーラー蒸留器をこしらえるよりも、蒸発（正確には蒸散）蒸留器のほうがずっと効率がいい。ちょうどぐあいのいい（毒性のない）木か草の葉が多くて若い部分を透明なビニール袋に入れ、空気がはいらないようにしっかりと口を閉める。それを直射日光にさらされる場所に置く。根が細くてとげが多い植物よりも、多肉質の根の植物のほうが、たいがい水分が多い。やがて太陽の熱で葉の水分がにじみ出して、袋の底にたまる。飲むときには袋の底に小さな穴をあけ、飲んだあとでふさげばいい。二時間以上かけないこと。水分がまだあったとしても、もう出なくなる。水を抜いて、最初からやればいい。この蒸留器は、いくつもあったほうが役に立つ。

食べ物を手に入れる

砂漠では、食べ物を探すのを最優先してはいけない。それどころか、水源が見つからないうちに食べ物が見つかっても、水がないときは食べないほうがいい。消化には貴重な体液を使う。脂肪や塩分が多いものを食べると、ことに水分消費が増え、脱水が進みやすくなる。果物や根や葉などの炭水化物は、水分を含んでいる場合が多いが、肉や木の実など、脂肪やたんぱく質が多いものは、消化に体液を必要とする。

原則的には、〇・五リットル以上の水がないときには、野菜も食べてはいけないし、肉の場合は一・五リットル以上なければならない。乾物のサバイバル食料を持っていても、水がなかったら食べてはいけない。

たいがいの砂漠地帯には、果実や根や葉や茎が食べられる植物がある。ほとんどがボール紙みたいな味だろうが、貴重な栄養を含んでいる。哺乳動物、爬虫類《はちゅうるい》、昆虫、幼虫、鳥は、頭や内臓を取り、毒のある腺を取り除いてからでないと食べられない。

どんなときでも、動物を狩って肉を手に入れようとする前に、食べられる植物や昆虫の幼虫を探そう。狩りをするのは、失われる水分とエネルギーには見合わない。トカゲは例外で、手か罠《わな》で捕まえられる。第1章（52～56ページ参照）で説明した仕掛けが、砂漠でも役に立つはずだ。

オーストラリアで奥地食《ブッシュ・タッカー》と呼ばれる未開の土地の食べ物は、アボリジニの基本食として有名になり、アリ、トカゲ、イナゴ、ヘビなどをメニューに載せている街のレストランもある。サハラやアタカマのように砂丘ばかりの荒涼とした砂漠地帯には、食べ物がほとんどないように思えるかもしれないが、意外にもあてになる食料源がある。

「水源が見つからないうちに食べ物が見つかっても、水がないときは食べないほうがいい」

木や草

砂漠の植物は、おおよそ二種類に分けられる。一年に一度、雨季だけ蘇《よみがえ》る短命植物と、根、葉、茎に水分を蓄えて長い乾季を生き延びる多年生植物。さまざまな種類の砂漠に、食べられる木や灌木や草がある。だが、多くは料理しなければならず、水がないときには実際問題として使えない。乳白色の汁が出るものはたいがい毒なので、避けたほうがいい。疑わしいものは食べないか、第4章の食料安全テスト（187～189ページ参照）で調べる。

ヤシ

ヤシは、実、花、蕾《つぼみ》、幹など、ほとんどの部分が食べられるが、料理したほうが味がよくなる。ニッパヤシの葉は長さ約六メートルで、葉茎の根元に生る集合果の種を食べられる。サトウヤシは、成木が高さ一五メートルにも達することがあり、実を食べられる。ナツメヤシは中東の至るところにあり、砂漠で最大の贅沢品《ぜいたく》と見なされている。葉も料理すれば食べられる。ココヤシの実（ココナッツ）の果肉はむろん食べられるし栄養価が高く、未熟でも熟していても食べられる。ただ、汁は青い実のものだけを飲むようにする。熟した実のミルクのような汁は、下剤の作用があるからだ。

ヒラウチワサボテン

平たい葉のまわりにとげのある丸い実が生って、熟すと赤くなる。

とげが刺さらないように棒でこの実を叩《たた》き落とし、砂地を転がして、細かいとげを取る。それから割って、水分を吸い、果肉を食べる。それしかないときには、未熟でも熟していても食べられる。サボテンそのものを食べたいときには、焼くか皮をむいて、鋭い大きなとげを取る。

オルガンパイプ・サボテンは、柱サボテンの一種で、カウボーイ・コミックに描かれているとおりの姿なので、すぐに見分けられる。やはり実が食べられるが、アメリカ南西部のソノラン砂漠にしかない。

メスキート

アメリカの砂漠には、数種類のメスキートの叢林《そうりん》があり、なかには高さ九メートルに及ぶものもある。どの種類でも莢《さや》にはいった種を食べられるし、ネーティブ・アメリカンに常食されていた。メスキートはどこにでも見られ、格好の日陰にもなる。

アカシア

世界には一三〇〇種類あり、ほとんどはオーストラリア原産だ。アカシアは中くらいの大きさの灌木で、小さな葉は煮れば食べられる。根は水分が豊富だ。種は焼いて食べる。

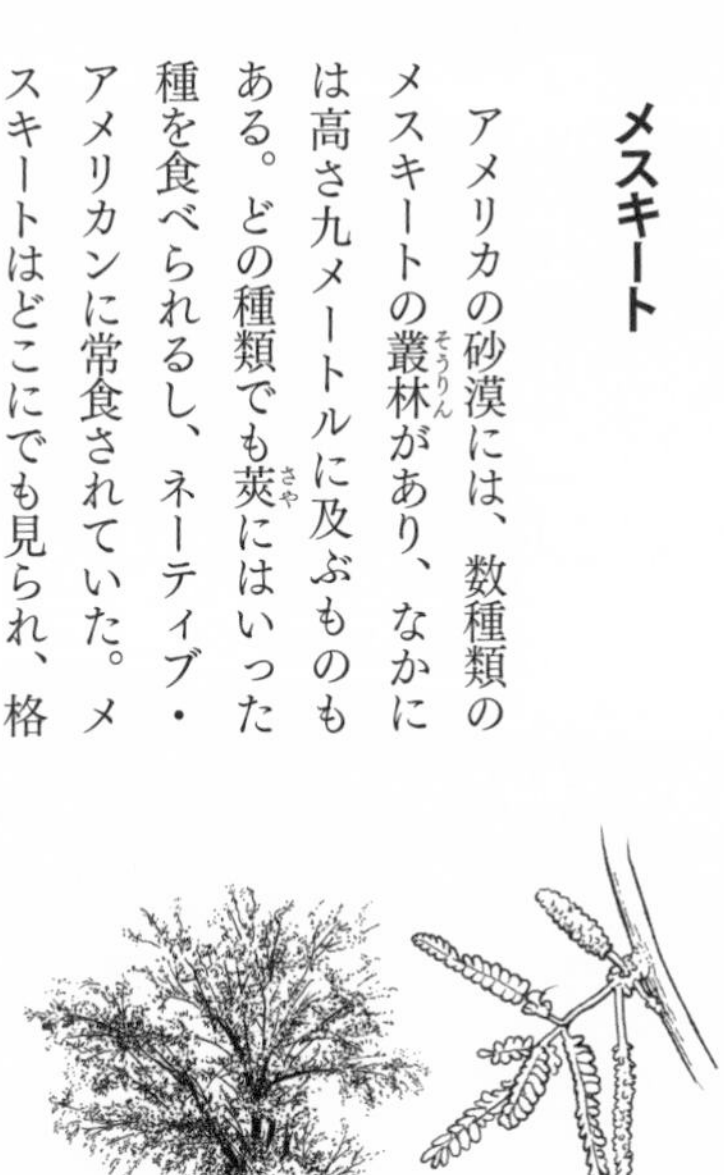

バオバブ

アフリカやオーストラリアの木で、ごつごつした幹に特徴があり、だれにでも見分けられる。繊維質の実（長さ二五センチメートルにもなる）と種が生で食べられる。

●――昆虫

昆虫――というよりはその幼虫――は、すばらしい栄養源で、貴重な脂肪、タンパク質、炭水化物を含んでいる。水分も多いので、消化しやすい。毛虫や体内の黒い部分が透けて見えるものは、食べてはいけない。

シロアリとアリの卵

シロアリとアリの卵は、奥地昆虫食のなかでも、手にはいりやすく、栄養があり（それにおいしい）食べ物だ。アリ塚に枝を突き出してひねると、噛み付く本能が働いて枝にぶらさがってくれて、たっぷりと食べ物ができあがる、アリ塚かアリの巣の上に穴を掘り、ビニール袋をかぶせて、落ちてくるのを獲《と》るという手もある。シロアリは生で食べたほうが栄養価が高いが、から揚げのほうがおいしいといわれる。だが、生のシロアリは、私の大好物だ（メニューにそれしか載っていないときの話だよ！）。

コウモリガの幼虫

このバカでかい白い幼虫は、木を食べて育つ。アカシアの一種やそのほかの木の糖分が多い樹液を吸う。タンパク質とカルシウムが豊富で、オーストラリアのアボリジニの基本食だ。生食もしくは焼いて、彼らは何千年も前から食べてきた。生だと実に甘い汁気があり、料理するとピーナツソースで味付けしたチキンかエビのようだといわれる。倒木、切り株、根に穴があると、そこにいる。

イナゴ、バッタ

料理すれば食べられる。イナゴやバッタには、外骨格があって水分を保っている。食べるときには、頭、足、羽と外骨格を取らなければならない。

コオロギ

昼間の暑さを避けるために、コオロギは藪陰や石の下に隠れる。そして、夕方頃に草を食べに出てくる。特徴のある鳴き声で、居場所がばれてしまう。こうした習性を覚えていて、石をどかして見つけ、手で叩く。この方法で、かなりの数を捕まえられる、足は喉にひっかかりやすいので取る。それから生で丸ごと食べる——頭はそのままにする。見かけはぞっとしないし、エイリアンみたいだが、もっともタンパク質が豊富な昆虫の一つだ。

サソリ

サソリは厳密には昆虫ではなくクモの仲間だ。足が六本ではなく、八本ある。すばやく尾をつかんで捕まえれば、生で食べられる。毒針の根元を指でつまみ、刺されないように気をつける。あとの部分はそのまま食べてかまわない。

サソリは小さくても毒が強い種類があるので、どれを食べるかを慎重に考えたほうがいい。鋏《はさみ》で挟まれないように、そこから食べるべきだろうかと考えて、ケニヤで生きたままのサソリを食べたことがあった。結局、バリバリと噛み砕くと、驚くほどうまかった。タンパク質が豊富で栄養価が高い。だが、捕まえるには用心しないといけない。

> 「コオロギは、見かけはぞっとしないし、エイリアンみたいだが、もっともタンパク質が豊富な昆虫の一つだ」

動物とヘビ

有袋動物、野生のヤギ、ブタ、ウサギ、ヘビ、トカゲも、世界中の砂漠で生息している。家畜も飼われている。毒ヘビも含めて、爬虫類はすべて食べられる——だが、頭と毒腺は取り除かなければならない。

トカゲ

トカゲは岩場の日の当たる場所を好み、手で捕まえたり、枝で突き刺したり、石を投げたりして捕らえることができる。昔のネーティブ・アメリカンは、イトランの紐や古い靴紐で罠をこしらえ、穴から誘い出したり追い出して捕らえていた。腺には毒がある場合があるので、食べないようにする。オオトカゲは脂肪が多いのでよく調理したほうがいいが、白身の肉がうまい。

ヘビ

陸地のヘビはどれでも食べられる。安全な距離から頭に重い石を投げつけて殺すか、あるいは先が平たい棒で頭を押さえつけるのがいい。頭を押さえることができたら、尻尾（肛門《こうもん》よりも先）を持ってさっとふりあげ、地面に叩きつけるのが、一番簡単な殺し方だ。それで即死する。

ヘビに関して重要なのは、自分がいる地域にどんな毒ヘビがいるかを知ることだ（多くは、頭が大きく、三角形で、尾が丸いなどの特徴がある）。それさえわかっていれば、ほかのヘビは無毒なので、種類をいちいち見分けるには及ばない。悠々と追いかけて押さえつけ、殺せばいい。ヘビはステーキなみのうまさだ！　だが、毒ヘビを狩るときには気をつけよう。

まず首を切る。だが、ヘビによっては首を切られても末梢《まっしょう》神経が働いていることがあるので、嚙まれないように気をつけなければならない。腹側の皮を割いてはぎ、内臓を抜いて料理する。

ナビゲーションと移動

地図があろうとなかろうと、野生環境では、どんな地形でも、ナビゲーション（経路誘導）を適切に行うのは、至難の業《わざ》だ。方向や位置が、すぐにわからなくなる。私はあらゆる野生環境を経験しているが、砂漠で迷うのがもっとも恐ろしいと思う。危険がきわめて大きいからだ。ジャングルや山地では、冷静でいて、サバイバルの基本原則に注意していれば、切り抜けられる可能性が高い。しかし、砂漠では、時間が敵になる。水を見つけたとしても、長く生き延びるのに十分ではないかもしれない。前にも書いた。

「一二時間で倒れ、二四時間で死ぬ」

砂漠はことに迷いやすい場所だ。正確に位置を把握していて、地平線の遠い目標をしっかりと捉えていたと思っても、つぎの瞬間にはその目印の地物が見えなくなったり、どういうわけか別の似たような目印と見間違えたりして、まったくちがう方向に誘われやすい。

頭のなかと外の熱が、そういうことに関係あるのはまちがいない。約三メートルの高さまでの地面に近い空気は、かなりの高温になり、揺れて見えたり、光を屈折させたりして、蜃気楼《しんきろう》が起きる。地平線上の物質が、見えたり見えなくなったりする。そして、何時間もその方角に向けて歩いているのに、いっこうに近づけない。水分を十分に補給し、陽射しから身を守っているときですら、そういう状態になるのだ！　脳が熱のためにおかしくなり、知力が衰えかけるとどうなるか、想像してみるといい。

だから、そういう状態にならないように、最初から気をつけなければならない。砂漠ではほかのどんな野生環境よりも、すばやく考え、エネルギーをできるだけ節約し、水を重視することが効果をあげる。

砂漠でひとり迷ったとき、人間はどうしてもパニックを起こし、藁《わら》にもすがる思いで、脱出しようとして一か八かの賭けをしてしまうものだ。真南に井戸があるはずだと確信して、そこを目指す——だが、見つからなかったり、涸れていたりするかもしれない。あるいは、あの方角に道路か町があるだろうという直感に、自暴自棄で賭ける。

こうした戦略には、成功の見込みが薄いという大きな欠陥がある。それに、猛烈な陽射しに何時間もさらされ、なんの成果も得られずに、助かりようがない状態になってしまう。移動するときには、陽射しがそんなに強くない夕方か早朝にすべきだ。地平線の目標もよく見えるから、位置関係を把握しやすい。

「約三メートルの高さまでの地面に近い空気は、かなりの高温になり、揺れて見えたり、光を屈折させたりして、蜃気楼が起きる」

第1章（37～42ページ参照）で述べたように、太陽、月、星を利用して方角を知るやり方は、数多くある。影の動きを利用する棒日時計、腕時計の時針と分針を使う方法、三日月でおおまかに南北を知る方法。北半球のサハラ砂漠や、中央アジアのゴビ砂漠では、晴れた砂漠の空には北極星がはっきりと見えるはずだ。南半球のオーストラリアの広大な砂漠では、南十字星で南を知ることができる。

バレルカクタス（別名：金赤竜、コンパスカクタス）の傾きでも、方角を知ることができる。このサボテンは、南の太陽に向けてのびる傾向がある。一本では当てにならないが、群生がおなじ方向を向いていたら、十中八九、南を指している。その原則がまちがいないとされているのは、花をつける植物は、太陽の熱から花を守るために、南に向けてのびる――陽射しが一番強いときに側面をそちらに向ける――からだ。ラクダが休憩するときに尻を太陽に向けるのとおなじ理屈だ。

砂がおもな砂漠では、砂丘の形も方角を知る手がかりになる。ただし、それには卓越風の風向を知っていなければならない。砂丘では、風上のほうが風下よりも傾斜がゆるくなる。

こんなふうに、基本方位（東西南北）を知るのはさほど難しくはない。しかし、どちらの方角へ進むかという決断は、合理的な判断よりも運に左右されることが多い。どのようなたぐいの砂漠でも、広い範囲を徒歩で横断するのは、たいへんな労力だから、そもそも移動すべきかどうか、プラスとマイナスを慎重に推し量るべきだ。

月や星が明るいときには、夜間の移動も可能だが、砂漠では怪我《けが》をしやすく、足首の捻挫のような軽い怪我でも歩けなくなる場合があるから、かなり用心しなければならない。月明かりがほとんどないときには、方角を見失う恐れがあるうえに、深い谷や雨裂のような危険な地形が見えないから、移動するのは賢明ではない。

暗いところでは、対象物をまっすぐに見るよりも、その上か横を見るほうがよく見える。これは網膜周辺に集中している杆状体《かんじょうたい》視細胞のほうが、中央の錐状体《すいじょうたい》視細胞よりもずっと光や色に敏感であるからだ。

砂漠での移動

これまでに説明したやり方で位置関係を把握し、だいたいの方角を示している地平線の目印を目指すのが、砂漠を移動する最善の方法だ。まっすぐに進んでいるかどうかを確認するには、ふりかえって足跡を見るか、それとも小さな石の塚をこしらえて、方角を確認する目安にする。

サスツルギ——卓越風が風向を指すようにこしらえる丘脈——があちこちにある砂地を歩くときには、それと自分の歩く方角とのなす角度を確認しながら前進する。

どんなときでも、足の手入れを怠らないようにする。なにしろ、移動手段は自分の足しかないのだ。ブーツに砂がはいらないように気をつけ、すこしでもこすれるようなら履きぐあいを直す。あっという間に悪化する恐れがあるし、治療よりも予防のほうがずっと楽だ。熱と砂丘を滑りながらのぼりおりしたせいで、モアブで私の足はひどく腫れあがった。ゆっくり時間をかけていたわったほうがいい。日陰で休むときには、靴と靴下を脱ごう。

障害物

着実に歩き、三〇分ごとに数分休憩し、水があれば少量飲む。砂丘があるところでは、砂丘と砂丘のあいだの谷を歩く。そこのほうが砂地が硬い。

鉄砲水

干上がった河床に突然水が流れはじめたら、すぐに用心しなければならない。雨が降り出す気配があったら、いそいで高い場所へ移る。鉄砲水は、近くで雨が降っていないようでも、なんの前触れもなく起きることがある。一五〇キロメートル離れた高いところで降った雨が、たちまち谷に殺到し、硬い地面を流れてゆく。細い雨裂を歩いていたり、休憩したりしていたのに、そこがたちまち荒れ狂う奔流と化し、命を奪われることがある。鉄砲水が起こりやすい雨裂には、長居しないほうがいい。

砂地の河床よりも、石の多い河床のほうが、鉄砲水が起こりやすい。また、まわりが完全に干からびているのに、そこだけ植物が生えている場所にも要注意だ。よく鉄砲水が起きる川だということを示している。

一九九七年に一二人の観光客が、気象警報を無視して、アリゾナ州のアンテロープ・キャニオンにおりていった。谷間を一〇〇メートル進んだところで、鉄砲水に呑《の》みこまれた。助かったのはガイドひとりだった。

流砂

流砂は、世界中の砂漠で発生する。地下の見えない水源の水と砂が入り混じって起きる現象だ。表面が乾いた砂で覆われていることもあり、見分けるのが難しい。流砂はたいがいそんなに深くないので、足が届くことが多いが、沈みそうなときには、砂をふつうの水だと考えて（実際は水よりも比重が重い）、仰向けになるか、できるだけ体が**水平になるように泳ぐ**。

モアブで私は、牛がはまってあっという間に死ぬことがあるのを実証するために、わざと流砂にはまった。流砂が恐ろしいのは、もがけばもがくほど吸引力が強まることだ。決してじたばたしてはいけない。エネルギーを温存し、じわじわと体を表面に出して、仰向けで這《は》い出す。

砂嵐

さまざまな温度の空気の固まりが交じり合うため、砂漠では強風により、風速三六キロメートルに達する砂嵐が発生することがある。雪とはちがって、砂は集まったと思うと吹き払われるので、人間などの静止した物体が埋まる心配はほとんどない。砂嵐がもたらす大きな危険は、嵐がやんだあとで迷ったり、方向がわからなくなることだ。できれば自然の遮蔽物を見つけて、その風下に横たわり、嵐がやんだときに進む方角がわかるように、頭か足をその方角に向ける。目、顔、口をなにかで覆い、じっと耐えて待つ。

蜃気楼

砂漠の蜃気楼は、砂漠の地表近くで高温に熱せられた空気が光を屈折するために起きる自然現象だ。空気の層が揺らめいて、地平線の向こう側にある山の尾根などの遠い物体が、地平線の上に浮きあがって、実際よりもずっと近く見える。砂漠の地面から三メートル高くなっている見晴らしのいい場所を見つけるか、気温がさがる夜まで待てば、周囲の地形がちゃんと見えるようになる。

距離の判断

砂漠では、遠くにある物体との距離を判断することがきわめて難しい。尺度になるものがなく、しかも熱せられた空気で光が屈折するからだ。実際の経験からして、人間は距離を三分の一に判断してしまう場合が多い。三キロメートル離れた岩山を、一キロメートルの距離にあると思う。それが大惨事を招く重大な判断ミスになる。

自然の危険要因

砂漠では、さまざまな原因で、取り返しのつかない失敗を犯しやすい。ヘビ、サソリ、ハチ、毒グモ、砂嵐、鉄砲水など、危険要因は枚挙にいとまがない。だが、死をもたらす第一の原因は、熱とそれによるさまざまな影響だ。

地表の温度が摂氏六五度にもたっする環境では、赤外線と紫外線を長いあいだじかに浴びていると、皮膚と目をあっという間に傷め、すぐに脱水を起こし、深部体温の上昇を抑えられなくなり、痙攣《けいれん》、熱ばて、熱中症などの発作を起こし、死に至る。

これまでに検証してきたように、直射日光と熱による脱水の影響を減らすのは、サバイバル状況における第一目標は、暑い昼間にはつねに日陰を探し、移動は早朝か夕方、もしくは十分に明るい夜にする。服を脱ぎたくなっても、ぜったいに我慢すること。服は唯一の持ち歩ける日陰だし、熱からの第一の防御線だ。

太陽光の影響

熱は直射日光の放射エネルギー、地面からの伝導、空気の対流を通じて、体に吸収される。人間の体は、保護されていないとたちまち発汗による体温調節ができなくなる。高温の環境では、深部体温がほんの数度上昇しただけで、徐々に深刻な症状へと進んでいく。

「服を脱ぎたくなっても、ぜったいに我慢すること。服は唯一の持ち歩ける日陰だし、熱からの第一の防御線だ」

赤色汗疹（あせも）

通常、暑い環境に順応しようとする段階で起きる。体が急に高温にさらされ、汗腺の働きが妨げられると、皮膚の表面がちくちくしたり、かゆくなったりする。

熱痙攣

極度の高温のもとで汗を大量にかき、体内の塩分か電解液が失われたときに起きる。〇・五リットル当たり二グラムの塩が失われただけで、筋肉が水分を吸収する能力が損なわれる。

低ナトリウム症

水補給に問題がなく、飲む水の量がどんどん増えるいっぽうで、砂漠の暑さのためになにも食べずにいると、ナトリウム、カリウム、そのほかの電解質が汗で失われ、低ナトリウム症と呼ばれる水中毒を起こす。吐き気、ふらつき、気が遠くなるという症状が出る。塩を持っていないときには、岩か崖の表面をなめる。ミネラルを多く含む水が、そこで蒸発しているはずだ。あるいは前に述べたガマズミを探す。

熱ばて

顔色が悪くなり、汗をかき、ぐったりし、力がなくなり、ぼうっとして、機嫌が悪くなり、筋道だって考えられなくなるのは、すべて熱ばての症状だ。脱水が進み、深部体温があがったことが原因。

熱中症

深部体温が四〇・五度を超えると、発汗によって深部体温を調節する能力が失われ、熱中症になる。極端な環境では、筋肉の痙攣や熱ばてのような警告となる症状なしに、熱中症になることがある。激しい頭痛、汗が出ずに皮膚が熱くなる、脈拍が一六〇に達する、白目が充血する、顔が赤らむ、ぐったりし、激しい疲れを感じる、気が遠くなる、ふるえ、吐き気、下痢、嘔吐といった症状がある。

砂や太陽で目を傷める

雪眼炎とおなじように、砂や岩から反射する陽射しによって目を傷めることがある。サングラスがないときには、樹皮でこしらえる間に合わせの防護めがねを使うか、布や被り物の布で顔を覆うといい。目の下に炭を塗るのも反射を減らすのに役立つ。数時間ごとに塗り、そのために焚き火の消し炭を一本持ち歩く。

こういった熱による厳しい状況を緩和する方法は、たった一つしかない。水と日陰をできるだけ早く見つけて、体をゆっくりと冷やし、水分を補給することだ。
一つ覚えておこう。砂漠環境で唯一の生存者となったとき、精神状態は太陽の影響を受けて、助かろうとする気持ちがなえる恐れがある。予防はつねに治療にまさる。

ヘビ

ジャングルとおなじように、砂漠にも毒ヘビという危険要因が潜んでいる。だから、つねに足元と手をのばすところには用心しなければならない。ジャングルとおなじで、棒か杖《つえ》があれば、支えにもなり、前方を探るのに役立つ。人間の足音を聞きつけたとき、ヘビはたいがい逃げようとするが、不意をつかれると非常に攻撃的になる。暑い昼間にはヘビは日陰に隠れるので、木陰や岩陰で腰をおろすときには、気をつけないといけない。山の斜面をのぼるときには、岩棚によじのぼる前によく見ないと、危険なお客さんが先に来ている恐れがある。

朝にブーツを履く前には、ふったほうがいいし、ほかの服もすべて調べる。夜だろうと昼だろうと、裸足《はだし》で砂漠へ行ってはいけない。さまざまなヘビの毒と、噛まれた場合の処置については、第4章（204～207ページ参照）を参照のこと。

砂漠のヘビは避けるにこしたことはない……

サンゴヘビ
胴が細く、赤、黄、黒の横縞《よこじま》。アメリカの砂漠とメキシコにいる。体長六〇センチ以下。神経毒。

エジプトコブラ
クレオパトラを殺した犯人とされている。アフリカの代表的な毒ヘビ。牙が短く、頭が小

サンゴヘビ

さく、コブラ特有の襟（頭巾）がある。体長一八〇センチ以下。神経毒。

デスアダー

オーストラリア原産で、世界でもっとも致死性の高い毒を持つヘビ。くすんだ茶色に焦茶色の横縞、胴体は太く、尾が細い。夜行性で、昼間は潜っている。体長は九〇センチ以下。神経毒。

サンドバイパー

サハラと中東の砂漠に生息する。砂のなかで横に動くことで知られている。黄色がかった薄茶色で、茶色の斑点があり、頭が三角形。体長六〇センチ以下。血液毒。

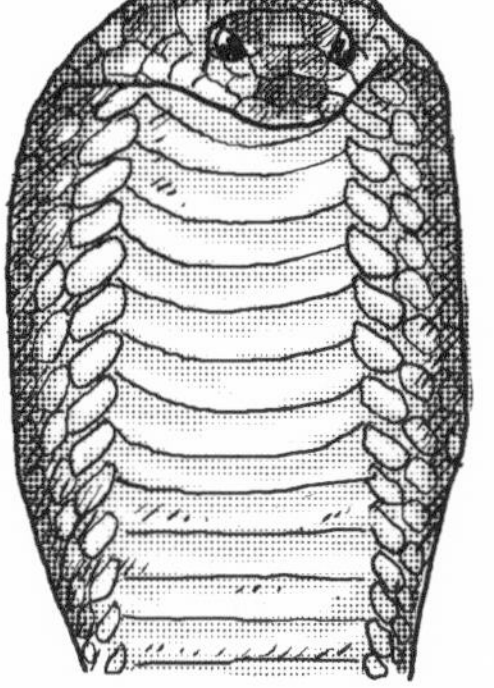
エジプトコブラ

デスアダー

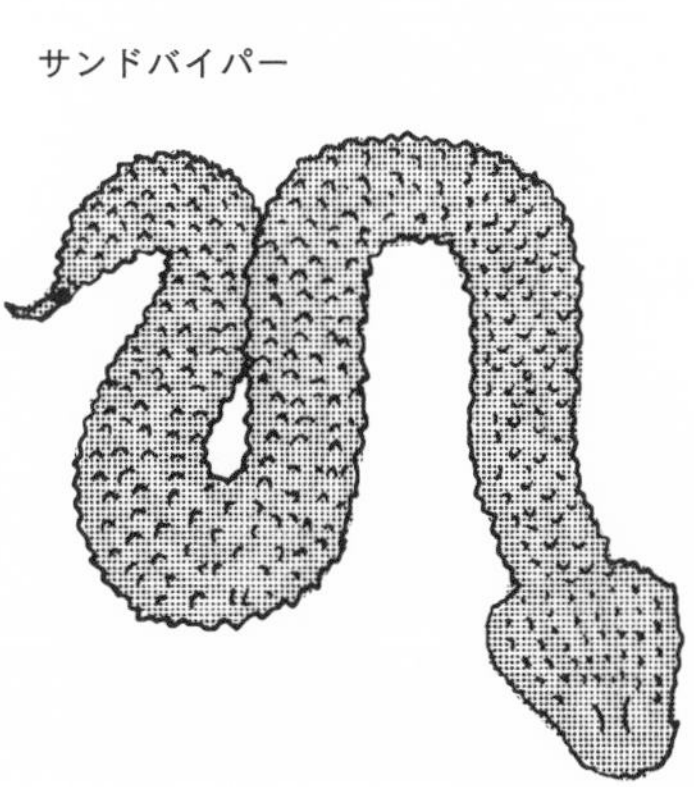
サンドバイパー

◉――サソリとクモ

世界に八〇〇種類ほどいるサソリの大部分は、人を殺す毒を持たないが、刺されるとかなりひどい目に遭い、サバイバル状況をよけい悪化させるので、扱い方を心得たうえで食べるつもりでないなら、できるだけ避けたほうがいい。ただ、サソリについて一般にいえるのは、爪が大きいほど毒は弱いということだ。ほとんどが夜行性で、昼間は涼しく湿った日陰にいるから、そういう場所に近づくときには、用心しなければならない。

アメリカで撮影しているときに、大きな毛むくじゃらのサソリに出会った。そのサソリは見た目は恐ろしいが、ほんとうに気をつけなければならないのは、かなり小さくて透き通った黄色のバーク・スコーピオンだ。このサソリの神経毒は、激痛と筋肉の痙攣、呼吸困難を引き起こす。尾に毒針があることを、忘れてはならない。

もっとも危険な砂漠のサソリは、アフリカと中東の砂漠に数種類いて、体長は一五センチ以下、致死性の強力な神経毒を持っている。体の痙攣、物が二重に見える、失明、眼球の無意識の激しい動きといった症状を引き起こす。だから、朝にはブーツを念入りに調べること。

砂漠にいる毒グモは、クロゴケグモとドクイトグモにかぎられる。

クーガー

クーガーは、アメリカ南西部の四カ所の砂漠すべてで生息している。めったに目撃されず、人間を襲うことはまれだが、洞窟で眠っていることがあるので、洞窟にはいるときには気をつけないといけない。水場もクーガーが獲物を狩る場所なので、気をつける。近年、人間が襲われることが増えているのは、クーガーの自然の生息環境や狩り場が、人間活動によってますます圧迫されているからだろう。

「どのようなたぐいの砂漠でも、広い範囲を徒歩で移動するのはたいへんな労力だから、早朝、日暮れどき、あるいは満月の夜に移動すること」

ハチ

砂漠とハチは結びつけられることが少ないが、北米のソノラン砂漠など、ハチが豊富にいる砂漠もある。詳しい情報は第4章（209ページ）を参照のこと。

ベアの必須要件

砂漠でのサバイバル

ルール1 ▼水のことを考える

砂漠では、脱水が一番の敵だ。水は一滴たりとも無駄にしない。水を見つけることを最優先する。

ルール2 ▼頭部を覆う

極度の高温では、寒冷地で熱を失うよりもずっと速いペースで、頭と首が熱を持つ。つねにゆるやかに覆うこと。

ルール3 ▼日陰を見つける

直射日光を浴びると、脱水が早く進む。体をできるだけ覆って陽射しから守り、地形や樹木を利用して日陰にはいる。

ルール4 ▼エネルギーを無駄遣いしない

激しく体を動かすと、汗をかく。昼間の暑いときには、十分な利益があるという確信がないかぎり、激しい動きはしない。

ルール5 ▼移動は早朝または日暮れどき

移動することに利益があり、水を見つけられるという確信があるときには、陽射しがそんなに強くない早朝か日暮れどきに移動する。あるいは満月の夜に移動する。

第６章　THE SEA

海

「自分のカヌーを漕げ」
――アメリカのことわざ

難破や漂流についての美術や文学は、数限りなくある。シェイクスピアの最後の大作『テンペスト』は、難破から物語がはじまる。コールリッジの『老水夫行』は、乗組員がすべて死霊になった船でたったひとりの生者の物語だ。ジェリコーの『メデューーザ号の筏《いかだ》』は、人肉を食らうなどの恐ろしい行為があった難破事件を描く叙事詩的な絵で、一九世紀フランスでは衝撃的な作品だった。

◉

海でのサバイバルにまつわる古典小説も、数多くある。ハーマン・メルヴィルの『白鯨』、ダニエル・デフォーの『ロビンソン・クルーソー』、アンリ・シャリエールの自伝小説『パピヨン』、ウィリアム・ゴールディングの『蝿《はえ》の王』。いくらでも挙げられるし、大海原で迷子になる恐ろしさへの人間の妄念は消し去ることができない——それにはもっともな理由がある。

高度なテクノロジーが発達した現代では、遭難後の海の冒険的な航海など過去のものだと思えるかもしれない。確かに、第二次世界大戦中のピーク時よりも数は大幅に減ったかもしれないが、思いがけずそういう航海に乗り出すようなことが、毎年どこかで起きている。短い旅のつもりが、数時間後にはとぼしい食料しか持たずに、陸地から遠く離れたところを漂流するはめになる。

現代ではさまざまなテクノロジー——EPIRB（非常位置指示無線標識）、サバイバル・スーツ、GPS（全地球測位システム）、衛星携帯電話、VHF（超短波）無線機、海水から真水をこしらえる逆浸透ポンプなど——があるが、問題は、ほんとうに必要なときにそれが手にはいるかどうかということだ。それに、予期していないときに突然見舞われる危機的な状況——青天の霹靂《へきれき》というやつ——に、だれもが備えができているとはかぎらない。

たいがいの場合、安全のための手順は効果的で、サバイバーは装備の整った救命筏から数時間後には救い出される。しかし、単独航海のヨットマン、祖国から逃げ出した難民、冒険家などが、船の事故によって辺鄙《へんぴ》な陸地で立ち往生したようなときには、そういう幸運には恵まれないだろう。あるいは、安全のための装置、信号を発するもの、サバイバル装備が最小限しかなく、海でひとり生き延びるしかないこともある。イギリスの各特殊部隊は、なにはさておき、予想外の出来事に備えることを隊員に教え込む。

とにかく海は広く、そのさまざまな面によって、かなり意志強固な人間でも希望を失う恐れがある。生命の源である水がまわりにいくらでもあるのに、利用できない。食べ物もそばにいくらでもあるのに、獲《と》るのは簡単ではない。水平線に見える船には、遭難者の必死の叫びは聞こえない。救助の手がじれったいくらい近づくのに、何度となくそれを逃してしまい、来る日も来る日も、見えない鉄格子に閉じ込められた囚《とら》われの身で漂流し、そこから逃げ出すことができない。

海は、地球上のそのほかの野生環境とは、スケールがまったく異なる。海は地表の三分の一を占め、海水は四〇億立方キロメートルあると推定されている。それが五つの大きな海から成り、大西洋、太平洋、インド洋が、大陸と大陸を隔て、北極海と南極海の凍れる海が、それを両側から囲んでいる。海のまんなかには水面に近い潮の流れがあり、暖流と寒流が心臓から送り出される血のように世界中を巡り、世界の気候がそれによって変化している。

海は陸地とはちがって、表面に目立った形や位置を知る手がかりがない。それが海の特徴でもある。陸地では、どこに立っても、三六〇度四方の空と陸地が出会うところになにもないということはあり得ない。だが、救命筏で海に浮かんでいると、三六〇度四方になにも見えないという現実に毎日直面する。底知れない孤独を感じる。地球上のどういう野生環境よりも、それが身にしみて感じられる。

「海は、地球上のそのほかの野生環境とは、スケールがまったく異なる」

難破すると、かつての自分が抱いていた安心感も、頼りにしてきた物事も、文字どおりいっさい奪われる。海の広大さの前には、そういうものは無に等しい。海に対すると、人間は非力でちっぽけだということがよくわかる。それにどう反応するかが、きみの運命を決める。

受身の立場を強いられたとき、生きようとする意志は大きな脅威にさらされる。この本で考えてきたさまざまな環境のなかでは、海での一定期間のサバイバルが、もっとも膨大な意志の力を必要とするかもしれない。注目に値するサバイバル物語の多くが海を舞台にしているのも、それで納得できる。なかでも史上最高の恐るべきサバイバル物語は、アーネスト・シャクルトンが一九一六年に成し遂げた南極海一三〇〇キロメートル横断だろう。難破して立ち往生した船の乗組員を救出するために、シャクルトンは無蓋の救命ボートでエレファント島からサウス・ジョージア島に到達した。

海での最長サバイバル記録は、四カ月半という信じがたいものだ。中国人船員プーン・リムは、第二次世界大戦中にブラジル沖でUボートの魚雷攻撃を受けた、イギリスの貨物船ベン・ロモンド号に乗り組んでいた。泳ぎは得意ではなかったが、救命胴衣を着けていて、二時間浮かんでいた末に、救命筏にようやくよじのぼることができた。救命筏には、水一〇ガロン、チョコレート、砂糖、ビスケット、懐中電灯が備わっていた。

それから一三三日間、プーン・リムにとっては、くじけない精神だけが命をつなぐよすがだった。海がもたらすあらゆる難問に対処したプーンの限りない創意工夫は、勝ち目が薄いときにサバイバルする方法のいい実例だ。生きようとする意志が、想像力を働かせ続けたおかげで、真水を集め、食料がなくなったときに海から食べ物を得る方法を編み出した。

プーン・リムは、知識があったわけではなかったのに、この章や前の章で説明したようなサバイバル・テクニックをみずから発見した。救命胴衣のカンバスのカバーで雨水を集め、救命筏に備品をくくりつけるのに使われていた麻縄を釣り糸に使った。懐中電灯のバネや底板の釘《くぎ》を釣り針にした。ビスケットの缶でナイフをこしらえ、釣った魚をさばくのに使った。魚は細く切って干物にして、かすを餌に使った。船底から海草を取って鳥の巣をこしらえ、魚を餌にしてカモメを捕まえた。血をすすり、肝臓を食べ、骨を吸って、水分を得た。驚いたことにサメまで釣り、手のひらをすりむかないようにカンバスを手に巻いて、筏に引きあげた。

海のサバイバーの例に漏れず、プーンは頭上を飛ぶ飛行機や通過する船に発見されない苦しみに耐えた。そして、陸地にたどり着こうとする決意をいっそう固めた。一三三日間ひとりで漂流した末に、ようやく漁船に救い上げられたとき、かなり健康な状態だと見なされた（体重も減っていなかった！）ので、病院に運ばれたのは、漁船が三日間の漁を終えたあとだった。

この驚異的な物語には、動かしようのない事実がいくつも含まれている。だから、英海軍がそれから数十年間、サバイバル教本に実例として載せたのも当然だろう。

シェルターを見つける

海では、サバイバーとシェルターは一体化する。救命筏はきみがいなくても移動できるが、救命筏がなかったら、きみはどこへも行けない。船を捨てたり、飛行機を着水させたたりしたあとで乗り込む救命筏——あるいは『パピヨン』で主人公が乗るようなココナツの筏——が、陸地に到達するまで自然の猛威から守ってくれる唯一のシェルターなのだ。それに、沈没したり、凍え死んだり、焼け死んだり、食われたりしない限り、いずれ陸地にたどり着くことはまちがいない。数カ月かかるか、数年かかるかもしれないが、世界の海の潮の流れと風で、最後には陸地に押しやられる。問題は、たどり着いたときもまだ生きていて、上陸を楽しめるかどうかだ。

海でサバイバルする場合には、精神と肉体と救命筏の状態がそれを大きく左右する。惨事が起きた直後に、どういう装備や食料を持っていたかということも影響する。海での災難を切り抜けて生き延びた実例を分析すると、起きてほしくないと思っている出来事の前に、どれだけそういうことに備えていたかがサバイバルの確率を大きく左右していることがわかる。

海での災難は、その性質上、あっという間に起きることが多い。スティーヴン・キャラハンは『大西洋漂流七六日間』で、大西洋を三二〇〇キロメートル漂流した苦難の七六日を描き、サバイバルのために**海の原始人**になったと述べている。キャラハンはヨットで大西洋横断の単独航海を行っているときに、ヨットがクジラに衝突して、すぐに沈没しはじめた。そのときに溺れそうになりながらも、サバイバル装備のバッグを持ち出そうとしたが、なかなかヨットから切り離すことができなかった。

救命筏には、二週間分の食料と水が積んであったが、サハラからの貿易風に乗ってカリブ海に達するには、三カ月かかるとわかっていた。サバイバル・バッグの中身と、蒸留によって真水を作る能力、それに釣りの仕掛けと水中銃で魚を獲ることができなかったら、まちがいなく死んでいたはずだった。

逆に生き延びられなかった例は数限りなくあるが、安全手順が守られ、乗組員が安全装備の使い方にあらかじめ慣れていて、きちんと手入れし、非常事態にすぐに用意できるようにしてあったら、ちゃんと生き延びられたはずだ。安全装備を製造する会社が、あわてて用意しようとするときの心理的・肉体的状態まで考えていないこともある。指示がややこしかったり、指がかじかんでいる人間に扱いづらくできていたりする。

「沈没したり、凍え死んだり、焼け死んだり、食われたりしない限り、いずれ陸地にたどり着くことはまちがいない」

船が沈みはじめた（真夜中に目が覚めると、凍れる水がキャビンに流れ込んできた）ときからの行動はすべて、なにも考えずにやれるようでなければならない。考えをまとめて、どこになにをしまったかを思い出すような手間をかけているようでは、たとえ装備がすべてそろっていても、それが最期の戦いになる恐れがある。

救命筏に乗り込み、海で生き延びなければならない状況に直面したときには、あらゆる海のサバイバル教室の決まり文句——切る、流す、閉める、維持する——という四つの言葉が、意識に深く刻まれていなければならない。海の底に引きずり込まれないように、沈みかけている船と救命筏をつないでいるロープを「切る」。救命筏を安定させ、救助隊に発見されやすいように沈没地点から離れすぎないために、シーアンカー（273〜274ページ参照）を「流す」。暖かさを保ち、波、雨、寒さを避けるために、キャノピイ（天幕）の口を「閉める」。救命筏、装備、食料、衛生、モラールを自分の能力の最高レベルで「維持する」。陸地ではシェルターを改善する手立てがいくらでもあるが、海では持てるものの性能を最大に引き出すしかない。それ以上なにも増えない。戦争や経済崩壊から逃れて、耐航性のない船で海に乗り出す難民は、基本的な準備すらできず、そのために命を落とすことが多い。

「船が沈みはじめたときからの行動はすべて、なにも考えずにやれるようでなければならない」

救命筏にたったひとりで乗るはめになったら、すぐさまシーアンカーを投げ込む。この抗力を発生する仕組みには、バケツか大きな容器を利用する。それで遭難位置からあまり流されずに済み、救難信号を発信できなくても、救助隊に発見してもらいやすくなる。シーアンカーは、救命ボートや救命筏を風上に向け続けるので、横風や横波を食らいにくくなる。波に対して舷側を向けるのは、転覆のきっかけになる。海が荒れる前に、シーアンカーを早めに流して、舳《へ》先《さき》を風に向けたほうがいい。

晴れているときには、脱水を避けるために、つねにキャノピイの下にいる。嵐のときは筏全体を覆うカバーをひろげて、浸水をできるだけ減らす。救命筏の底に水がたまらないようにして、カンバスか防水布を断熱のために敷く。事故が熱帯で起きた場合は別として、溺れたり怪《け》我《が》をしたりするという当初の危険要因がなくなったあとは、風雨や波にさらされるのが第一の死因になる。第二が脱水、餓死は第三でしかない。

つぎに、自分が利用できる装備と食料のリストを頭のなかでこしらえて、とぼしい補給品をできるだけ長く持たせる配給量を考える。防水布をひろげて、雨水をため、釣り道具をこしらえる（262～268ページ参照）。なにかを釣り上げるには、かなりの忍耐が必要だろうが、いまから練習しておけば、いざという場合に役に立つ。

筏の膨張状態を絶え間なく確認する。浮力は十分でなければならないが、膨らませすぎないように気をつける。昼間は熱でチューブ内の空気が膨張し、夜には冷めて収縮することを念頭に置く。磨《す》り減っていて漏れそうなところがあれば、早めに修繕する。「今日のひと針、あすの一〇針」ということわざは、海にはぴったりだ。

「筏の状態は絶え間なく点検する。漏れそうなところがあれば、いますぐ修繕する。「今日のひと針、あすの一〇針」だ」

嵐からのシェルター……

海のサバイバーにとって、自然の猛威から身を守るのは、絶え間ない戦いだ。それはどういう装備があるかによって異なる。だが、船が沈没したときには命拾

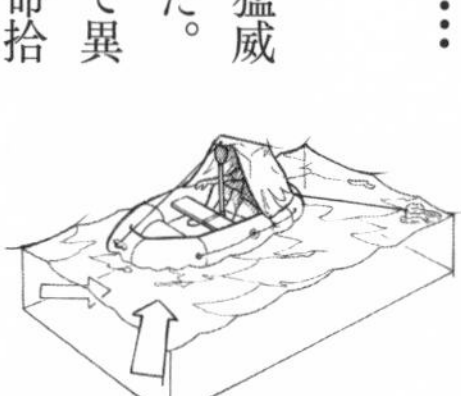

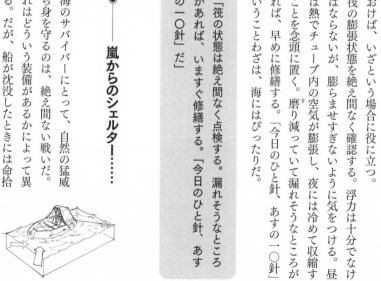

いをしたのに、身を守る手段を講じるべきときに手を抜いたせいで死ぬ——という実例は数多い。寒くなってから暖をとろうとするのは、最初から暖かくしておくよりもずっと難しい。

役に立つ豆知識

シーアンカーの流し方によっては、ななめから風を受けて進むこともできる。

寒さ

低体温症は、海の事故では溺死に次ぐ死因になっている。体が絶えず濡《ぬ》れた状態なので、寒さは極地ばかりではなく温帯でも深刻な問題になる。サバイバル・スーツがあれば、ずっと着ているべきだ。寒さに長時間さらされることは、なんとしても避けなければならない。あかくみはまめにやり、底に水がたまらないようにする。夜になると、あかは急激に冷たくなるからだ。地上のシェルターの地面とおなじように、救命筏の底にも断熱材になるものを敷く。ゴミ袋は、濡れないようにして寒さを防ぐのに効果的だ。

陽射し

陽射《ひざ》しを浴びないように、できるだけの手立てを講じる。日焼けは激しい脱水を引き起こすし、水ぶくれは化膿《かのう》する恐れがある。現在の救命筏にはキャノピイがあり、空気が流通するようにしながら、そこに隠れられる。キャノピイがないときには、防水布かカンバスの帆布を利用して、日陰をこしらえる。帽子があれば、頭と首をそれで覆い、服を海水で濡らす。水面からの反射は、目を傷め、顎を日焼けさせて皮がめくれる恐れがある。必要に応じて、目の周りに布を巻き、隙間から見るようにする。魚の肝臓を干すとにじみ出る肝油は、日焼け止めに効果がある。鳥の脂肪や獣脂も、皮膚が乾燥するのを防ぎ、陽射しや潮気からある程度守ってくれる。

潮気

海水に長く浸《つ》かっていると、皮膚に重大な影響がある。

ただれたり、吹き出物ができたりして、腫れて感染しやすくなる。狭い救命筏にずっと乗っていて、動きまわることができないと、ずっとおなじ繊細な部分に体重がかかり、褥瘡《じょくそう》――いわゆる床ずれ――ができて、問題がよけい悪化する。手、肘、尻が、ことにそうなりやすい。海水は皮膚の自然な湿気も奪い、皮膚の状態の悪化を助長する。雨が降ったときには、体と服の潮気を洗い流すこと。

嵐

悪天候のときは、間に合わせの帆をひろげていたらすぐに畳み、シーアンカーを流す。波がうしろからくる（追波）のときは、波をかぶることがないように、出入口の向きをあんばいする。筏を安定させて、姿勢を低くさせるために、風向にもっとも近い側に乗る。筏がひっくりかえりそうに思えたら、空気をすこし抜く。船体がすこし沈んで、転覆しづらくなる。だが、抜き過ぎないように気をつけよう！

水を手に入れる

海での惨事のサバイバーは、現実の世界でも小説のなかでも、四方はすべて水なのに飲めないという皮肉な状況を描写する。水が豊富な海は、からからに乾いた砂漠と変わりがない、というくらいっぷりだ。

無事にサバイバル用筏に乗り込めたとき、真っ先に考えるのは水のことだ。水は重くてかさばるので、莫大《ばくだい》な量を救命筏に積んでおくのは実際的ではないので、次善の策として、たいがいソーラー蒸留器か逆浸透ポンプ（262～263ページ参照）を備えてある。第5章（231～232ページ参照）で述べたソーラー蒸留器とおなじ原理で、きちんとした設計により小型化しものだ。この蒸留器は、できるだけ多くあったほうがいい。

水の節約

どんな野生環境であろうと、体の水分と水の節約は、いくら強調しても足りないくらい重要だ。ある程度の水分を保つには、最低でも一日一リットルの水を飲まなければならない。もっとも、温帯であれば一日六〇ミリリットルないし一七〇ミリリットルでも短期なら生き延びられる。一日にコップ三分の一か一杯ぐらいにあたる。

ソーラー蒸留器があり、雨水を集められることが期待できても、救出されるか陸地に到達する期間は見当がつかないので、筏にある水は節約するのが賢明な予防措置だ。サバイバルの苦難がはじまった初日は、体の水分が十分なはずなので、水を飲むのは制限したほうがいい。水が少ない状態に体を順応させるべきだし、どうせ尿になって出るから、水を無駄にするのは無意味だ。

水の一滴一滴を、黄金のように扱わなければならない。持っている容器はすべて、ゴミ袋であろうと、水を集めるのに使う。すべて密封し、救命筏にくくりつける。供給量を増やすためには、容器を使いまわして、古いものから先に飲む。

水に海水が混じらないように、あらゆる予防措置を講じる。水を飲むときには、その前にうがいをして口のなかと喉を十分に濡らし、強い渇きを和らげる。昼間の暑いときには、日よけのキャノピイの下にいるとともに、あまり汗をかくようなら服を海水で濡らして、体を冷やす。しかし、これは極端な暑さのときにかぎる。潮気で肌が荒れ、不愉快な副作用があるからだ、尿で服を濡らすほうがいい。尿には皮膚を殺菌する作用がある。

救命筏のそばを泳いで体を冷やすという方法もあるが、これにはものすごく用心しなければならない。体を筏に結び付けずにやってはいけないし、サメにも用心しなければならない。私は一度、体を冷やそうとして海に飛び込んだとき、体長五メートル近いイタチザメに襲われそうになった！　サバイバーが体を冷やそうとして海に浸かっているあいだに、潮の流れや風で筏が遠ざかったために命を落とした実例が、数多くある。筏は人間が泳ぐ速さよりもずっと速く流される。潮の流れは見かけよりもずっと速い。気をつけよう！　無用の危険は避け、飛び込む前に海の様子を調べること。

「水の一滴一滴を、黄金のように扱わなければならない。持っている容器はすべて、ゴミ袋であろうと、水を集めるのに使う」

船酔い：警告

船酔いについては、あとの「危険要因」で説明するのが妥当かもしれないが、脱水の問題に大きくかかわっているので、早めに説明しておきたい。船酔いはだれでもなるものだし、症状はすぐにわかる。額に汗がにじんで皮膚がちくちくし、ぼうっとして、胃の奥から吐き気が込みあげ、船べりまで行くのに間に合わないと急に気づく。

船酔いは、登山者の高山病とおなじように、大海原に出た人間がだれでも見舞われる危険要因だ。感覚器官が一時的に混乱したために起きる。三次元の空間で自分の位置を知るために使っている五感は、ちょっとしたことで惑わされる。目、内耳の液体、骨のなかのセンサーは、いつもなら地面や水平線のような静止面を基準にして、回転や方向の変化を感知する。それらも動いていると、五感は位置関係を把握するための静止した拠《よ》り所を失う。それに対する反射作用が嘔吐《おうと》なのだ。

船酔いはふつうなら我慢できて、そのうちに慣れて、受け入れられるようになる。終わってしまえば笑えるのだが、そのときはとてもそうは思えない。救命筏にひとりで乗っていたら、なおのこと笑いぐさではない。気分が悪くなり、吐き気を催すだけなら、そんなに大きな問題ではない。胃の中身がサメを呼び寄せる可能性も低い。しかし、吐くと水分と塩分を補充できないくらい失うので、水が貴重なときには深刻な問題になる。

救命筏にはたいがい酔い止めの薬が用意されているので、ちょっとむかむかしたら、すぐに飲んだほうがいい。水平線を見つめていれば、一つだけでも動かない物体を基準にできる。あるいは、鍼《はり》のつぼを利用する。手首の内側のまんなかを押して腕の神経を刺激すると、あちこちから受け取る矛盾した情報を脳が無視するのを助ける。

私が海で遭遇したなかでも最悪の嵐の海に乗り出す前に、ある年老いたグリーンランドの漁師が教えてくれたことを思い出す。船酔いには、二つの段階があるという。最初の段階は、死にそうなくらい気分が悪くなる。つぎの段階では、気分が悪くなって、死んだほうがましだと思う。私はその助言を笑い飛ばしたが、八〇〇キロメートル航海して北極圏の縁に達すると、覆いのない小さなボートで、風力九（風速二〇・八〜二四・四メートル）の強風と零下二〇度の悪天候にさらされ、全員が吐いて、サバイバルできる可能性はどんどん低くなっていった。しかし、それはまた別の話だ！

「最初の段階は、死にそうなくらい気分が悪くなる。つぎの段階では、気分が悪くなって、死んだほうがましだと思う」

飲める液体を集める

雨水

雨水を効率よくためるには、準備が肝心だ。雲を見て天気の変化を知る（42〜45ページ参照）。防水布、シーツ、カンバスなどを、できるだけ広く、すり鉢状にしてひろげる。闇のなかで準備するのはたいへんだし、雨が降るときはうねりも高くなって、よけいやりづらくなるので、夜もそのままにしておく。

露

露は海でも朝に降るし、ぜひ集めるべきだ。雨が降りそうになくても、防水布をひろげておく。

ソーラー蒸留器

救命筏に一台もしくは数台のソーラー蒸留器があったら、指示書を念入りに読む。さまざまな設計のものがあるからだ。漂流をはじめたら、ただちに設置する。たいがい膨張式で、球形かじょうご形だが、凪《な》いだ平らな水面でないと機能しない。太陽の熱で黒い布の表面の水滴が蒸発し、蒸留器の端で結露して、保存容器にたまる。だが、うまくいっても一日に○・五リットル程度の水しかできないので、サバイバル状況でこれだけに頼るのは難しい。

第5章（231～232ページ参照）で説明したソーラー蒸留器も、適当な材料があればこしらえることができる。重石《おもし》を入れたカップを大きな容器の底に置き、水分を吸収する素材で囲む。大きな容器の底に二、三センチの深さに海水を入れる。容器をビニールシートで覆い、じょうご形になるようにまんなかに重石を置く。明るい陽射しのもとに置くと、海水が蒸発して凝結し、カップに滴る。この仕組みも凪ぎのときにしか使えない。

逆浸透ポンプ

この装置は、海難事故のサバイバーが真水という問題を解決する飛躍的な突破口になった。海水にきわめて高い圧力をかけて薄い膜を通し、塩分を取り去る。それでも、サバイバル状況でこれだけに真水の供給を頼るべきではない。

魚とカメ

魚は背骨と目玉に飲める液体がある。背骨と脊椎を半分に切るか、布でくるんでねじれば、その液体を出すことができる。目玉は味わいたくないので、私はいつも丸呑《まるの》みする！　魚の血からも水分が吸収できるが、獲ったらすぐに飲まないと腐る。カメの血には人体とおなじ塩分があり（269ページ参照）すばらしい水分だし、飲むにはカメの首を切ればいいだけだ。

◉水分補給浣腸

大腸は水分を吸収するようにできているので、浣腸《かんちょう》は効果的な水分補給法だ。水が救命筏についていた泥やビニールくずで汚染され、浄化できないときでも、浣腸で水分を補給できる可能性がある。腸から水分を摂取すれば、汚染した可能性のある水は胃を通らない。一九七二年にガラパゴス諸島の西でシャチに襲われてヨットが沈没したとき、ドゥーガルとリン・ロバートソンは、息子三人と友人の息子ひとりとともに漂流したが、そのときにこの方法が効果をあげた。

チューブに魚油か獣脂を塗り、八センチ以内の長さを差し込む。〇・五リットルの水を注ぎ、一〇分間横になる。それを一日に二度やる。

海水を飲む危険

ほんとうに強い意志が必要になるだろうが、海水は絶対に飲んではいけない。海の漂流者が、体が弱ってきて海水を飲み、幻覚を見たり、意識が混濁したりした例は、枚挙にいとまがない。口をすすぐつもりでいても、塩分が残って、渇きがよけいにひどくなり、ごくりと飲み込んでしまう。海水がことに体に悪いのは、塩分が血液の三倍の濃さで、かならず腎臓を傷めるからだ。

尿や海水を大量の真水とともに摂取して、体力を持続した例もいくつかある――しかしそれは、尿や海水を薄めるのに十分な量の真水が、安定してまちがいなく供給されているときだけに限られる。

真水が豊富に供給されるとき以外は、ぜったいにこの方法に頼ってはならない。もっと頭を働かせて工夫したほうがいい。魚を獲る、蒸留器をこしらえる、雨水をためる、露を集める――いくらでも方法はある。だが、絶対に海水を飲んではいけない。

海水を飲むと、脱水を起こすだけではなく、体液が減少して、よけい自暴自棄になりやすい。海水を飲むと頭がおかしくなるのは、高い濃度の塩分が脳の細胞への血の巡りを悪くするからだと考えられている。

人肉を食らうようなことが起きるのは、そうやって頭がおかしくなり、自暴自棄になるからだ。体が欲しているのは肉ではなく、水分なのだ。小説『白鯨』の背景には、最後の生き残りの乗組員二人が、自分たちが食べた仲間の骨をめぐって、譫妄《せんもう》状態で争うというような実話がいくつもある。そういう状態になるのは、なんとしても避けたい!

「海水がことに体に悪いのは、塩分が血液の三倍の濃さで、かならず腎臓を傷めるからだ」

海水を飲んで生き延びる：摩訶不思議な実話

海水を飲むことについては、いまだに多少の異論がある。議論の中心になっているのは、一九五一年に食料も水も持たずに大西洋を横断したアラン・ボンバールの漂流実験だ。ボンバールは、最初の七日間、少量の海水だけを飲み、そのあとはそれに加えて魚や雨水で水分を補給した。六五日の航海の末に、バルバドス諸島に着き、体重が半分になって、下痢を起こし、吹き出物ができて、足の爪をなくしていたが、それでも生きていた。

ボンバールの漂流実験は、自然の猛威に立ち向かった勇敢な男のすばらしい物語だが、厳正な科学的分析には耐えられない。ボンバールは、摂取した海水と真水の割合を記録していないし、航海中に二度、通りすがりの船に拾われたという事実を軽視している。そこで食事をしたし、当然ながら真水も飲んだはずだ。

海水を飲んでもすぐには死なないという事実は残るが、生命が危険にさらされることに変わりはない。頭がおかしくならないとしても、一週間以内に腎臓が機能しなくなる。

役に立つ豆知識

すぐに救出されると思い込んで浮かれ騒ぎ、水をがぶ飲みしてはいけない。救助隊にきみが見えていなかったり、見失ったりすることがあるから、ようやく救い上げられるまで、まだ日にちがかかるかもしれない。浮かれ騒ぐのは、救助の船に乗ってからにしよう。

食べ物を手に入れる

四方が広大な水面だが飲めないのとおなじように、海には手近に食べ物が豊富にあるのに、すぐには手にはいらない。この皮肉な状況も、海を漂流する人間の忍耐を揺さぶる。ただ、海のサバイバーが水中から魚を釣り上げるのは、思ったほど簡単ではないとはいえ、そのうちに救命筏の底にフジツボや海草がくっつきはじめると、釣果が期待できるようになる。そこに一つの生態系ができ、食べられる大きさの魚が寄ってくるからだ。

昔の英海軍では、長期間の航海中に壊血病になるのを防ぐために、乗組員にライムを食べさせていたが、そういう心配はいらない。壊血病にかかるのは、ビタミンCが三カ月以上不足した場合だ。きみの健康を維持するために必要なビタミンは、ほとんど魚から摂取できる。新鮮な魚にはタンパク質とビタミンA、Cがあり、肝臓にはビタミンB1、B2がある。

食べるべきか、食べざるべきか？

水資源が当てにならないときには、消化に必要な水がないのになにかを食べるのは、賢明ではない。魚、カメ、鳥、海草に含まれるタンパク質は、炭水化物よりも消化に多くの水を必要とする。だが、海から獲れる可能性のあるものの大部分は、タンパク質だ。だから、サバイバル食料に炭水化物があれば、消化に水分をあまり必要としないそれを先に食べるといい。

さらにいえば、どのみちサバイバル食料を先に食べるしかないだろう。本格的な釣り道具がないかぎり、救命筏から魚を釣るのはかなりむずかしいからだ。

食べる魚を海で釣る

ちゃんとした救命筏なら、釣り道具に応用できるものが、なにかしらあるはずだ。あとはサバイバー自身の工夫が肝心な要素になる。釣り糸は靴紐《くつひも》、服の糸、帆、防水布で作れるし、釣り針は金属、プラスティック、骨、安全ピンでこしらえることができる。オールの端にナイフを縛りつければ、銛《もり》になる。

ただし、餌の問題は、解けないパラドックスだ。餌に使う魚をまず釣り上げないといけないが、その餌はどうする？　筏にルアー（疑似餌）があれば、それを使うことになるだろう。だが、一尾釣れれば、あとは円滑にまわってゆく——釣れる確率を高めるためにルアーも使い続ける。

魚は光源に集まってくる傾向があり、ことに夜はそうなので、満月のときは釣果が見込める。鏡か、表面が光を反射するものがあれば、それで月光を受けて水中を照らす。懐中電灯のような人工の光も、魚を惹《ひ》きつける。昼間は逆で、魚は日陰を好むので、筏の下の暗いところに仕掛けを投げ込むといい。それから、水面は光を反射するので、水中銃（あればの話だが）で魚を獲れる確率が高まる。水は光を屈折させるので、魚がいるように見えるところよりも手前を狙う。スティーヴン・キャラハンが大西洋を漂流したときには、魚一尾を水中銃で獲るまで二週間かかった。結局、筏の真下近くにいる魚を撃てば、距離が短く、屈折によるずれが少ないので、狙いが狂わないとわかった。

魚を獲っても、調理器具がないときは、生で食べる。魚を獲ったときは、私はたいがいそうする。そのほうが新鮮な味がする。

最近は日本の寿司《すし》がはやりはじめて、欧米でも魚を生で食べるのが、それほどめずらしいことではなくなったし、サバイバルが左右されるときにはえり好みなどしていられない。サンゴ礁には毒がある魚もいる（次項参照）が、海の深いところで取れる魚は、ほとんど問題がない。


「魚は光源に集まってくる傾向があり、ことに夜はそうなので、満月のときは釣果が見込める」

魚とのファイト

大物の魚とのファイトは、すべての釣り師の夢だが、海の漂流者にはさらに重要な意味がある。ラインがぴんと張ったら、そこからきみと魚の生存競争がはじまる。『老人と海』を思い出すがいい。だから、雄大なファイトに没頭するのはいいが、ラインが筏や自分の手を傷つけないように、気を配らなければならない。いずれもサバイバルになくてはならないものだ。カンバスで手と筏を保護するのを忘れないこと。

⊙尖った先端

釣り針の先端は鋭くなければならない。しかし、魚をひっかけるだけではなく、自分の体と筏にも刺さる恐れがある。手先から目を離さず、我が家に穴をあけてしまわないようにしよう（水中銃や銛でもおなじ）。

⦿入れ食い

羽根をつけた釣り針を魚群のなかにほうり込むと、水中の魚がわれ先に食べようとして大騒ぎになり、すべての針に魚がかかる。魚群が近づくのを見たら、すかさず仕掛けを投げること。

⦿小さいことはいいことだ

プーン・リムは確かにサメを釣り上げた（254ページ参照）が、大物の魚が針にかかったときには、すぐさま糸を切る。筏の近くに魚が寄ってきて、沈められる恐れもある。それに、大きな魚を処理する道具がなかったら、すばやく干物にしないかぎり、半日で腐る。糸を切り、自分の身の丈にあった獲物を探そう。

⦿サンゴ礁の魚とシガテラ毒

怪しげに見える魚は、食べないようにする。熱帯の陸地の近くで、サンゴ礁の魚を食べるときには、ことに用心しなければならない。熱帯のサンゴ礁で餌を食べている魚には、シガテラ毒が蓄積されている場合が多いからだ。とげがある、青白い、目がくぼんでいる、斑点がある、肉にしわが寄っている、嫌なにおいがするといった特徴はすべて、魚が病気か毒を持っていることを示している。毒を持っている魚を食べると、食べ物なしで翌日に死ぬ前に命を落としかねない。

獲った魚を目いっぱい利用する

魚は、頭とひれ以外は、内蔵も含めてすべて食べられる。内臓はまずそうに思えるかもしれないが、料理すれば食べられるし、骨髄は吸って水分を得られる。熱帯では魚は数時間で腐るので、すぐに食べない分は薄切りにして日に干せば、かなり長持ちする。カビが生えないように何度も裏返す。早く乾燥するように、できるだけ細かく切る。

トビウオ

海を渡るヨットマンはたいがい、トビウオの群れが水面から飛びあがって滑空する不思議な光景を目にしたことがあるはずだ。トビウオは捕食者から逃れるために飛ぶといわれているが、夜に甲板に落下することがある。すこしじたばたするが、すぐに動かなくなる。翌朝は朝食が用意できているというわけだ。夜にトビウオを見たら、明るい光に惹かれる習性があるので、懐中電灯の光を向けるといい。白い帆を張っていると、それにぶつかり、気絶して甲板に落ちることがある。トビウオはシイラを釣る餌にうってつけだ。

鳥

内臓を抜いて羽根をむしれば、どんな鳥でも食べられる——生でも料理しても——釣り針や罠《わな》で捕らえればいい。救命筏におりる鳥がいたら、オールで殴るか、水中銃でしとめるか、絞め殺す。単純な輪縄（54ページ参照）に鳥を惹き寄せる餌を置いて、足が罠にかかるようにしてもいい。釣りの仕掛けに餌をつけて投げるか、安全ピンに餌をつけた紐の端をキャノピイに結び付けておいてもいい。鳥を絞めるには、翼をつかんで首を折るのが一番簡単だ。

ウミガメ

ウミガメは栄養価が高く、中南米の先住民は現在も食べている。血と肉と卵が取れて、魚よりもずっと栄養がある。選べるものなら、オスではなくメスを獲る。タンパク質と脂肪が豊富な卵を持っているからだ。オスのほうが尻尾が長くて、殻の下のほうがくぼんでいるので、見分けがつく。ウミガメを釣り針か銛で獲ったときには、暴れさせないように気をつける。鋭い爪でひっかかれたり、筏に穴をあけられる恐れがあるからだ。たったひとりのサバイバーで、助けがいないのだから、取り込む前に溺れさせたほうがいい。動かなくなるまで、頭を水のなかに押さえ込む。

血は水分としてすばらしいので、新鮮なうちに飲む。

プランクトン

クジラ御用達のプランクトンは、人間にもありがたいものだ。プランクトンは世界中の海にいて（ただし、寒冷な海を好む)、目の細かい網を引いていれば獲れる。女性のストッキングや、網目の細かい布を筏から流せばいい。プランクトンは、昼間は水面近くにいて、夜は深く沈む。獲れるのは嫌なにおいのスープみたいなどろどろのものだが、ビタミンCと糖分が豊富にある。

「内臓を抜いて羽根をむしれば、どんな鳥でも食べられる——生でも料理しても——釣り針や罠で捕らえればいい」

海藻

海の果物と野菜を無視してはいけない。海藻には非常に美味なのもあり、タンパク質、炭水化物、ビタミン、ミネラルが豊富だ。生ではたいがいうまくなく、ゆでたほうがいい。しかし、真水がなく、水にさらして塩抜きできないときには、食べないほうがいい。ひっかける鉤《かぎ》をつけた紐を筏から流せば獲れるが、なくしてもいい鉤を使うこと。

海岸近くの食べ物

岸にたどり着いたが、そこが無人島だったときには、魚介類を手に入れられる可能性が高い。人間がいないほうがそういう食べ物は豊富にあり、種類も多く、獲りやすい。

カニ、ロブスター、ウニ

カニやロブスターのような甲殻類は、世界中の磯《いそ》に豊富にいる。タコ、イカ、貝類、ウニなど、世界各地で珍味とされているものも獲れる。ウニは殻を割り、中身を食べる。見かけは悪いが非常に栄養がある。ムール貝、カサガイ、フジツボ、アサリやハマグリ、各種の巻貝、ウミウシも食べられる。

ホラガイ

ホラガイは、熱帯で砂の海底の海草が群れているところにいる。白い肉を食べるには、殻の端を割れば、中身を引き出せる。まわりの黒い皮をむいてから食べる。

ナマコ

ナマコは世界中の砂の海底にいる。つかまえて握ると、ベトベトの白い粘液をだす。刺激性があるので、徹底的に洗って内臓を抜いてから食べる。

ナビゲーションと移動

キール（竜骨）、帆、動力源がない海の救命筏に乗る漂流者は、世界の海を巡回する風と海流のままに流される。これほど移動と方角を制限される野生環境は、ほかにはない。救命筏でたったひとり海に取り残されたサバイバーであるきみは、長い距離を自由に航行するどころか、抵抗できない力に翻弄される。それに、救命筏は帆走に向いておらず、ただ漂うようにできている。オールやシーアンカーで多少の舵《かじ》や推進力が得られるとしても、結局、海が選んだところへ連れていかれる。

サバイバーたちの雄大な長距離航海の海図を見ると、陸地から八〇キロメートル以内が起点だったものが、かなりの割合を占めている。彼らはそこから反対方向へ数百キロメートル流されてから、ようやく救出されている。自然の猛威にさからっても無駄だということを、多くの事例が示しているわけだ。これから説明する方法で、太陽と星を使って自分が連れていかれる方角をある程度把握する――というのが、唯一の有効な長距離ナビゲーション戦略だろう。そうすれば、陸地に近づいている可能性があるのを知ることができる。

位置を確認する

海は陸とはちがって目印になる地形がないから、第1章（38～42ページ参照）で説明した天測航法が、なおのこと適切だ。そこで検証したように、コンパス（方位磁石）の基本方位（北・南・東・西）の確認は、北半球では北斗七星と北極星、南半球では南十字星を観察すれば、容易にできる。

救命筏の進む方角は、卓越風と海流に左右されるが、ことに風のほうが影響が大きい。また、救命筏は北半球では風が吹く方角から右に三〇度ずれ、南半球では左に三〇度ずれて流される。赤道近くでは、北半球でも南半球でも、風と海流は西に向かう傾向がある。北半球では海流が時計まわりに流れ、南半球では逆に流れる。これらの知識と、星を見て確認した方位をもとにして、自分がどの大陸のどこで陸地初認をするか、見当をつけておこう。

筏をどの程度望む方角に進ませることができるか、海図があるかどうかにもよるが、できれば船舶の往来が多くて救出される可能性の高い航路や、水を集められる雨の多い地域を目指したい。また、陸地の風上の位置を保つようにする。風で吹き寄せられる可能性が高くなるからだ。風下にいたのでは、陸地には到達できない。

「救命筏が陸地の風上の位置を保つようにする。風で吹き寄せられる可能性が高くなるからだ」

舵をとる手段

最新鋭の救命筏にも、風上に向かって帆走するのに不可欠なキール（竜骨）はない。キールのない筏で風と海流を利用するには、つぎのような方法がある。

・筏の膨張のぐあいを調整する。空気を目いっぱい入れてぱんぱんに膨らんでいる状態だと、追い風では水面を滑るように速く進む。だが風がなくて海流の影響が大きいときには、空気をすこし抜いて喫水を深くしたほうがよく進む。
・シーアンカーを流す。あるいは取り込む。
・出入口を風上に向ける。
・間に合わせの帆（次項参照）を張る。
・オールを舵として使う。

現代の救命筏は、ただ漂うようにできているので、何日も続けて舵をとったり漕《こ》いだりすることは無意味だ。間に合わせの帆を使ってあまり自由がきかない舵をとるのは、陸地を見つけて、上陸に適した場所を探すときに限ったほうがいい。

「空気を目いっぱい入れてぱんぱんに膨らんでいる状態だと、追い風では水面を滑るように速く進む。だが風がなくて海流の影響が大きいときには、空気をすこし抜いて喫水を深くしたほうがよく進む」

間に合わせの帆

帆をこしらえるときには、すべてのサバイバル状況とおなじで、想像力を駆使して、手にはいる材料を工夫することが重要になる。オール二本を結んで十字にし、敷き板と左右の舷側と舳先につなげば（イラスト参照）、簡単な帆柱になる。

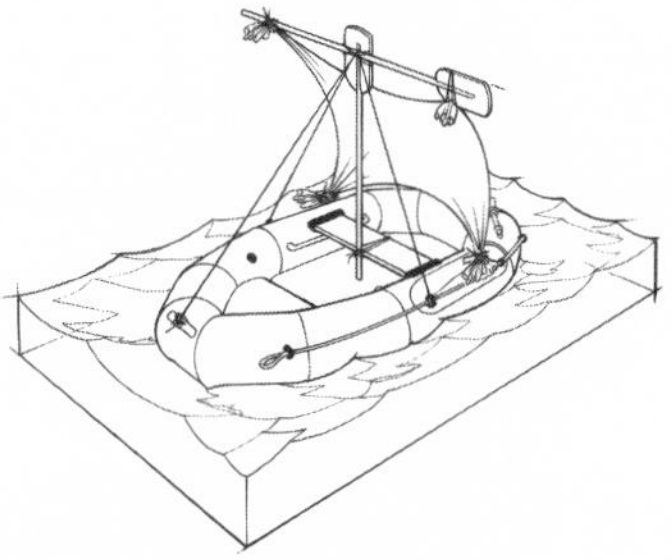

まだロープが余っているようなら、帆柱のてっぺんをあちこちにつないで、さらにしっかり固定する。この帆柱に、風を受けとめられる大きさの防水布か日よけなどの布を取り付ける。

帆を張るための基本的な艤装《ぎそう》ができあがっても、帆の下端を救命筏の船体にじかに結び付けてはいけない。強い風を受けると、転覆する恐れがあるからだ。ロープを**帆**の下の隅に結び付けてから舷側につなぎ、風が強くなったらすぐにほどけるようにしておく。

シーアンカー

ふつうの錨《いかり》は、先が鉤状になっていて、海底に食い込ませる。船の動きは錨を中心とする円運動に制限される。シーアンカーは水による抗力を利用するもので、筏が風を受けてまわったり、激しく動いたりするのを防ぐとともに、強い海流に流されているときにはブレーキの役目を果たす。悪天候のときに筏を安定するのに使い、凪のときには海流を存分に利用できるように、取り込んだほうがいい。

シーアンカーには、さまざまな作りのものがあるが、たいがいパラシュートか漏斗《ろうと》の形をしていて、長いロープの先に取り付けてある。救命筏にシーアンカーがなかったときには、底に穴をあけたバケツをロープに結び付けるか、布切れの四隅をまとめてロープで縛るだけでもいい。水が布切れをパラシュートのようにふくらませ、抗力が生まれる。

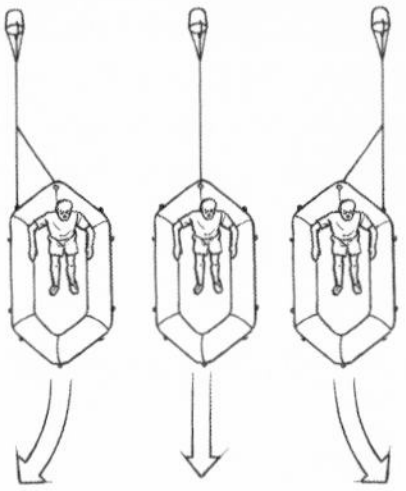

シーアンカーの効果がもっとも高くなるようにするには、筏が波の頂上に乗ったときにシーアンカーが波の谷間にあるように、ロープの長さを調節する。そうすると、かなりの悪天候でも筏は安定する。順風で海流に乗っているときには、シーアンカーはブレーキになってしまうので、流してはいけない。だが、逆風で海流に乗っているときには、シーアンカーを流せば、海流の向きと筏の向きを一致させることができる。

抗力を利用して、シーアンカーで多少舵をとることもできる。筏の艫《とも》のまんなかから真後ろに流せば、海流に沿って直進する。左舷寄りに流せば、舳先が左を向く。右舷寄りに流せば、舳先が右を向く。直感には反する動きだが、舵とおなじ原理だ。

陸地があるしるし

陸地が近いことがわかれば、士気がぐんと高まるだけではなく、正しい方向に進んでいたのだと確信できる。陸地を自分の目で見る前に、それがある気配を見て、嗅いで、聞くことができる。ずっと海にいると、においの変化ははっきりとわかる。陸地が見える前にそのにおいを嗅ぎ分けたことが、何度もあったのを覚えている。牧草地、草地、ヒースの濃密な香りは、何日も潮気と海水ばかり嗅いでいたあとでは、じつにかぐわしく思える。

鳥の動き

鳥の群れがいれば、それが陸地から長い距離を飛んできた渡り鳥でない限り、たいがい、陸地が近いことを確実に示している。鳥は朝に陸地から海へ出て、夜に陸地に帰るので、その動きをよく観察する。カモメ、カモ、ガンがいれば、まちがいなく陸地が近い。

積雲

積雲(43ページ参照)が一つだけ動かず、そのまわりの雲が動いているか、くっきりと晴れた空に積雲が一つだけ出ているようなら、陸地が近くにある可能性が高い。積雲は島の上にできることが多く、島そのものの形に変わる場合もある。雲の下側が変わった色になっていないかどうかも見る。熱帯では、そこがグリーンがかっていたら、下のジャングルの植物の色が反射しているためだ。

海と空の色の変化

陸地の近くでは、たいがい海の色が変わる。水深が浅くなるからで、温帯ではライトグリーンに、熱帯ではライトブルーになる。河口近くでは、沈泥のために茶色っぽくなる。南米のアマゾン川の沈泥は、大西洋に向けて数百キロメートルもひろがっている。熱帯では、空も雲とおなじように樹木の色が映ってグリーンがかる。早朝に稲妻が見えるのは、山脈があることを示している。極地では、広い海で見られる雲の下側のグレーが、陸地に近づくと薄くなる。

波の様子

陸地に近づくと、波の様子もたいがい変わる。海流とうねりは、近くの陸地の影響を受けるし、島が風をさえぎっているときには、風の影響もあまり受けなくなる。うねりが減っているときには、島が風をさえぎっていて、その島に風下から近づいていると考えられる。

流木と植物

流木と水中の植物の増加は、陸地が近いことを示している場合が多い。

風向

風はふつう昼間は陸地に向けて吹き、夜は海に向けて吹く（昼間は、陸地が海よりも暖まりやすいために、陸から上昇する温かい空気がこしらえる気圧の低いところへ、海の冷たい空気が流れてゆく。夜はその逆）。この海風と陸風のくりかえしがあるようなら、ほかのしるしと合わせて、陸地が近いとわかる。

陸地初認

人口が多い陸地の近くでも、捜索救難機に見つけてもらえるとは限らないから、救出されるために上陸しなければならないこともある。無事に上陸することさえできれば、島でも本土の海岸線でも、海よりはたいがい真水と食べ物が手にはいりやすいから、サバイバルはずっと楽になる。

陸地を見つけておおよろこびしても、上陸の難しさと待ち受けている未知の危険を思うと、よろこんではいられなくなる。世界でもっとも過酷な海と陸を一三〇〇キロメートル踏破し、サウスジョージア島にたどり着いたシャクルトンと乗組員たちは、島の西側に上陸することを余儀なくされた。そのため、東岸にある捕鯨基地まで、最低限の装備で危険な山越えをしなければならなかった。そこへたどり着いてようやく、エレファント島に残してきた乗組員の救出任務に取りかかることができた。上陸には大きな危険が伴うことがあるから、上陸地点はできるだけ慎重に選ばなければならない。

上陸地点を選ぶ

大海原を何千キロメートルも越えてきても、上陸しようとして溺れたのでは、なんにもならない。だが、そういうことは起こりがちなのだ。海が蓄えたエネルギーは、陸という大きな塊に激突するとき、すさまじい力で爆発する。津波が陸地を襲うありさまを見るだけでも、海がどんな敵に対してもつねに優勢だということがわかる。きみは長い月日の漂流で筋肉がひどく弱っているのだから、なおさら海には逆らえない。

陸地に近づいたら、波の静かな遠浅の浜を探す。磯や断崖では、波の砕ける勢いがすさまじいからだ。熱帯ではサンゴ礁を避ける。サンゴ礁は非常に危険な場所で、海が荒れているときには筏も乗っている人間もずたずたに引き裂かれる。川が海に流れ込んでいる河口近くには、サンゴ礁はないが、危険な潮流がある。

「上陸には大きな危険が伴うことがあるから、上陸地点はできるだけ慎重に選ばなければならない」

自分を守る

固定できるものはすべて、自分の体か筏に縛り付け、靴と皮膚を守れる衣服を身につける。筏に体を縛り付けてはいけない。筏が沈んだら引きずり込まれる恐れがある。救命胴衣があれば、きちんと膨らます。背泳ぎが一番楽なので、泳ぐときにはそうする。風にあおられたり、岸への視界を妨げるものがないように、キャノピイなど、筏の高さを越えるものは取り除く。筏から投げ出され、岩場に向けて押し流されたら、衝撃をいくらかでも吸収できるように、足を前に出す。

砕ける波と潮の流れを観察する

砕けて海岸線に押し寄せる波が、風や潮の流れで高くなっていないところが、もっとも安全な上陸地点だ。だいたいにおいて、卓越風で陸に向けて吹き寄せられるところではなく、陸地の風下側にそういう海岸がある。潮の流れがあるところでは、そのリズムを推し量り、上げ潮か引き潮かを判断する。引き波が強い引き潮よりも、陸地の上のほうに運んでくれる上げ潮のときに上陸するほうがいい。

シーアンカーを利用する

陸地に近づいたら、シーアンカーを流すと、筏のでたらめな動きを安定させ、舳先を波と直角にして、波頭で揉《も》まれて制御できなくなるのを避けることができる。海底のゴミなどにひっかからないように、シーアンカーを水面近くに浮かしておくために、ふくらましたビニール袋などを縛りつける。オールかパドルを使って、舳先を海岸に向け、たえずシーアンカーを調節して、ロープがぴんと張っている状態にする。

波と直角を保つ

筏が波に横腹を向けると、あっという間に安定を失い、波で転覆する重大な危険にさらされる。オールを推進力と舵に使う。

七度の法則

パピヨンは、ココナツの筏で悪魔島を脱出する計画を練ったとき、陸地に押し寄せる波が、たいがい七度目ごとに激しくなることを観察によって知った。悪天候のときは、波が激しくなるサイクルが一巡したところを狙い、ビーチに接近するといい。

寄せ波を避ける

風と寄せ波が激しいときには、サーファーのように波頭に乗ってビーチまで運ばれないように気をつける。サーファーは好きなときに横に滑って波から離れることができるが、救命筏はくの字形に曲がって、ビーチか磯に叩《たた》きつけられる恐れがある。パドルで前後に漕ぎ、波の谷間にいるようにする。筏から投げ出されて、岸へ泳ぐときも、おなじようにする。

潮の流れには逆らわない

沖に引き戻されたり、海岸と平行に流されたときには、潮の流れに逆らってはいけない。潮に流されるままになるか、潮と直角になって潮の端を探す。潮を斜めに横切るようにして、岸を目指してゆっくりと泳ぐ。

筏が着底するまで待つ

陸地に近づき、寄せ波の力が弱まったら、波に乗ってビーチまで押し流されてもかまわない。ことに引き波が強いときには、そうしたほうがいい。ビーチに達したら、できるだけ奥まで進ませ、筏が着底したとたんに跳びおりて、できるだけビーチの上のほうへひっぱっていく。

「潮を斜めに横切るようにして、岸を目指してゆっくりと泳ぐ」

自然の危険要因

大海原を漂流するものが直面する危険要因のなかで、救命筏の下をうろちょろする生き物ほど恐ろしがられているものは、ほかにはないだろう。自然の猛威に身をさらすことや、脱水や、食料が尽きることと比べれば、現実的な危険はさほど大きくないとはいえ、ジョーズとその仲間たちが待ち構えていることは確かだ。

◉――サメ

サメを恐れる気持ちは、もっとも原始的な本能の一つだろう。人間が食物連鎖のトップになり、ジャングルの王になる前の集合的無意識を呼び覚ますからにちがいない。サメは、未知の世界の深みから姿も音もなく襲ってくる捕食者だ。

熱帯から寒冷な極地まで、世界のすべての海にサメはいる。その種は五〇〇を超えるが、人間にとって危険なのは十数種だけで、とりわけ危険なのはホホジロザメとイタチザメとメジロザメの三種類だけだ。

サメは、音と震動と血のにおいと腐臭を感知し、何キロメートルとも離れたところから寄ってくる。ことに傷ついた獲物――人間、魚、仲間のサメ――のたてる異常な音や震動に敏感で、水中の血一〇ｐｐｍを探知できる。つまり、オリンピックサイズのプールに血が一滴垂れただけでもわかる。また、電界を感知する能力で、方角を知り、獲物を探知する。

サメの襲う速さは時速六五キロメートルに及び、口には剃刀《かみそり》のように鋭い三角形の牙があって、蒸気ハンマーのような力で顎を閉める。

サメが救命筏を襲った例はあるが、ごくまれだ。サメが人を襲う例は世界中で年間五〇ないし七〇件あり、平均一

○人が死んでいるが、フロリダ自然史博物館の国際サメ襲撃ファイルによれば、漁民が殺すサメは二〇〇〇万匹ないし一億匹にのぼる。この統計をもとにすると、サメの復讐《ふくしゅう》率はサメ二〇〇〇万匹ないし一〇〇〇〇万匹にたいして人間ひとりだから、温和な生き物だといえるかもしれない。

とはいえ、用心するにこしたことはない。サメが近くにいるかもしれないときには、

・釣りをしない。魚がかかったときには逃がす。
・海中で魚の内臓を抜いたり洗ったりしない。
・ゴミなどを海に捨てない。捨てるときには跡を引かないようにまとめてうしろに投げる。夜間筏が動いているときに捨てる。
・腕、足、装備を水中にぶらさげない。
・静かにし、動きまわらない。
・攻撃されるとはっきりわかっているとき以外は、サメを攻撃しない。
・小便や大便をしたときには、跡を引かないようにまとめて投げ捨てる。夜間、筏が動いているときに捨てる。
・攻撃されたときには、サメの目、鼻、エラ、中枢神経がある目と目のあいだをナイフか棍棒《こんぼう》で何度も突くか、拳で殴る。

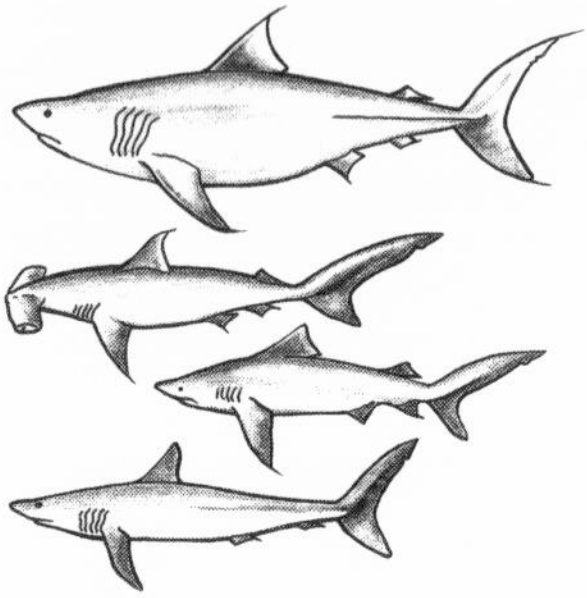

◉ クジラ

『白鯨』はいうまでもなく、これまでに挙げた二例——スティーヴ・キャラハンとロバートソン一家の場合のように、ヨットがクジラやシャチに襲われることはたびたびあった。だが、クジラが救命筏を襲うことはめったにない。クジラが近づいてきたら、釣りも含めた行動をすべて中止し、静かにしている。海になにも流していないことを確かめる。クジラはたいがいすぐに興味をなくして、どこかへ行ってしまう。

◉ カマス

カマスは細長い肉食の魚で、体長が二メートルになることもあるが、たいがいは九〇センチないし一二〇センチだ。きわめて鋭い歯を持っていて、強い顎で獲物をずたずたに引き裂く。ふつうはそんなに問題にはならない。人間を襲った例もあるが、たいがい濁った水のなかで夜に起きている。被害者は、攻撃を引きつけるような光る宝飾品を身につけていたせいで、襲われたと思われる。カマスは大きな群れを成していることもある。

クラゲ

クラゲは刺胞で獲物を捕らえる。触手のなかに小さな刺す器官がある。返しのついたきわめて小さい銛のようなもので、毒を注射し、獲物を麻痺《まひ》させる。人間の死亡例もあるが、たいがいの場合、刺されたあとでひどい痛みを訴えるだけで、命に別状はない。

二〇〇〇種類のクラゲのなかで、人間に害があるものは七〇種類ある。つぎの二種類はよくいるクラゲで、なおかつ殺傷力がある。

ハコクラゲの数種

太平洋とインド洋のオーストラリアとフィリピン付近にいて、一一月から四月にかけて増える。海のスズメバチという異名をとる。海洋生物としてはもっとも強い毒を持っている。地球上の生物のなかで、もっとも毒が強いといえるかもしれない。触手には大人三人を殺せるだけの毒がある。箱型の白い体で、すぐに見分けられる。バスケットボールぐらいの大きさになることがある。一〇本ないし六〇本の刺す触手があり、なかには九メートルに及ぶ触手もある。

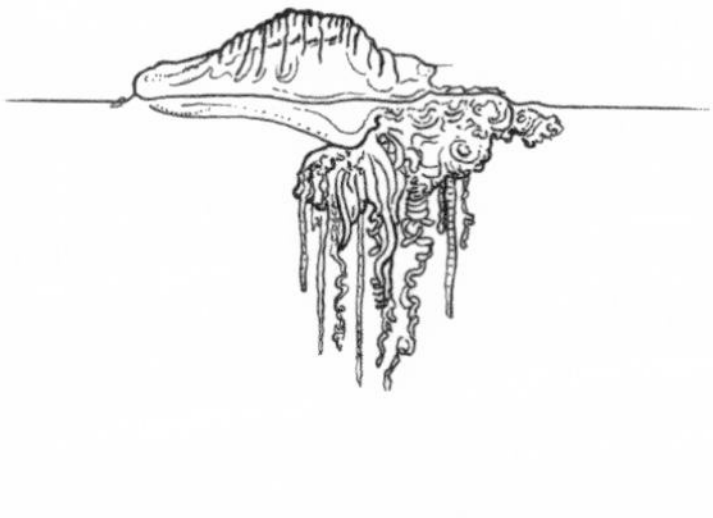

カツオノエボシ

カツオノエボシはメキシコ湾とカリブ海によく見られるが、メキシコ湾流に乗ってはるか北のヨーロッパまで運ばれていくこともあり、オーストラリアでもまれに見られる。

クラゲに分類されてはいるが、実際はヒドロ虫の群体で、触手はふつう一二メートルくらいで、刺されてもめったに死ぬことはない。長さが約三〇センチ、水面からの高さが約一五センチの、ピンク、ブルー、紫色を帯びた浮き袋を持っている。その下の触手は、最長五〇メートルに成長することもある。

ベアの必須要件

海でのサバイバル

ルール1 ▼**準備**

海でのサバイバルの可能性を高めるには、あり得ないようなことに対しても徹底して準備しておくのが一番だ。サバイバル手順を予行演習し、装備すべてを手入れし、非常事態にすばやく簡単に用意できるようにしておく。

ルール2 ▼**風雨や陽射しから身を守る**

寒さにさらされ、体を濡らすと、ひどく痛む炎症を起こすし、陽射しを浴びると脱水を起こし、ひどい日焼けに悩まされる。体を十分に保護しなければならない。

ルール3 ▼**水の節約**

水を大量に飲むのは、大雨が降ったときだけにする。あとはすべての容器をいっぱいにして、一滴も無駄にしない。むかむかしたら、すぐに酔い止めの薬（現代の救命筏には常備されている）を飲む。船酔いは体を弱らせるし、脱水の原因になる。

ルール4 ▼**海水は飲むな**

たった一度飲んだだけでも、我慢できなくなるきっかけになる。楽になるのは一瞬だけで、まちがいなく意識が混濁し、腎臓の機能が悪化する。

ルール5 ▼**決してあきらめるな**

浮かぶ監獄で受身の立場を強いられるため、海では精神力がきわめて重要だ。覚悟ができていないと、気力が萎えてしまう。強い人間になろう。きみは生まれながらの勝ち組だし、心の奥を探せば、きっとサバイバル精神が見つかる。

サバイバルの四つの要素

❶ スキル

この本で説明しているスキルは、身につけてしばしば有効に実行すれば、こういった敵性の世界にひとりで取り残されたときに、命を救ってくれるはずだ。この本を冒険旅行に持っていくか、サバイバル装備バッグに入れておいてもいい。ベッド脇か、便所に置いておいて、しじゅうすこしずつ読んでもいい。毎日なにか新しいことを学ぼうという姿勢がだいじだ。それ自体が、いい鍛錬になる。知識は力だというのを肝に銘じよう。そして、これらのスキルは、有能なオールラウンド・サバイバーになる能力を充実させる基盤になる。

❷ 体力

これらのスキルを実行し、なおかつ安全なところへ移動をつづけ、歩きつづけられる体力がなかったら、どのスキルもただの空論でしかない。体力を維持しよう。肉体を鍛えるのを習慣にして、毎日すくなくとも三〇分、なにかをやろう。速足で歩くのもいいし、ランニングでもいい。腕立て伏せ、腹筋、ストレッチのような単純な筋力維持・強化運動でもいい。これら三つ——ランニング、筋力トレーニング、ストレッチ——は、しっかりした体力の基礎を固め、生きるか死ぬかという状況で、重要な利点になる。それに、頭脳と集中力をもっとも効果的な段階に引きあげるのにも役立つ。両方とも、まちがいなく必要になるはずだ。

❸ 幸運

雄大なサバイバル脱出劇では、運がつねに一翼をになう。だが、運はきみが考えているほど無作為なものではない。自分の人生は明るいと期待してみよう。運がめぐってくるはずだ、と考えるのだ。肥《ふと》った銀行員と結婚するのを恐れていた女の子が、どうして必ずそういう男と結婚するのか？　私たちの心は磁石だ。これは宇宙の法則だ。期待するものを私たちは惹《ひ》きつける。最高に運がいい連中を見ると、活発で、ポジティブで、幸運が巡ってくると思っている人たちだとわかる。きみもそういう人間になろう。ナポレオンもいっている。「優秀な将軍にはなりたくない。運がいい将軍になりたい」と。

❹ 最後に：生きようとする意志

きみのサバイバルは、結局これに左右される。どれほど望みが大きいか？　決意という名の井戸が、どれほど深いか？　さらにいえば、きみがすでに持っているその井戸を、どこまで深く掘り下げる覚悟があるか？　私の好きなたとえ話がある。ミルクのつぼに、ネズミが二匹落ちた。一匹は、もう逃げられないとあきらめた。つぼはかなり深くて、滑りやすく、よじのぼれない。まちがいなく死ぬと、そのネズミは確信した。あっという間に死ぬことを願って、ミルクに身を投げた。もう一匹は、ミルクの容器だけではなく、ミルクの可能性に目を向けた。ミルクのなかを歩きまわった（ミルクだよ！）。そして、どんどん速く走った。ミルクがしだいに凝固して硬くなる。それでも走り、泳いだ。ミルクがやがてクリームになり、しだいに硬いバターになった。勇敢なネズミは、バターを足場にして、つぼから這《は》い出すことができた。おしまい。サバイバーになるための最終的な要因は、こういうことだと私は思う。

結び

この本には、膨大な情報がこめられている。必要以上の情報かもしれないが、必要不可欠なこと――ぐあいのいいシェルター、火をおこす簡単な方法、動物を罠《わな》にかけるやり方、水を集めるやり方――の基本を頭に入れておくことが重要だ。そのほかの事柄も、サバイバルの世界の仕組みをよく知るのに役立つ。それをよく学べば、基本的知識をもっと充実させることができる。やがては大部分を身につけて、自分に役立つ方法をすばやく見つけ出せるようになる。そうなったら最高だ。

はじめてこういったことを学びはじめた子ども時代、この手の情報を吸収するには、本を手近に置いておくのが一番だった。風呂やトイレにはいっているときや、駅で退屈しているときには、いつでも手元に本があった。いまだにそうしている。私のバスルームには、現代の偉大なサバイバル教本がどっさり置いてある。

この本で私は、自分が学んだ手法のなかで、もっとも覚えやすくて効果的な物事を、まとめたつもりだ。たとえば、**専門家**が教えてくれた罠のなかには、こしらえるのにとてつもない時間がかかるものもある。寒くて、濡《ぬ》れていて、ひとりぼっちのときには、食べ物と水を早く手に入れたいのが人情だ。きみが生きていられるようにするのが、この本の目的なのだ。名木工になってどうする！

そういう考え方から、人間を寄せ付けないような地形で生き延びなければならないときに必要なすべての知識が、この本に凝縮されている。どれも私が何度も実地に試して、うまくいくことがわかっている方法ばかりだ。

一つだけ秘伝を語って、結びにしたいと思う。パーティの隠し芸に使える**サバイバル**手品を知っておくと、なにかの役に立つはずだ。私の隠し芸は、ニワトリを眠らせることだ……。

これをやったのは、外人部隊にいるときのことで、バーで賭けをした。毎晩雄鶏《おんどり》がやかましくて寝られないうえに、軍曹からそのニワトリを殺すことを禁じられていた。私はバーで六〇秒以内にニワトリを眠らせることができるといって、仲間の新兵たちと賭けをした。それをやってのけると、おかしなことに、高峰登山の実績や、SAS《ザ・レジメント》（英陸軍特殊部隊）にいたことよりもずっと大きな栄光をものにできた！

やり方はいたって簡単だ。厄介なのはトサカのあるやつを捕まえることだけだった。角に追いつめて、覆いかぶさり、シーツでくるむ。とにかくなんとかして捕まえればいい。腕のなかでけたたましい声で鳴いているところから、賭けははじまる。こんなに荒れ狂っているニワトリを一分以内に眠らせることができるとは、だれも思わないだろう。テーブルに金が置かれたのを見届けると、ニワトリの首をつかみ（心配はいらない。しめたりしない）、頭を翼の下に入れさせて、そっと押さえる。静かにして、そのまま動かさずにいると、一分もたたないうちにニワトリは眠ってしまう。夜が来たと思ったのだ（ニワトリはそう利口ではないからね）。ニワトリがじっとして、体の力を抜くと、首を戻して、テーブルに置いてもだいじょうぶ……ぐっすり眠っている。賭け金はいただきだ。

幸運を祈る。この本を楽しんでくれることを願っている。どこかのバーでニワトリが眠らされているのを見たら、きみがこのページだけは読んでくれたのだとわかる！

ベア・グリルス(Bear Grylls)
英国ワイト島生まれ。経験豊かな冒険家であり、作家でもある。SAS(英国陸軍特殊部隊)に3年間勤務。英国登山家最年少でのエベレスト登頂、世界初ジェットスキーによる連合王国一周を成功させるなど数々の世界記録を打ち立て、それらを記した著書も出されている。松濤館空手の黒帯。ディスカバリーチャンネルで人気の番組「サバイバルゲーム」「まさかの時のサバイバル」「究極のサバイバルガイド」「サバイバル・チャレンジ」などに出演。

伏見威蕃(ふしみ・いわん)
1951年東京生まれ、早稲田大学商学部卒。ノンフィクションからミステリー小説、軍事近未来小説まで幅広い分野で活躍中。訳書には『フラット化する世界』『政治の代償』(以上、日本経済新聞出版社)、『極秘特殊部隊シール・チーム・シックス』(朝日新聞出版)などがある。

田辺千幸(たなべ・ちゆき)
1961年大阪生まれ。ロンドン大学社会心理学科卒。翻訳家。訳書には『トゥルーブラッド』(SBクリエイティブ)、『鉄の魔道僧』(早川書房)、『少女たちは闇に閉ざされ』(ヴィレッジブックス)などがある。

究極のサバイバルテクニック
2014年4月30日　第1刷発行

著　者　ベア・グリルス
訳　者　伏見威蕃+田辺千幸
発行者　首藤由之
発行所　朝日新聞出版
〒104-8011
東京都中央区築地5-3-2
電話　03-5541-8814(編集)
　　　03-5540-7793(販売)

印刷所　大日本印刷株式会社

ISBN978-4-02-331266-1
定価はカバーに表示してあります。

落丁・乱丁の場合は弊社業務部
(電話03-5540-7800)へご連絡ください。
送料弊社負担にてお取り換えいたします。